박문각 **취밥러 시리즈**

산업안전
산업기사

KB203345

실기 필답형

이 책의 구성과 특징

☑ 이론 본문 구성

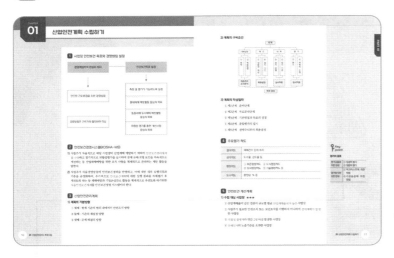

▌핵심이론

전문 교수진이 최신 시험에 출제된 핵심적인 내용을 엄선하였습니다. 복잡하고 방대한 이론을 간략화, 도식화하여 쉽게 이해할 수 있고, 중요 내용을 중심으로 효과적으로 학습할 수 있습니다.

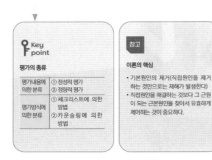

▌날개 구성

보충 및 심화개념은 'key point'와 '참고'로 따로 분리해서 정리하였습니다.

▌중요도 표시

시험 전에 꼭 확인해야 하는 주요단어와 문장은 색깔로 표시하였으며, 별표로 중요한 단원을 표시하여 수험생들이 효과적으로 학습할 수 있도록 구성하였습니다.

▌작업형 문제

대표적인 작업형 예시 문제를 제공합니다.

✔ 필답형 문제 구성

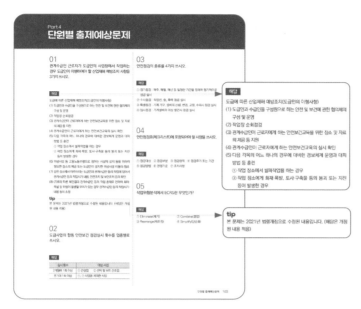

| 필답형 기출문제

기출 유형의 문제로 학습 내용을 복습하며 출제 경향과 문제 유형을 파악함으로써 실전에 대비할 수 있습니다.

| 자세한 해설

맞춤형 해설로 문제와 답을 쉽게 이해할 수 있으며, 부족한 부분이 무엇인지 확인할 수 있습니다.

| 해설 속 tip

해설 외에도 해당 문항에서 학습하면 좋을 추가 내용을 수록하여 문제에 대한 이해도를 높이고, 관련 개념을 학습할 수 있도록 하였습니다.

✔ 부록 구성

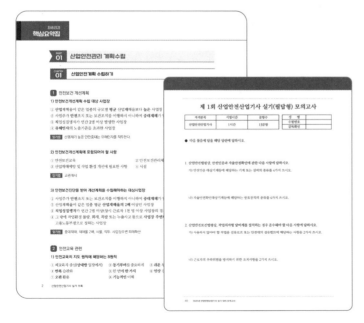

| 최종점검 핵심요약집

핵심 이론만을 엄선하여 수록하였습니다.

| Final 모의고사

수험생들이 스스로 역량을 확인할 수 있도록 최신 경향의 실전 모의고사로 실전 시험에 대비할 수 있습니다.

CONTENTS
목차

2013년 ~ 2024년

			Study Day		
			1st	2nd	3rd
2013년 산업안전 산업기사 실기	01	4월 20일 기출문제	194		
	02	7월 13일 기출문제	202		
	03	10월 5일 기출문제	208		
2014년 산업안전 산업기사 실기	01	4월 19일 기출문제	216		
	02	7월 5일 기출문제	223		
	03	10월 4일 기출문제	229		
2015년 산업안전 산업기사 실기	01	4월 19일 기출문제	236		
	02	7월 12일 기출문제	242		
	03	10월 4일 기출문제	248		
2016년 산업안전 산업기사 실기	01	4월 16일 기출문제	254		
	02	5월 8일 기출문제	260		
	03	10월 8일 기출문제	267		
2017년 산업안전 산업기사 실기	01	4월 16일 기출문제	273		
	02	6월 25일 기출문제	279		
	03	10월 15일 기출문제	285		
2018년 산업안전 산업기사 실기	01	4월 14일 기출문제	290		
	02	6월 30일 기출문제	296		
	03	10월 6일 기출문제	302		

			Study Day		
			1st	2nd	3rd
2019년 산업안전 산업기사 실기	01	4월 13일 기출문제	307		
	02	6월 29일 기출문제	313		
	03	10월 12일 기출문제	318		
2020년 산업안전 산업기사 실기	01	5월 9일 기출문제	322		
	02	7월 25일 기출문제	328		
	03	10월 17일 기출문제	334		
	04	11월 14일 기출문제	340		
2021년 산업안전 산업기사 실기	01	4월 25일 기출문제	345		
	02	7월 10일 기출문제	350		
	03	10월 16일 기출문제	356		
2022년 산업안전 산업기사 실기	01	4월 4일 기출문제	362		
	02	6월 21일 기출문제	368		
	03	9월 5일 기출문제	374		
2023년 산업안전 산업기사 실기	01	4월 22일 기출문제	379		
	02	7월 22일 기출문제	385		
	03	10월 7일 기출문제	391		
2024년 산업안전 산업기사 실기	01	4월 1일 기출문제	396		
	02	7월 20일 기출문제	404		
	03	10월 26일 기출문제	410		

01

산업안전보건법상 승강기에 설치해야 하는 방호장치의 종류를 4가지 쓰시오.

해답 승강기의 방호장치

① 파이널 리미트 스위치   ② 속도조절기   ③ 출입문 인터록
④ 과부하방지장치   ⑤ 권과방지장치 등

02

사다리식 통로의 설치기준을 5가지 쓰시오.

해답 사다리식 통로의 구조(설치 시 준수사항)

① 견고한 구조로 할 것
② 심한 손상·부식 등이 없는 재료를 사용할 것
③ 발판의 간격은 일정하게 할 것
④ 발판과 벽과의 사이는 15센티미터 이상의 간격을 유지할 것
⑤ 폭은 30센티미터 이상으로 할 것
⑥ 사다리가 넘어지거나 미끄러지는 것을 방지하기 위한 조치를 할 것
⑦ 사다리의 상단은 걸쳐놓은 지점으로부터 60센티미터 이상 올라가도록 할 것
⑧ 사다리식 통로의 길이가 10미터 이상인 경우에는 5미터 이내마다 계단참을 설치할 것
⑨ 사다리식 통로의 기울기는 75도 이하로 할 것. 다만, 고정식 사다리식 통로의 기울기는 90도 이하로 하고, 그 높이가 7미터 이상인 경우에는 다음 각 목의 구분에 따른 조치를 할 것
　가. 등받이울이 있어도 근로자 이동에 지장이 없는 경우: 바닥으로부터 높이가 2.5미터 되는 지점부터 등받이울을 설치할 것
　나. 등받이울이 있으면 근로자가 이동이 곤란한 경우: 한국산업표준에서 정하는 기준에 적합한 개인용 추락 방지 시스템을 설치하고 근로자로 하여금 한국산업표준에서 정하는 기준에 적합한 전신안전대를 사용하도록 할 것
⑩ 접이식 사다리 기둥은 사용 시 접혀지거나 펼쳐지지 않도록 철물 등을 사용하여 견고하게 조치할 것

tip

2024년 개정된 법령 적용

03

이동전선에 접속하여 임시로 사용하는 전등 등에 접촉함으로 인한 감전 및 전구파손에 의한 위험방지를 위하여 보호망을 부착할 때 준수해야 할 사항을 2가지 쓰시오.

해답

① 전구의 노출된 금속부분에 근로자가 용이하게 접촉되지 아니하는 구조로 할 것
② 재료는 용이하게 파손되거나 변형되지 아니하는 것으로 할 것

04

통제표시비의 설계시 고려해야 할 사항 4가지를 쓰시오..

해답

① 계기의 크기 ② 공차 ③ 목측거리 ④ 조작시간 ⑤ 방향성

05

인간공학에 관한 다음의 설명 중 ( )안에 알맞은 내용을 쓰시오.

(1) 단조로운 업무가 장시간 지속될 때 작업자의 감각기능, 판단기능이 둔화 또는 마비되는 현상을 (①)이라 한다.
(2) (②)란 인간 또는 기계의 과오나 동작상의 실패가 있어도 안전사고를 발생시키지 않도록 2중, 3중으로 통제를 가하는 것을 말한다.
(3) 인간공학의 목적은 (③)에 있다.
(4) 인간시스템의 신뢰도에서 결함을 찾아내어 고장률을 안정시키는 기간은 (④)이다.
(5) (⑤)은 작업대사량과 기초대사량의 비로서 작업대사량은 작업시 소비된 에너지와 안정시 소비된 에너지와의 차를 말한다.

해답

① 감각차단현상   ② fail-safe   ③ 안전과 능률
④ 디버깅 기간   ⑤ 에너지 대사율(R.M.R)

06

근로자의 신체보호를 위하여 착용하는 보호구의 구비조건을 4가지 쓰시오.

해답

① 착용시 작업이 용이할 것 (간편한 착용)
② 유해 위험물에 대한 방호성능이 충분할 것 (대상물에 대한 방호가 완전)
③ 작업에 방해요소가 되지 않도록 할 것
④ 재료의 품질이 우수할 것 (특히 피부접촉에 무해할 것)
⑤ 구조와 끝마무리가 양호할 것 (충분한 강도와 내구성 및 표면 가공이 우수)
⑥ 외관 및 전체적인 디자인이 양호할 것

07

T.B.M(Tool Box Meeting) 위험예지훈련에 관하여 간략하게 설명하시오.

해답

작업전에 관리감독자를 중심으로 작업의 내용과 위험요인을 재확인하고 안전한 작업절차 등에 관하여 서로 확인하고 의논하는 작업 전 안전점검 회의를 말한다.

08

400명의 근로자가 1일 8시간, 연간 300일 근무하는 어느 사업장에서 11건의 재해가 발생하여 신체장해등급 11급 10명, 1급 1명이 발생하였다. 연천인율과 강도율을 구하시오.

해답

$$연천인율 = \frac{연간재해자수}{연평균근로자수} \times 1,000$$

$$\therefore \ 연천인율 = \frac{11}{400} \times 1,000 = 27.5$$

$$강도율(S.R) = \frac{근로손실일수}{연간총근로시간수} \times 1,000$$

$$\therefore \ 강도율 = \frac{7500 + (400 \times 10)}{400 \times 8 \times 300} \times 1,000 ≒ 11.979 = 11.98$$

09

보호안경 착용에 관하여 안전관리자가 안전조회를 실시하고자 한다. 아래의 교육내용을 도입, 전개, 결말의 순서로 정리하여 번호를 쓰시오.

> (1) 연삭기 작업은 비록 짧은시간(20~30분)이라 할지라도 반드시 보안경을 착용한다. 칩은 어디로부터도 눈에 들어올 수 있다.
> (2) 아무리 귀찮아도 잊지말고 연삭작업시에는 반드시 보안경을 착용하자.
> (3) 오늘은 보호안경 착용에 관한 안전교육을 실시한다.

해답

① 도입 : (3)
② 전개 : (1)
③ 결말 : (2)

10

터널굴착작업시 시공계획에 포함되어야 할 사항을 3가지 쓰시오.

해답

① 굴착의 방법
② 터널지보공 및 복공의 시공방법과 용수의 처리방법
③ 환기 또는 조명시설을 하는 때에는 그 방법

11

다음의 FT를 간략화 하시오.

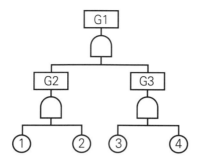

해답

12

안전검사 대상 유해·위험기계의 종류를 4가지 쓰시오.

해답

① 프레스   ② 전단기

③ 크레인(정격하중 2톤 미만 제외)   ④ 리프트

⑤ 압력용기   ⑥ 곤돌라

⑦ 국소배기장치(이동식 제외)   ⑧ 원심기(산업용만 해당)

⑨ 롤러기(밀폐형 구조제외)   ⑩ 사출성형기[형 체결력 294킬로뉴튼(KN) 미만 제외]

⑪ 고소작업대(화물자동차 또는 특수자동차에 탑재한 것으로 한정)

⑫ 컨베이어   ⑬ 산업용 로봇

⑭ 혼합기   ⑮ 파쇄기 또는 분쇄기

tip

법령개정으로 혼합기, 파쇄기 또는 분쇄기가 추가되었으며, 2026년 6월 26일부터 시행.

01

연약지반 개량공법에서 점성토지반에 해당하는 공법을 5가지 쓰시오.

해답

(1) 치환공법 (① 굴착치환 ② 미끄럼치환 ③ 폭파치환)
(2) 압밀(재하)공법 (① Preloading 공법 ② 압성토 공법)
(3) 탈수공법 (① sand drain 공법 ② paper drain공법 ③pack drain 공법)
(4) 배수공법 (① Deep well 공법 ② Well point 공법)
(5) 고결공법
(6) 전기침투공법 등

02

다음은 재해발생 형태별 분류항목이다. 해당하는 항목을 간략하게 설명하시오.

① 전도 ② 낙하, 비래 ③ 협착 ④ 충돌

해답

① 전도 : 사람이 평면상으로 넘어졌을 때를 말함(과속, 미끄러짐 포함)
② 낙하, 비래 : 물건이 주체가 되어 사람이 맞은 경우
③ 협착 : 물건에 끼워진 상태, 말려든 상태
④ 충돌 : 사람이 정지물에 부딪친 경우

03

안전검사 대상과 주기에 관련한 다음 내용에서 (   )에 알맞은 내용을 쓰시오.

> 크레인(이동식 크레인은 제외), 리프트(이삿짐운반용 리프트는 제외) 및 (①): 사업장에 설치가 끝난 날부터 (②) 이내에 최초 안전검사를 실시하되, 그 이후부터 (③)마다 실시한다. 다만, 건설현장에서 사용하는 것은 최초로 설치한 날부터 (④)마다 안전검사를 실시한다.

해답

① 곤돌라   ② 3년   ③ 2년   ④ 6개월

04

공정안전보고서를 제출해야 하는 대상 사업장을 쓰시오.

해답

① 원유정제 처리업
② 기타 석유정제물 재처리업
③ 석유화학계 기초화학물질 제조업 또는 합성수지 및 기타 플라스틱물질 제조업
④ 질소 화합물, 질소 인산 및 칼리질 화학비료 제조업 중 질소질 비료 제조
⑤ 복합비료 및 기타 화학비료 제조업 중 복합비료 제조(단순혼합 또는 배합에 의한 경우는 제외)
⑥ 화학살균 살충제 및 농업용 약제 제조업(농약 원제 제조만 해당)
⑦ 화약 및 불꽃제품 제조업

05

다음은 통전전류에 따른 인체의 영향을 나타낸 것이다. 빈칸에 알맞은 내용을 쓰시오.

분류	인체에 미치는 전류의 영향	통전 전류
최소감지전류	전류의 흐름을 느낄 수 있는 최소전류	60Hz 교류에서 성인남자 1mA
(①)	고통을 참을 수 있는 한계전류	60Hz 교류에서 성인남자 7~8mA
마비한계전류	신경이 마비되고 신체를 움직일 수 없으며 말을 할 수 없는 상태	(②)
심실세동전류	심장의 맥동에 영향을 주어 심장마비 상태를 유발	(③)

해답

① 고통한계전류

② 60Hz 교류에서 성인남자 10~15mA

③ 60Hz 교류에서 성인남자 $I = \dfrac{165 \sim 185}{\sqrt{T}}$ mA

06

다음 시스템의 신뢰도를 구하시오.

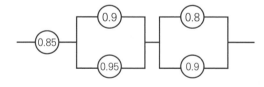

해답

① $R_s = 0.85 \times \{1 - (1-0.9)(1-0.95)\} \times \{1 - (1-0.8)(1-0.9)\}$

∴ $R_s = 0.8288 = 0.83$

07

안전인증을 받은 자가 안전인증을 받은 유해·위험기계등이나 이를 담은 용기 또는 포장에 고용노동부령으로 정하는 바에 따라 해야하는 안전인증의 표시외에 표시해야 하는 사항을 4가지 쓰시오.

해답

① 형식 또는 모델명   ② 규격 또는 등급 등   ③ 제조자명   ④ 제조번호 및 제조연월   ⑤ 안전인증 번호

tip

안전인증 및 자율안전 확인 제품의 표시

안전인증 제품	자율안전 확인 제품
① 형식 또는 모델명	① 형식 또는 모델명
② 규격 또는 등급 등	② 규격 또는 등급 등
③ 제조자명	③ 제조자명
④ 제조번호 및 제조연월	④ 제조번호 및 제조연월
⑤ 안전인증 번호	⑤ 자율안전확인 번호

08

파괴하중이 600(kg)이고 최대사용하중이 300(kg)인 재료의 안전율을 계산하시오.

해답

$$안전율\ F_1 = \frac{극한강도}{최대설계응력} = \frac{파괴하중}{최대사용하중}$$

$$안전율 = \frac{600}{300} = 2$$

09

허즈버그의 두 요인이론에서 위생요인과 동기요인에 해당하는 내용을 각각 5가지 쓰시오.

해답

(1) 위생요인

　① 조직의 정책과 방침   ②작업조건   ③대인관계   ④ 임금, 신분, 지위   ⑤감독 등

(2) 동기요인

　① 직무상의 성취   ② 인정   ③ 성장 또는 발전   ④ 책임의 증대   ⑤ 도전   ⑥ 직무내용자체(보람된직무) 등

10

구조물 해체 작업시 작업계획에 포함되어야 할 내용을 5가지 쓰시오.

해답

① 해체의 방법 및 해체순서도면
② 가설설비·방호설비·환기설비 및 살수·방화설비 등의 방법
③ 사업장내 연락방법
④ 해체물의 처분계획
⑤ 해체작업용 기계·기구 등의 작업계획서
⑥ 해체작업용 화약류 등의 사용계획서
⑦ 그 밖에 안전·보건에 관련된 사항

11

안전밸브 또는 파열판을 설치하여 그 성능이 발휘될 수 있도록 하여야 하는 화학설비 및 그 부속설비의 종류를 4가지 쓰시오.

해답

① 압력용기(안지름이 150밀리미터 이하인 압력용기는 제외, 관형 열교환기는 관의 파열로 인하여 상승한 압력이 압력용기의 최고사용압력을 초과할 우려가 있는경우)
② 정변위 압축기
③ 정변위 펌프(토출측에 차단밸브가 설치된 것)
④ 배관(2개 이상의 밸브에 의하여 차단되어 대기온도에서 액체의 열팽창에 의하여 파열될 것이 우려되는 것)
⑤ 그 밖의 화학설비 및 그 부속설비로서 해당 설비의 최고사용압력을 초과할 우려가 있는 것

01

다음은 화학설비의 안전성에 대한 정량적 평가이다. 위험등급에 따른 점수를 계산하고 해당하는 항목을 쓰시오.

① 위험등급 I : (　　)
② 위험등급 II : (　　)
③ 위험등급 III : (　　)

항목분류	A급(10점)	B급(5점)	C급(2점)	D급(0점)
취급물질			○	○
화학설비의 용량		○	○	
온도	○	○		
압력	○	○	○	
조작			○	○

해답

① 합산점수 16점 이상 : 압력(17점)
② 합산점수 11 ~ 15점 : 온도(15점)
③ 합산점수 0 ~ 10점 : 화학설비의 용량(7점), 조작(2점), 취급물질(2점)

02

폭발은 3가지 조건이 갖추어져야 가능하다. 폭발의 성립조건 3가지를 쓰시오.

해답

① 가연성가스, 증기, 분진 등이 공기 또는 산소와 접촉 또는 혼합되어 있는 경우(폭발범위내 존재)
② 혼합되어 있는 가스 및 분진이 어떤 구획된 공간이나 용기 등의 공간에 존재하고 있는 경우(밀폐된 공간)
③ 혼합된 물질의 일부에 점화원이 존재하고 그것이 매개체가 되어 최소 착화 에너지 이상의 에너지를 줄 경우

03

산업안전보건법상 안전표지의 종류를 4가지 쓰시오.

해답

① 금지 표지　② 경고 표지　③ 지시 표지　④ 안내 표지

tip

2012년 법개정으로 '관계자외 출입금지' 표지가 추가되었으므로 함께 알아두세요.

04

안전 조직 중 라인형의 특징을 2가지 쓰시오.

해답

① 명령과 보고가 상하관계 뿐이므로 간단명료(모든 권한이 포괄적이고 직선적으로 행사)
② 명령이나 지시가 신속 정확하게 전달되어 개선조치가 빠르게 진행
③ 안전보건에 관한 전문지식이나 기술이 결여되어 안전보건관리가 원만하게 이루어지지 못함(고도의 안전관리 기대불가)
④ 전문적인 기술을 필요로 하지 않는 100인 미만의 소규모 사업장에 적합

05

저압전기기기의 누전으로 인한 감전재해 방지를 위한 안전대책을 3가지 쓰시오.

해답

① 보호절연	② 안전 전압 이하의 기기 사용	③ 접지
④ 누전차단기의 설치	⑤ 비접지식 전로의 채용	⑥ 이중절연구조

06

선반 작업장에서 신입사원 A군이 관리감독자의 허가 없이 변속부분의 덮개를 열고 회전상태에서 기어에 주유를 하다 손가락이 절단되는 재해가 발생했다. 재해분석을 위한 다음 사항을 기술하시오.

---

① 사고형태   ② 가해물   ③ 기인물   ④ 불안전행동
⑤ 불안전상태   ⑥ 관리적원인   ⑦ 기술적원인   ⑧ 교육적 원인

해답

① 절단   ② 기어
③ 선반   ④ 회전상태에서 기어에 주유(운전중 주유)
⑤ 변속부분 덮개의 인터록장치 불량   ⑥ 관리감독자의 관리소홀
⑦ 덮개의 설계불량   ⑧ 작업방법에 관한 교육 및 안전의식 불충분

07

감각차단현상에 관하여 간략히 설명하시오.

해답

단조로운 업무가 장시간 지속될 때 작업자의 감각기능 및 판단능력이 둔화 또는 마비되는 현상(의식수준 I단계에 해당)

08

전압의 구분에 관한 다음 사항에서 ( )에 알맞은 내용을 쓰시오.

전원의 종류	저압	고압	특고압
직류	(①)V 이하	(②)V 초과 7,000V 이하	7,000V 초과
교류	1,500V 이하	1,500V 초과 (③)V 이하	(④)V 초과

해답

① 1,000   ② 1,000   ③ 7,000   ④ 7,000

tip

2021년 법령개정. 문제와 해답은 개정된 내용 적용.

09

인간이 기계를 조종하는 인간-기계 체계에서 인간의 신뢰도가 0.8일 때 체계의 전체 신뢰도가 0.7 이상이 되려면 기계의 신뢰도는 얼마 이상이어야 하는가?

해답

$R_S = R_E \cdot R_H$

기계의 신뢰도$(R_E) = \dfrac{0.7}{0.8} = 0.875 = 0.88$

10

비계공사의 작업 시작전 점검사항을 4가지 쓰시오.

해답

① 발판재료의 손상여부 및 부착 또는 걸림상태 ② 당해 비계의 연결부 또는 접속부의 풀림상태
③ 연결재료 및 연결철물의 손상 또는 부식상태 ④ 손잡이의 탈락여부
⑤ 기둥의 침하·변형·변위 또는 흔들림 상태 ⑥ 로프의 부착상태 및 매단장치의 흔들림 상태

11

굴착작업 시 토사등의 붕괴 또는 낙하에 의하여 근로자에게 위험을 미칠 우려가 있는 경우 사업주가 위험을 방지하기 위해 해야 하는 필요한 조치를 3가지 쓰시오.

해답

① 흙막이 지보공 설치
② 방호망 설치
③ 근로자의 출입금지

12

안전 경고등을 작동시킬 때 스위치가 on-off로 작동된다면 정보량은 몇 bit인가?

해답

실현가능성이 같은 n개의 대안이 있을 때
총 정보량 H는 $H = \log_2 n$
$\therefore H = \log_2 2 = 1 bit$

01

산업안전보건법상 양중기의 종류를 4가지 쓰시오.

해답 양중기의 종류

① 크레인(호이스트 포함)
② 이동식 크레인
③ 리프트(이삿짐운반용 리프트의 경우 적재하중 0.1톤 이상인 것)
④ 곤돌라
⑤ 승강기

02

페인트통이 쌓여있는 작업장 부근에서 용접작업을 하고자 한다. 당신이 관리감독자라면 어떠한 사전 안전조치를 취하겠는가?

해답

① 작업시작전 작업장 정리정돈을 실시하여 페인트통 등의 인화성물질을 제거하거나 방책 등을 설치하여 격리시킨다.
② 용접불꽃으로 인한 화재에 대비하여 소화기를 준비한다.
③ 용접작업에 필요한 보호구(보안경, 보안면, 안전장갑 등)를 착용하도록 한다.
④ 교류아크용접기를 사용할 경우 자동전격방지기를 부착한다.
⑤ 감시인 배치 및 작업방법을 개선한다.

03

보호구 중 안전모의 종류 및 사용구분에 관하여 간략히 쓰시오.

해답 추락 및 감전 위험방지용 안전모의 종류

종류(기호)	사용구분	비고
AB	물체의 낙하 또는 비래 및 추락에 의한 위험을 방지 또는 경감시키기 위한 것	
AE	물체의 낙하 또는 비래에 의한 위험을 방지 또는 경감하고, 머리부위 감전에 의한 위험을 방지하기 위한 것	내전압성
ABE	물체의 낙하 또는 비래 및 추락에 의한 위험을 방지 또는 경감하고, 머리부위 감전에 의한 위험을 방지하기 위한 것	내전압성

04

고변압기 중성점 접지 저항값에 관한 다음 사항에서 (   )에 알맞은 내용을 쓰시오.

> 가. 일반적으로 변압기의 고압·특고압측 전로 1선 지락전류로 150을 나눈 값과 같은 저항 값 이하
> 나. 변압기의 고압·특고압측 전로 또는 사용전압이 (①) kV 이하의 특고압전로가 저압측 전로와 혼촉하고 저압전로의 대지 전압이 150 V를 초과하는 경우는 저항 값은 다음에 의한다.
>   (1) (②) 초과 (③) 이내에 고압·특고압 전로를 자동으로 차단하는 장치를 설치할 때는 300을 나눈 값 이하
>   (2) 1초 이내에 고압·특고압 전로를 자동으로 차단하는 장치를 설치할 때는 (④)을 나눈 값 이하

해답

① 35 ② 1초 ③ 2초 ④ 600

05

다음 표에서 전원에 따른 전압을 구분하여 적으시오.

전원의 종류	저압	고압	특별고압
직류	①	②	
교류	③	④	⑤

해답

① 1,500V 이하   ② 1,500V 초과 7,000V 이하
③ 1,000V 이하   ④ 1,000V 초과 7,000V 이하
⑤ 7,000V 초과

tip

2021년 법령개정. 문제와 해답은 개정된 내용 적용.

06

사업장 안전관리규정의 작성시 유의해야 할 사항 4가지를 쓰시오.

해답

① 규정된 기준은 법정기준을 상회하도록 하여야 한다.
② 관리자층의 직무와 권한 근로자에게 강제 또는 요청한 부분을 명확히 해야 한다.
③ 관계 법령의 제정 및 개정에 따라 즉시 개정해야 한다.
④ 작성 또는 개정시에는 현장의 의견을 충분히 반영하여야 한다.
⑤ 규정내용은 정상시는 물론 이상발생시 사고 및 재해발생시의 조치에 관해서도 규정하여야 한다.

07

보호안경 착용에 관하여 안전관리자가 안전조회를 실시하고자 한다. 아래의 교육내용을 도입, 전개, 결말의 순서로 정리하여 번호를 쓰시오.

---

(1) 연삭기 작업은 비록 짧은시간(20~30분)이라 할지라도 예측할 수 없는 칩으로부터의 눈의 상해를 방지하기 위하여 반드시 보안경을
   착용한다.
(2) 아무리 귀찮아도 잊지 말고 연삭작업시에는 반드시 보안경을 착용하자.
(3) 오늘은 보호안경 착용에 관한 안전교육을 실시한다.

해답

① 도입 : (3)   ② 전개 : (1)   ③ 결말 : (2)

08

평균근로자 400명이 작업하는 어느 사업장에서 일일근로시간은 7시간 30분, 연간근무일수는 300일, 잔업시간 10,000시간, 조퇴 500시간, 휴업4일 이상의 재해건수가 4건, 불휴재해건수가 6건 일 때 도수율(빈도율)은 얼마인가? (단, 결근율이 5%이다)

해답

$$빈도율(F.R) = \frac{재해건수}{연간총근로시간수} \times 1,000,000$$

$$\therefore 도수율 = \frac{4+6}{(400 \times 7.5 \times 300 \times 0.95) + (10,000 - 500)} \times 10^6 = 11.567 = 11.57$$

09

상시근로자 5,000명이 작업하는 어느 사업장에서 연간 재해로 인한 사상자 수가 50명이라면 이 작업장의 연천인율은 얼마인가?

해답

$$연천인율 = \frac{연간재해자수}{연평균근로자수} \times 1,000$$

$$\therefore 연천인율 = \frac{50}{5,000} \times 1,000 = 10$$

10

지반굴착작업을 실시하기 전 사전에 조사해야 할 사항 3가지를 쓰시오.

① 형상·지질 및 지층의 상태
② 균열·함수(含水)·용수 및 동결의 유무 또는 상태
③ 매설물 등의 유무 또는 상태
④ 지반의 지하수위 상태

01

연소는 가연물, 산소, 점화원이라는 3요소가 존재해야 가능하다. 이중 가연물이 될 수 없는 조건을 3가지 쓰시오.

해답

① 주기율표의 0족 원소 (가장 안정된 물질로 산화되지 않는다. He, Ne, Ar 등)
② 이미 산화반응이 완결된 안정된 산화물 (CO_2, SiO_2 등)
③ 질소 또는 질소 산화물(흡열반응)

02

안전관리에 적용될 수 있는 조직의 종류를 열거하고 각각에 대하여 간략하게 3가지로 설명하시오.

해답

(1) 직계식(라인형)
① 명령과 보고가 상하관계뿐이므로 간단명료(모든 권한이 포괄적이고 직선적으로 행사)
② 명령이나 지시가 신속 정확하게 전달되어 개선조치가 빠르게 진행
③ 안전보건에 관한 전문지식이나 기술이 결여되어 안전보건관리가 원만하게 이루어지지 못함
④ 별도의 안전관리 요원을 두지 않아 예산절약의 효과
⑤ 전문적인 기술을 필요로 하지 않는 100인 미만의 소규모 사업장에 적합

(2) 참모식(스탭형)
① 안전전담부서(Staff)의 참모인 안전관리자가 안전관리의 계획에서 시행까지 업무추진(고도의 안전활동 진행)
② 경영자의 조언과 자문 역활
③ 안전에 대한 이해가 부족할 경우 안전대책의 현장 침투 불가
④ 안전에 관한 지식, 기술 축적 및 정보 수집이 용이하고 신속
⑤ 근로자 100 ~ 1,000명 정도의 중규모사업장에 적합

(3) 직계참모식(라인스탭형)
① 라인에서 안전보건 업무가 수행되어 안전보건에 관한 지시 명령조치가 신속, 정확 하게 전달, 수행
② 안전보건의 전문지식이나 기술축적 용이(당해 사업장에 적합한 대책 수립가능)
③ 명령계통과 조언, 권고적 참여가 혼돈될 가능성
④ 라인형과 스탭형의 장점을 절충한 이상적인 조직
⑤ 근로자 1,000명 이상의 대규모 사업장에 적합

03

산소결핍위험작업에서 작업할 경우 실시해야 하는 특별안전보건교육의 내용 4가지와 연간 교육시간을 쓰시오.(단, 그 밖에 안전보건관리에 필요한 사항은 제외)

해답

(1) 교육내용
① 산소농도 측정 및 작업환경에 관한 사항 ② 사고 시의 응급처치 및 비상 시 구출에 관한 사항
③ 보호구 착용 및 보호 장비 사용에 관한 사항 ④ 작업내용·안전작업방법 및 절차에 관한 사항
⑤ 장비·설비 및 시설 등의 안전점검에 관한 사항

(2) 교육시간

일용근로자 및 근로계약기간이 1주일 이하인 기간제근로자	2시간 이상
일용근로자 및 근로계약기간이 1주일 이하인 기간제근로자를 제외한 근로자	– 16시간 이상 – 단기간 작업 또는 간헐적 작업인 경우에는 2시간 이상

tip
2023년 법령개정. 문제 및 해답은 개정된 내용 적용.

04

공간에 분출한 액체류가 미세하게 비산되어 분리하고, 크고 작은 방울로 될 때 새로운 표면을 형성하면서 정전기가 발생하는 대전현상을 무엇이라 하는가?

해답

비말대전

05

토사 등이 떨어질 우려가 있는 위험한 장소에서 견고한 낙하물 보호구조를 갖춰야할 차량계건설기계의 종류를 5가지 쓰시오.

해답

① 불도저
② 트랙터
③ 굴착기
④ 로더(loader : 흙 따위를 퍼올리는 데 쓰는 기계)
⑤ 스크레이퍼(scraper : 흙을 절삭·운반하거나 펴 고르는 등의 작업을 하는 토공기계)
⑥ 덤프트럭
⑦ 모터그레이더(motor grader : 땅 고르는 기계)
⑧ 롤러(roller : 지반 다짐용 건설기계)
⑨ 천공기
⑩ 항타기 및 항발기

tip

2024년 법령개정 내용 적용.

06

반사경 없이 모든 방향으로 빛을 발하는 점 광원에서 2(m)떨어진 곳의 조도가 120(lux)라면 3(m)떨어진 곳의 조도는 얼마인가?

해답

$$조도 = \frac{조도}{(거리)^2}$$

$$\therefore \ 3m에서의 \ 조도 = \frac{120 \times 2^2}{3^2} = 53.33(lux)$$

07

하인리히의 재해발생의 도미노이론을 순서대로 쓰시오.

해답

① 제1단계 : 유전적 요인 및 사회적 환경
② 제2단계 : 개인적 결함
③ 제3단계 : 불안전행동 및 불안전상태
④ 사고
⑤ 재해(상해)

08

방폭구조의 종류를 5가지 쓰시오.

① 내압 방폭구조	② 압력 방폭구조	③ 충전 방폭구조	④ 유입 방폭구조
⑤ 안전증 방폭구조	⑥ 본질안전 방폭구조	⑦ 몰드 방폭구조	⑧ 비점화 방폭구조

09

인간의 불안전행동에는 여러 가지 형태가 있다. 그러나 안전관리를 추진하는 입장에서 구분하는 불안전행동의 종류를 4가지 쓰시오.

① 작업상의 위험에 대한 지식부족으로 인한 불안전행동(모른다)
② 안전하게 작업을 수행할 수 있는 기능미숙으로 인한 불안전행동(할 수 없다)
③ 안전에 대한 태도불량(의식부족)으로 인한 불안전행동(하지 않는다)
④ 인간의 특성으로서의 에러(error)에 의한 불안전행동(인간에러)

10

다음의 그림에서 지게차의 중량(G)이 2ton이고, 앞바퀴에서 화물의 중심까지의 거리(a)가 1.5m, 앞바퀴로부터 차의 중심까지의 거리(b)가 1.5m일 경우 지게차의 안정을 유지하기 위한 최대 화물중량(W)은 얼마 미만으로 해야 하는가?

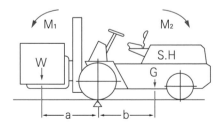

$M_1 = W \times a$(화물의 모멘트)$< M_2 = G \times b$(지게차의 모멘트)

$W \times 1.5 < 2\text{ton} \times 1.5$

$W < 2\text{ton}$ ∴ 2ton 미만

11

산업안전보건법상 위험기계·기구에 설치한 방호조치에 대하여 근로자가 지켜야 할 준수사항을 3가지 쓰시오.

해답

① 방호조치를 해체하고자 할 경우에는 사업주의 허가를 받아 해체할 것
② 방호조치를 해체한 후 그 사유가 소멸된 때에는 지체없이 원상으로 회복시킬 것
③ 방호조치의 기능이 상실된 것을 발견한 때에는 지체없이 사업주에게 신고할 것

12

거푸집에 작용하는 하중 중에서 연직 하중에 해당하는 4가지 종류를 쓰시오.

해답

① 고정하중   ② 충격하중   ③ 적재하중   ④ 작업하중

13

저압전기를 취급하는 작업시 감전으로부터 신체를 보호하기 위하여 착용하는 안전화의 명칭과 저압전기의 전압을 쓰시오.

해답

(1) 안전화 : 절연화
(2) 저압전기 : ① 직류 : 1500V 이하 ② 교류 : 1000V 이하

01

충전전로의 선간전압이 다음과 같을 때 충전전로에 대한 접근한계거리를 쓰시오.

① 0.3킬로볼트 초과 0.75킬로볼트 이하   ② 2킬로볼트 초과 15킬로볼트 이하
③ 15킬로볼트 초과 37킬로볼트 이하   ④ 88킬로볼트 초과 121킬로볼트 이하

해답

① 30센티미터   ② 60센티미터   ③ 90센티미터   ④ 130센티미터

02

방독마스크의 등급별 사용장소에 관한 사항 중 ( )에 알맞은 내용을 쓰시오.

등급	사용 장소
고농도	가스 또는 증기의 농도가 (①)(암모니아에 있어서는 100분의 3) 이하의 대기 중에서 사용하는 것
중농도	가스 또는 증기의 농도가 (②)(암모니아에 있어서는 100분의 1.5) 이하의 대기 중에서 사용하는 것
저농도 및 최저농도	가스 또는 증기의 농도가 (③) 이하의 대기 중에서 사용하는 것으로서 긴급용이 아닌 것

해답

① 100분의 2   ② 100분의 1   ③ 100분의 0.1

03

상시근로자 500명을 사용하는 어느 사업장에서 연간 20명의 재해자가 발생하였다. 연천인율을 구하시오.

해답

$$연천인율 = \frac{연간재해자수}{연평균근로자수} \times 1,000$$

$$\therefore \ 연천인율 = \frac{20}{500} \times 1,000 = 40$$

04

목재가공용 둥근톱 기계의 방호장치를 쓰시오.

해답

① 분할날 등 반발예방장치   ② 톱날접촉 예방장치

05

다음은 비계의 벽이음 간격이다. (   ) 안에 알맞은 숫자를 쓰시오.

구분		조립간격(m)	
		수직방향	수평방향
강관비계	단관비계	(①)	(②)
	틀비계	(③)	(④)

해답

① 5   ② 5   ③ 6   ④ 8

06

기업내 교육형태의 종류를 3가지로 구분하여 적으시오.

해답

① TWI(Training with industry)
② MTP(Management Training Program)
③ ATT(American Telephone&Telegram Co)
④ ATP(Administration Training program)·CCS(Civil Communication Section)

07

Fool proof의 대표적인 기구를 5가지 쓰시오.

① 가드(Guard)	② 록기구(Lock기구)	③ 오버런기구(Overun기구)
④ 트립 기구(Trip 기구)	⑤ 밀어내기기구(Push&Pull 기구)	⑥ 기동방지 기구

08

외부피뢰시스템에 해당하는 수뢰부 시스템에 관한 다음 사항에서 (   )에 알맞은 내용을 쓰시오.

> 가. 수뢰부시스템의 선정은 (①), (②), 그물망도체의 요소 중에 한가지 또는 이를 조합한 형식으로 시설하여야 한다.
>
> 나. 수뢰부시스템의 배치는 (③), (④), 그물망법 중 하나 또는 조합된 방법으로 배치하여야 한다.

① 돌침	② 수평도체	③ 보호각법	④ 회전구체법

09

압출가공 시 발생하는 위험요소를 4가지 쓰시오.

① 1요소 : 함정(Trap)	② 2요소 : 충격(Impact)	③ 3요소 : 접촉(Contact)
④ 4요소 : 얽힘 또는 말림(Entanglement)	⑤ 5요소 : 튀어나옴(Ejection)	

10

근로자가 노출된 충전부 또는 그 부근에서 작업함으로써 감전될 우려가 있는 경우 사업주는 작업에 들어가기 전에 해당 전로를 차단하여야 한다. 전로차단 절차를 쓰시오.

해답

① 전기기기등에 공급되는 모든 전원을 관련 도면, 배선도 등으로 확인할 것
② 전원을 차단한 후 각 단로기 등을 개방하고 확인할 것
③ 차단장치나 단로기 등에 잠금장치 및 꼬리표를 부착할 것
④ 개로된 전로에서 유도전압 또는 전기에너지가 축적되어 근로자에게 전기위험을 끼칠 수 있는 전기기기등은 접촉하기 전에 잔류전하를 완전히 방전시킬 것
⑤ 검전기를 이용하여 작업 대상 기기가 충전되었는지를 확인할 것
⑥ 전기기기등이 다른 노출 충전부와의 접촉, 유도 또는 예비동력원의 역송전 등으로 전압이 발생할 우려가 있는 경우에는 충분한 용량을 가진 단락 접지기구를 이용하여 접지할 것

11

상시근로자 100명이 작업하는 어느 사업장에서 강도율이 4.5일 경우 근로손실일수는 얼마인가?

해답

$$강도율(S.R) = \frac{근로손실일수}{연간총근로시간수} \times 1,000$$

$$\therefore 근로손실일수 = \frac{4.5 \times 100 \times 2,400}{1,000} = 1,080(일)$$

12

무재해 운동에서 위험예지 훈련의 실질적 내용 3가지를 쓰시오.

해답

① 감수성 훈련
② 단시간 미팅훈련(TBM 훈련)
③ 문제해결 훈련

01

다음은 전기안전에 관련된 사항이다. (　　)안에 알맞은 말을 쓰시오.

---

1. 피뢰기의 접지저항은 (①)Ω 이하이다.
2. 저압퓨즈는 정격전류의 (②)배에 견디어야하고, 고압전류에 사용할때는 정격전류의 (③)배에 견디어야 한다.
3. 전격시의 위험도를 결정하는 1차적 요인은 (④), (⑤), (⑥) 등이다.

해답

① 10
② 1.1
③ 1.3
④ 통전전류의 크기
⑤ 통전경로
⑥ 전원의 종류

02

다음은 화학설비의 안전성에 대한 정량적 평가이다. 위험등급에 따른 점수를 계산하고 해당되는 항목을 쓰시오.

① 위험등급 I : (   ) 　　② 위험등급 II : (   ) 　　③ 위험등급 III : (   )

항목분류	A급(10점)	B급(5점)	C급(2점)	D급(0점)
취급물질	○		○	
화학설비의 용량	○	○	○	
온도		○	○	○
압력	○	○		
조작			○	○

해답

① 합산점수 16점 이상 : 화학설비의 용량(17점)
② 합산점수 11 ~ 15점 : 압력(15점), 취급물질(12점)
③ 합산점수 0 ~ 10점 : 온도(7점), 조작(2점)

03

"안전의식을 높이기 위하여 베르크호프의 재해정의를 정의한다" 라는 학습목적에서 목표, 주제, 학습정도를 구분하여 쓰시오.

해답

① 목표 : 안전의식의 고양
② 주제 : 베르크호프의 재해정의
③ 학습정도 : 이해한다.

04

근로자의 안전을 위하여 착용하는 보호구 중 방진마스크의 구비조건을 3가지 쓰시오.

해답

① 여과 효율이 좋을 것 ② 흡배기 저항이 낮을 것 ③ 사용적이 적을 것
④ 중량이 가벼울 것 ⑤ 시야가 넓을 것 ⑥ 안면 밀착성이 좋을 것
⑦ 피부 접촉 부위의 고무질이 좋을 것

05

작업점에 설치하는 가드의 설치기준을 3가지 쓰시오.

해답

① 충분한 강도를 유지할 것 ② 구조가 단순하고 조정이 용이할 것 ③ 작업, 점검, 주유시 등 장애가 없을 것
④ 위험점 방호가 확실할 것 ⑤ 개구부 등 간격(틈새)이 적정할 것

06

TLV-TWA(시간가중 평균 노출기준)는 어떤 의미인지 간략히 설명하시오.

해답

① 1일 8시간 작업기준으로 유해 요인의 측정치에 발생시간을 곱하여 8시간으로 나눈 값으로 근로자가 하루8시간(주 40시간) 근로하는
   동안 연속적으로 노출될 경우 보통의 근로자에게 건강상 나쁜 영향을 미치지 아니하는 정도의 농도로 유해물질에 대한 폭로양의 기준.
② 산출공식

$$TWA\ 환산값 = \frac{C_1 \cdot T_1 + C_2 \cdot T_2 + \cdots\cdots + C_n \cdot T_n}{8}$$

주) C : 유해요인의 측정치(단위 : ppm 또는 mg/m³)
    T : 유해요인의 발생시간(단위 : 시간)

07

콘크리트 타설작업시 거푸집의 측압에 영향을 미치는 요인을 5가지 쓰시오.

해답

① 거푸집 수평단면 : 클수록 측압이 크다.
② 콘크리트 슬럼프치 : 클수록 측압이 크다.
③ 거푸집 표면 : 평탄할수록 측압이 크다.
④ 외기의 온도, 습도 : 낮을수록 측압이 크다.
⑤ 타설속도 : 빠를수록 측압이 크다.
⑥ 다짐 : 충분할수록 측압이 크다.
⑦ 거푸집 강성 : 클수록 측압이 크다.
⑧ 벽두께 : 두꺼울수록 측압이 크다.
⑨ 콘크리트 타설 : 상부에서 직접 낙하할 경우 측압이 크다.
⑩ 콘크리트 시공연도 : 시공연도가 좋을수록 측압이 크다.
⑪ 철골, 철근량 : 적을수록 측압이 크다.
⑫ 콘크리트의 비중(단위중량) : 클수록 측압이 크다.

08

다음 FT도의 고장 발생확률을 계산하시오.

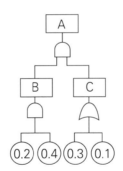

해답

① $A = B \times C$
② $B = 0.2 \times 0.4 = 0.08$
③ $C = 1 - (1 - 0.3)(1 - 0.1) = 0.37$
  ∴ A의 발생확률 $= 0.08 \times 0.37 = 0.0296 = 0.03$

09

소음원으로부터 20(m) 떨어진 곳에서의 음압수준이 120(dB)이라면 200(m) 떨어진 곳에서의 음압은 얼마인가?

d_1에서 I_1의 단위면적당 출력을 갖는 음은 거리 d_2에서는

$$dB_2 = dB_1 - 20\log\left(\frac{d_2}{d_1}\right)$$

$$\therefore \ dB_2 = 120 - 20\log\left(\frac{200}{20}\right) \fallingdotseq 75.917 = 100(dB)$$

10

재해누발자(빈발자)에 해당하는 유형중 소질성 누발자의 성격을 5가지 쓰시오.

① 주의력 부족 및 산만	② 소심한 성격	③ 저지능
④ 흥분 및 침착성 결여	⑤ 감각운동 부적합	⑥ 도덕성 결여 등

tip

상황성 누발자

① 작업자체가 어렵기 때문	② 기계설비의 결함 존재
③ 주위 환경 상 주의력 집중 곤란	④ 심신에 근심 걱정이 있기 때문

11

1,000(kg)의 화물을 두줄걸이 로프로 상부각도 60°로 들어올릴 때 한쪽 와이어로프에 걸리는 하중을 계산하시오.

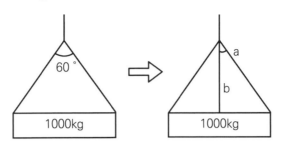

해답

$b \div a = \cos\theta$, 그러므로 $a = b \div \cos\theta$

여기서 $\theta = \dfrac{60°}{2} = 30°$, $b = \dfrac{1,000}{2} = 500\text{kg}$

$\therefore\ a = \dfrac{b}{\cos\theta} = \dfrac{500}{\cos 30°} = \dfrac{500}{\frac{\sqrt{3}}{2}} = \dfrac{1,000}{\sqrt{3}} = 577.35(\text{kg})$

12

기계설비로 인하여 형성되는 위험점의 종류를 6가지 쓰시오.

해답

① 협착점 ② 끼임점 ③ 절단점 ④ 물림점 ⑤ 접선 물림점 ⑥ 회전 말림점

01

피로에 영향을 미치는 기계측 인자 4가지를 쓰시오.

해답

① 기계의 종류
② 조작부분에 대한 감촉
③ 조작부분의 배치
④ 기계의 색채
⑤ 기계의 쉬운 이해

02

기계의 원동기, 회전축, 기어, 풀리, 플라이휠, 벨트 및 체인 등 근로자에게 위험을 미칠 우려가 있는 부위에 사업주가 설치해야 하는 방호장치를 쓰시오.

해답

① 덮개 ② 울 ③ 슬리이브 ④ 건널다리

03

접지 시스템의 구성요소를 3가지 쓰시오.

해답

① 접지극 ② 접지도체 ③ 보호도체 및 기타 설비

04

산업안전보건법상 가설통로 설치시 준수해야 할 사항 5가지를 쓰시오.

해답

① 견고한 구조로 할 것

② 경사는 30도 이하로 할 것(계단을 설치하거나 높이2m 미만의 가설통로로서 튼튼한 손잡이를 설치한 때에는 그렇지 않다.)

③ 경사가 15도를 초과하는 때에는 미끄러지지 아니하는 구조로 할 것

④ 추락의 위험이 있는 장소에는 안전난간을 설치할 것(작업상 부득이한 때에는 필요한 부분에 한하여 임시로 이를 해체할 수 있다.)

⑤ 수직갱에 가설된 통로의 길이가 15m이상인 때에는 10m 이내마다 계단참을 설치할 것

⑥ 건설공사에 사용하는 높이 8m 이상인 비계다리에는 7m 이내마다 계단참을 설치할 것

05

화학설비에 설치하는 안전밸브의 종류를 쓰시오.

해답

① 스프링식   ② 가용전식   ③ 중추식   ④ 파열판식

06

권상용 와이어로프(항타기 항발기)의 사용제한 조건을 쓰시오.

해답

① 이음매가 있는 것

② 와이어로프의 한 꼬임(스트랜드)에서 끊어진 소선(필러선 제외)의 수가 10% 이상(비자전로프의 경우에는 끊어진 소선의 수가 와이어로프 호칭지름의 6배 길이 이내에서 4개 이상이거나 호칭지름 30배 길이 이내에서 8개 이상)인 것

③ 지름의 감소가 공칭지름의 7%를 초과하는 것

④ 꼬인 것

⑤ 심하게 변형되거나 부식된 것

⑥ 열과 전기충격에 의해 손상된 것

07

로봇의 운전(교시 등을 위한 로봇의 운전은 제외)으로 인하여 근로자에게 발생할 수 있는 부상 등의 위험을 방지하기 위하여 사업주가 설치해야 하는 방호장치를 쓰시오.

해답

① 높이 1.8미터 이상의 울타리(로봇의 가동범위 등을 고려하여 높이로 인한 위험성이 없는 경우에는 높이를 그 이하로 조절할 수 있다)를 설치
② 컨베이어 시스템의 설치 등으로 울타리를 설치할 수 없는 일부 구간에 대해서는 안전매트 또는 광전자식 방호장치 등 감응형 방호장치 설치
  다만, 고용노동부장관이 해당 로봇의 안전기준이 한국산업표준에서 정하고 있는 안전기준 또는 국제적으로 통용되는 안전기준에 부합한다고
  인정하는 경우에는 관련 조치를 하지 않을 수 있다.

tip

2024년 법령개정. 문제와 해답은 개정된 법령 적용.

08

전격의 위험을 결정하는 1차적 요인 4가지를 쓰시오.

해답

① 통전 전류의 크기   ② 통전 경로   ③ 통전 시간   ④ 전원의 종류

09

누적외상성 질환 등 근골격계 질환의 주요원인을 4가지 쓰시오.

해답

① 부적절한 작업자세
② 무리한 반복작업
③ 과도한 힘
④ 부족한 휴식시간
⑤ 신체적 압박
⑥ 차가운 온도나 무더운 온도의 작업환경

10

안전인증 대상 차광보안경의 종류를 4가지 쓰시오.

해답

① 자외선용
② 적외선용
③ 복합용
④ 용접용

tip

보안경의 종류 및 사용구분

① 자율안전확인

종류	사용구분
유리보안경	비산물로부터 눈을 보호하기 위한 것으로 렌즈의 재질이 유리인 것
프라스틱보안경	비산물로부터 눈을 보호하기 위한 것으로 렌즈의 재질이 프라스틱인 것
도수렌즈보안경	비산물로부터 눈을 보호하기 위한 것으로 도수가 있는 것

② 안전인증(차광보안경)

종류	사용구분
자외선용	자외선이 발생하는 장소
적외선용	적외선이 발생하는 장소
복합용	자외선 및 적외선이 발생하는 장소
용접용	산소용접작업등과 같이 자외선, 적외선 및 강렬한 가시광선이 발생하는 장소

11

이동식 사다리 작업시 준수해야 할 사항을 4가지 쓰시오.

해답

① 평탄하고 견고하며 미끄럽지 않은 바닥에 이동식 사다리를 설치할 것

② 이동식 사다리의 넘어짐을 방지하기 위해 다음 각 목의 어느 하나 이상에 해당하는 조치를 할 것

   ㉮ 이동식 사다리를 견고한 시설물에 연결하여 고정할 것

   ㉯ 아웃트리거(outrigger, 전도방지용 지지대)를 설치하거나 아웃트리거가 붙어있는 이동식 사다리를 설치할 것

   ㉰ 이동식 사다리를 다른 근로자가 지지하여 넘어지지 않도록 할 것

③ 이동식 사다리의 제조사가 정하여 표시한 이동식 사다리의 최대사용하중을 초과하지 않는 범위 내에서만 사용할 것

④ 이동식 사다리를 설치한 바닥면에서 높이 3.5미터 이하의 장소에서만 작업할 것

⑤ 이동식 사다리의 최상부 발판 및 그 하단 디딤대에 올라서서 작업하지 않을 것. 다만, 높이 1미터 이하의 사다리는 제외한다.

⑥ 안전모를 착용하되, 작업 높이가 2미터 이상인 경우에는 안전모와 안전대를 함께 착용할 것

⑦ 이동식 사다리 사용 전 변형 및 이상 유무 등을 점검하여 이상이 발견되면 즉시 수리하거나 그 밖에 필요한 조치를 할 것

tip

2024년 개정된 법령 적용.

01

안전인증을 받은 자가 안전인증을 받은 유해·위험기계등이나 이를 담은 용기 또는 포장에 고용노동부령으로 정하는 바에 따라 해야하는 안전인증의 표시외에 표시해야 하는 사항을 4가지 쓰시오.

해답

① 형식 또는 모델명　　② 규격 또는 등급 등　　③ 제조자명
④ 제조번호 및 제조연월　　⑤ 안전인증 번호

tip

안전인증 및 자율안전 확인 제품의 표시

안전인증 제품	자율안전 확인 제품
① 형식 또는 모델명	① 형식 또는 모델명
② 규격 또는 등급 등	② 규격 또는 등급 등
③ 제조자명	③ 제조자명
④ 제조번호 및 제조연월	④ 제조번호 및 제조연월
⑤ 안전인증 번호	⑤ 자율안전확인 번호

02

TLV-TWA는 어떤 의미이며, 예를 들어 암모니아의 TLV-TWA가 100ppm일 경우 이것은 어떤 뜻인지 설명하시오.

해답

(1) TLV-TWA(시간가중 평균 노출기준)

　① 1일 8시간 작업기준으로 유해 요인의 측정치에 발생시간을 곱하여 8시간으로 나눈 값으로 1일 8시간, 주 40시간을 기준으로 유해
　　 물질에 매일 노출되어도 거의 모든 근로자에게 건강상의 장해가 없을 것으로 생각되는 농도.

　② 산출공식

$$TWA\ 환산값 = \frac{C_1 \cdot T_1 + C_2 \cdot T_2 + \cdots\cdots + C_n \cdot T_n}{8}$$

　주) C : 유해요인의 측정치(단위 : ppm 또는 mg/m³)

　　 T : 유해요인의 발생시간(단위 : 시간)

(2) 암모니아 기체가 작업장내에 존재할 때 근로자가 하루 8시간 근로하는 동안 연속적으로 노출된다고 할 경우 평균농도가 100ppm
　　 이하이면 보통의 근로자에게 건강상 나쁜 영향을 미치지 아니하는 정도의 농도를 말한다.

03

롤러기의 작업에서 롤러의 직경이 40cm이고 분당회전수가 30rpm인 앞면 롤러의 표면속도와 급정지장치의 급정
지 거리를 구하시오.

해답

표면속도 $V = \dfrac{\pi DN}{1{,}000}$ (m/분)

D : 롤러 원통의 직경 : mm, N : rpm

앞면 롤러의 표면 속도(m/분)	급정지 거리
30 미만	앞면 롤러 원주의 1/3 이내
30 이상	앞면 롤러 원주의 1/2.5 이내

① 표면속도 $(V) = \dfrac{3.14 \times 400 \times 30}{1{,}000} = 37.68$ (m/min)

③ 급정지 거리 $= \dfrac{3.14 \times 40}{2.5} = 50.24$ (cm) 이내

04

플리커 테스트(flicker fusion frequency : 점멸 융합 주파수)를 간략히 설명하시오.

해답

① 시각의 계속되는 자극이 점멸하지 않고 연속적으로 느껴지는 주파수
→ 피질의 기능으로 중추신경계의 피로 즉, 정신피로의 척도로 사용되며, 정신적으로 피곤한 경우 주파수 값이 내려감
② 플리커(Flicker)법은 융합한계빈도(crifical fusion frequency of flicker)로 사이가 벌어진 회전하는 원판으로 들어오는 광원의 빛을 단속시켜 연속광으로 보이는지 단속광으로 보이는지 경계에서의 빛의 단속주기를 플리커 치라고 하여 피로도검사에 이용

05

불안전한 행동의 직접원인 4가지를 쓰시오.

해답

① 지식 부족   ② 기능 미숙
③ 태도(의욕) 불량   ④ 인간에러

06

상시근로자 400명이 작업하는 어느 사업장에 1년간 30건의 재해가 발생하였다면 도수율(빈도율)은 얼마인가?

해답

$$빈도율(F.R) = \frac{재해건수}{연간총근로시간수} \times 1,000,000$$

$$\therefore \frac{30}{400 \times 8 \times 300} \times 10^6 = 31.25$$

07

가죽제 발보호 안전화의 성능시험 항목 4가지를 쓰시오.

해답

① 내압박성시험   ② 내충격성시험
③ 박리저항시험   ④ 내답발성시험
⑤ 은면결렬시험   ⑥ 인열강도시험
⑦ 6가크롬함량   ⑧ 내부식성시험
⑨ 인장강도시험   ⑩ 내유성시험 등

08

고압선 아래쪽에서 크레인 운전자 혼자서 작업을 하던 중 크레인 붐이 고압선에 부딪혀 운전자가 감전되는 사고가 발생하였다. 사고원인 및 안전대책을 각각 2가지 쓰시오.

해답

(1) 사고원인
① 작업지휘자 및 감시인 미배치
② 충전전로에 절연용 방호구 미설치
③ 작업시작전 점검 불량으로 크레인 배치 부적절

(2) 안전대책
① 작업지휘자 및 감시인 배치하여 작업
② 충전전로의 이설 및 절연용 방호구 설치
③ 작업시작전 점검으로 고압선에서 격리된 곳에 크레인 배치
④ 절연용 보호구 착용

09

건축구조물 공사를 하는 2m 이상의 고소작업에서 작업 중이던 근로자가 안전대를 착용하였으나 안전대의 끈이 너무 길어 떨어지면서 바닥에 머리가 부딪혀 사망하였다. 기인물, 가해물 및 재해발생형태를 쓰시오.

해답

① 기인물 : 안전대의 끈
② 가해물 : 바닥(지면)
③ 재해발생형태 : 추락

10

인간의 동작은 주의력의 영향을 많이 받게 되는데, 이러한 주의의 특성을 3가지 쓰시오.

해답

선택성	동시에 두개 이상의 방향에 집중하지 못하고 소수의 특정한 것에 한하여 선택한다.
변동성	고도의 주의는 장시간 지속할 수 없고 주기적으로 부주의 리듬이 존재한다.
방향성	한 지점에 주의를 집중하면 주변 다른 곳의 주의는 약해진다(주시점만 인지)

11

산업안전보건법상 지게차의 작업시작 전 점검사항 4가지를 쓰시오.

해답

① 제동장치 및 조종장치 기능의 이상유무
② 하역장치 및 유압장치 기능의 이상유무
③ 바퀴의 이상유무
④ 전조등·후미등·방향지시기 및 경보장치 기능의 이상유무

12

전격에 의한 인체의 영향에서 (   )안에 알맞은 말을 쓰시오.

전류(mA)	인체의 영향
1	전기를 느낄 정도
5	상당한 고통을 느낌
10	(①)
20	(②)
50	(③)
100	치명적인 결과 초래

해답

① 견디기 어려운 정도의 고통
② 근육수축이 심하고 신경이 마비되어 움직일 수 없는 상태
③ 심히 위험한 상태

01

높이가 2m 이상인 장소에서 작업시 추락에 의하여 근로자에게 위험을 미칠 우려가 있을 경우 취해야 할 조치사항을 2가지 쓰시오.

해답 추락의 방지

① 비계를 조립하는 등의 방법으로 작업발판 설치
② 발판 설치가 곤란한 경우 추락방호망 설치
③ 추락방호망 설치가 곤란한 경우 안전대 착용 등 추락위험방지 조치

tip
작업발판 및 통로의 끝이나 개구부로 추락위험장소
① 안전난간, 울타리, 수직형 추락방망 또는 덮개 등의 방호조치를 충분한 강도를 가진 구조로 튼튼하게 설치하고, 덮개 설치시 뒤집히거나 떨어지지 않도록 설치(어두운 장소에서도 알아볼 수 있도록 개구부임을 표시)
② 안전난간 등의 설치가 매우 곤란하거나 작업의 필요상 임시로 난간 등을 해체하는 경우 추락방호망 설치(추락방호망 설치가 곤란한 경우 안전대 착용 등의 추락위험 방지조치)

02

산업안전보건법상 화학설비의 탱크내 작업시 특별안전보건교육 내용 3가지를 쓰시오.

해답

① 차단장치·정지장치 및 밸브개폐장치의 점검에 관한 사항
② 탱크내의 산소농도 측정 및 작업환경에 관한사항
③ 안전보호구 및 이상발생시 응급조치에 관한 사항
④ 작업절차· 방법 및 유해·위험에 관한 사항
⑤ 그 밖에 안전·보건관리에 필요한 사항

03

산업안전보건법상 위험성 물질의 분류중 화학적 성질에 의한 종류를 5가지 쓰시오.

해답

① 폭발성 물질 및 유기과산화물   ② 물반응성 물질 및 인화성 고체
③ 산화성 액체 및 산화성 고체   ④ 인화성 액체
⑤ 인화성 가스   ⑥ 부식성 물질
⑦ 급성 독성 물질

04

충전전로 인근에서 차량, 기계장치 등의 작업이 있는 경우 사업주가 조치해야할 다음 사항에서 (   )에 알맞은 내용을 쓰시오.

가) 차량등을 충전전로의 충전부로부터 (①) 이상 이격시켜 유지시키되, 대지전압이 (②)를 넘는 경우 이격시켜 유지하여야 하는
　　거리는 10킬로볼트 증가할 때마다 (③)씩 증가시켜야 한다.
나) 충전전로의 전압에 적합한 (④) 등을 설치한 경우에는 이격거리를 (④) 앞면까지로 할 수 있다.

해답

① 300센티미터   ② 50킬로볼트   ③ 10센티미터   ④ 절연용 방호구

05

전격위험의 주된 원인을 4가지 쓰시오.

해답

① 통전 전류의 크기   ② 통전 경로
③ 통전 시간   ④ 전원의 종류

06

롤러의 맞물림점 전방에 개구간격 25mm의 가드를 설치하고자 한다. 가드의 위치는 맞물림점에서 얼마의 거리를 유지하여야 하는가?

해답

$Y = 6 + 0.15X$ 에서, $X = \dfrac{25 - 6}{0.15} ≒ 126.666 = 126.67mm$

07

근로자가 작업장 통로를 청소하다가 공작기계 아래에 기름이 묻어있는 것을 보고 제거하기 위해 손을 기계의 아랫부분으로 이동하던 중 회전하던 두 개의 치차에 의해 손가락이 절단되는 사고가 발생하였다. 다음과 같은 내용으로 재해를 분석하시오.

> 1. 기인물 2. 가해물 3. 재해형태 4. 불안전 행동 5. 불안전 상태

해답

① 기인물 : 공작기계 ② 가해물 : 치차 ③ 재해형태 : 협착 ④ 불안전 행동 : 운전중 기계장치 손질
⑤ 불안전 상태 : 치차부분 방호장치(덮개) 미설치 또는 덮개의 인터록 장치 미설치

08

연약지반의 개량공법 중 사질토지반에 대한 개량공법을 4가지 쓰시오.

해답

① 진동 다짐 공법(vibro floatation) ② 다짐 모래 말뚝 공법(vibro composer, sand compaction pile)
③ 폭파 다짐 공법 ④ 전기 충격 공법
⑤ 약액 주입 공법 ⑥ 동다짐 공법

09

스웨인(A.D.Swain)은 인간의 실수를 작위실수와 부작위 실수로 구분하고 있다. 이중 작위실수에 포함되는 종류를 2가지 쓰시오.

① 정성적착오   ② 선택착오
③ 순서착오   ④ 시간착오

10

거푸집에 작용하는 하중 중에서 작업하중에 관하여 간략히 설명하시오.

작업중에 발생하는 근로자와 소도구의 하중으로 150kgf/m²으로 계산한다.

11

연삭기 숫돌의 회전속도가 200m/min 이고, 숫돌의 직경이 500mm일 때 rpm은 얼마인가?

$$V = \frac{\pi \times D \times N}{1,000}$$

$$\therefore N = \frac{N \times 1,000}{\pi \times D} = \frac{200 \times 1,000}{3.14 \times 500} ≒ 127.388 = 127.39\text{rpm}$$

01

작업현장에서 60분 동안 선반작업을 하는 어느 근로자의 평균에너지 소비량이 6.5kcal 일 때 휴식시간을 산출하시오.

해답

$$R = \frac{60(E-4)}{E-1.5}$$

R : 휴식시간(분)

E : 작업시 평균 에너지 소비량(kcal/분)

60분 : 총작업 시간

1.5 kcal/분 : 휴식시간 중의 에너지 소비량

4 kcal/분 : 작업에 대한 평균에너지 값(작업에 대한 권장 평균에너지 소비량)

$\therefore$ 휴식시간(R) : $\frac{60(6.5-4)}{6.5-1.5} = 30$(분)

02

전기기기의 누전으로 인한 재해를 방지하기 위한 조치사항을 3가지 쓰시오.

해답

① 보호접지   ② 누전차단기의 설치

③ 비접지식 전로의 채용   ④ 이중절연기기의 사용

03

재해사례 연구순서를 5단계로 쓰시오.

① 제1단계 : 재해상황의 파악   ② 제2단계 : 사실의 확인

③ 제3단계 : 문제점의 발견   ④ 제4단계 : 근본적 문제점 결정

⑤ 제5단계 : 대책수립

04

기계를 사용하여 지중에 구멍을 뚫어 굴진속도와 굴진 중 반응 및 파낸 찌꺼기와 시료로부터 지반의 성층을 알 수 있는 동시에 구성하는 흙 또는 암반을 관찰하는 검사방법을 무엇이라하며, 그 결과 얻어진 그림은 무엇이라 하는가?

해답

① 지반조사(기계식 보링)　　② 지층단면도(NX보링 주상도)

05

충전전로에 근접하여 작업시 충전전로에 접촉할 위험이 있는 경우 작업자에게 보호구를 지급하여 착용하게 한 후 작업에 임하도록 하여야 한다. 작업자 신체 부위별 착용해야 할 보호구를 쓰시오.

해답

① 손 : 절연장갑(절연용 고무장갑)
② 어깨, 팔 등 : 절연의 또는 고무소매(활선접근 경보기가 부착된 의복)
③ 머리 : 절연용 안전모(AE 및 ABE형)
④ 다리(발) : 절연화(절연용 고무장화)

06

안전점검의 종류 4가지를 쓰시오.

해답

① 수시점검(일상점검)
② 정기점검
③ 임시점검
④ 특별점검

07

공간에 분출한 액체류가 미세하게 비산되어 분리되고 크고 작은 방울로 될 때 새로운 표면을 형성하기 때문에 정전기가 발생하게 되는데 이때의 대전현상을 무엇이라 하는가?

해답

비말대전

08

방폭구조의 종류를 4가지 쓰시오.

해답

① 내압방폭구조(d)　　② 압력방폭구조(p)　　③ 유입방폭구조(o)　　④ 안전증방폭구조(e)
⑤ 특수방폭구조(s)　　⑥ 본질안전방폭구조(i)　　⑦ 몰드방폭구조(m)　　⑧ 충전방폭구조(q)
⑨ 비점화방폭구조(n)

09

굴착작업 시 토사등의 붕괴 또는 낙하에 의하여 근로자에게 위험을 미칠 우려가 있는 경우 사업주가 위험을 방지하기 위해 해야하는 필요한 조치를 3가지 쓰시오.

해답

① 흙막이 지보공 설치　　② 방호망 설치　　③ 근로자의 출입금지

10

보호안경에서 필터렌즈와 커버렌즈에 관하여 간략하게 설명하시오.

해답

① 필터렌즈 : 유해광선을 차단하는 목적으로 만들어진 원형 또는 변형모양의 렌즈
② 커버렌즈 : 미분, 칩, 액체약품등 기타 비산물로부터 눈을 보호하기 위한 렌즈

11

다음과 같은 시스템의 신뢰도를 구하시오.

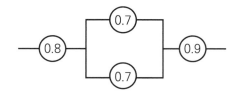

해답

$Rs = 0.8 \times \{1 - (1 - 0.7)(1 - 0.7)\} \times 0.9 = 0.6552$

12

교류아크용접기는 용접작업 중 즉, 용접을 위한 아크가 발생할 때 용접기 2차측 전압이 무부하 2차측 전압보다 훨씬 낮아져서 안전전압 이하로 유지된다. 용접 변압기의 이와 같은 특성을 무엇이라 하는가?

해답

수하특성(부하전류가 증가하면 단자전압이 낮아지는 특성으로 아크를 안정시키는데 필요한 아크 특성이다.)

13

무재해 운동의 3원칙을 쓰시오.

해답

① 무의 원칙
② 선취(해결)의 원칙
③ (전원)참가의 원칙

01

LPG가스가 공기중에서 누출되어 공기와 혼합된 상태이다. 기체의 조성은 공기 55%, 프로판 40%, 부탄 5%라면, 혼합기체의 폭발하한계를 계산하시오.(단, 프로판 및 부탄의 공기중 폭발하한계는 각각 2.1%, 1.8%이다)

해답

르샤틀리에의 법칙(혼합가스의 폭발범위 계산)

$$\frac{100}{L} = \frac{V_1}{L_1} + \frac{V_2}{L_2} + \frac{V_3}{L_3} \cdots\cdots$$

여기서) L_1, L_2, L_3 : 각 성분 단일의 연소한계 (상한 또는 하한)

V_1, V_2, V_3 : 각 성분 기체의 체적%

L : 혼합 기체의 연소 범위(상한 또는 하한)

(1) 공기중 가스의 조성

① 프로판가스 : $\frac{40}{45} \times 100 ≒ 88.89$

② 부탄가스 : $\frac{5}{45} \times 100 ≒ 11.11$

(2) 혼합가스의 폭발하한계

$$\frac{100}{\frac{88.89}{2.1} + \frac{11.11}{1.8}} ≒ 2.06(\%)$$

02

Cardullo의 안전율계산 공식을 쓰시오.

해답

안전율 $F = a \times b \times c \times d$

a : 사용재료의 극한강도/사용재료의 탄성강도＝극한강도/허용하중

b : 하중의 종류(정하중에서 $b=1$, 교번하중에서 $b=$극한강도/피로한도)

c : 하중속도(정하중에서 $c=1$, 충격하중에서 $c=2$)

d : 재료의 조건(응력추정의 한도 기타 ≤ 2)

03

FTA에서 cut set과 path set에 관하여 간략히 설명하시오.

① 컷셋(cut set) : 정상사상을 발생시키는 기본사상의 집합으로 그 안에 포함되는 모든 기본사상이 발생할 때 정상사상을 발생시킬 수 있는 기본사상의 집합
② 패스셋(path set) : 그 안에 포함되는 모든 기본사상이 일어나지 않을 때 처음으로 정상사상이 일어나지 않는 기본사상의 집합

04

전압의 구분에 관한 다음 사항에서 (　)에 알맞은 내용을 쓰시오.

전원의 종류	저압	고압	특고압
직류	(①)V 이하	(②)V 초과 7,000V 이하	7,000V 초과
교류	1,500V 이하	1,500V 초과 (③)V 이하	(④)V 초과

① 1,000　② 1,000　③ 7,000　④ 7,000

tip

2021년 법령개정. 문제와 해답은 개정된 내용 적용.

05

이동식 사다리 작업시 준수해야 할 사항을 4가지 쓰시오.

해답

① 평탄하고 견고하며 미끄럽지 않은 바닥에 이동식 사다리를 설치할 것
② 이동식 사다리의 넘어짐을 방지하기 위해 다음 각 목의 어느 하나 이상에 해당하는 조치를 할 것
    ㉮ 이동식 사다리를 견고한 시설물에 연결하여 고정할 것
    ㉯ 아웃트리거(outrigger, 전도방지용 지지대)를 설치하거나 아웃트리거가 붙어있는 이동식 사다리를 설치할 것
    ㉰ 이동식 사다리를 다른 근로자가 지지하여 넘어지지 않도록 할 것
③ 이동식 사다리의 제조사가 정하여 표시한 이동식 사다리의 최대사용하중을 초과하지 않는 범위 내에서만 사용할 것
④ 이동식 사다리를 설치한 바닥면에서 높이 3.5미터 이하의 장소에서만 작업할 것
⑤ 이동식 사다리의 최상부 발판 및 그 하단 디딤대에 올라서서 작업하지 않을 것. 다만, 높이 1미터 이하의 사다리는 제외한다.
⑥ 안전모를 착용하되, 작업 높이가 2미터 이상인 경우에는 안전모와 안전대를 함께 착용할 것
⑦ 이동식 사다리 사용 전 변형 및 이상 유무 등을 점검하여 이상이 발견되면 즉시 수리하거나 그 밖에 필요한 조치를 할 것

tip

2024년 개정된 법령 적용.

06

안전보건개선계획에 포함되어야 할 내용 4가지를 쓰시오.

해답

① 시설   ② 안전·보건관리체제
③ 안전·보건교육   ④ 산업재해예방 및 작업환경 개선을 위하여 필요한 사항

07

목재가공용 둥근톱에 설치해야 하는 방호장치 종류 2가지를 쓰시오.

해답

① 날 접촉예방장치 ② 반발예방장치

08

변전설비에 사용하는 MOF의 역할 2가지를 쓰시오.

MOF는 계기용 변압 변류기로
① 고전압을 저압으로 변성　　　② 대전류를 소전류로 변성

09

재해조사의 목적을 쓰시오.

재해의 원인과 결함을 규명하여 동종재해 및 유사재해의 재발을 방지하고 예방대책수립(예방자료 수집도 포함)

10

생체리듬의 종류 3가지를 쓰시오.

① 육체적(신체적)리듬　② 감성적 리듬　③ 지성적 리듬

11

전기기계기구 중 이동형이나 휴대형의 것으로 감전방지용 누전차단기를 설치해야 하는 장소를 쓰시오.

① 물 등 도전성이 높은 액체에 의한 습윤장소　　　② 철판·철골위등 도전성이 높은 장소
③ 임시배선의 전로가 설치되는 장소

12

차량계 건설기계를 사용하여 작업을 하는 때에는 작업계획을 작성하고 그에 따라 작업을 실시하여야 한다. 작업계획에 포함되어야 할 사항을 3가지 쓰시오.

해답

① 사용하는 차량계 건설기계의 종류 및 성능
② 차량계 건설기계의 운행경로
③ 차량계 건설기계에 의한 작업방법

13

연삭기의 숫돌차 바깥지름이 280(mm)일 경우 플랜지의 바깥지름은 최소 몇 (mm)인가?

해답

① 플랜지의 직경은 숫돌직경의 1/3이상인 것을 사용하며 양쪽을 모두 같은 크기로 해야하므로

② 플랜지의 지름 $= 280 \times \dfrac{1}{3} ≒ 93.33(mm)$

14

강관비계조립시 준수해야 할 사항을 4가지 쓰시오.

해답

(1) 비계기둥에는 미끄러지거나 침하하는 것을 방지하기 위하여 밑받침철물을 사용하거나 깔판·받침목 등을 사용하여 밑둥잡이를 설치하는 등의 조치를 할 것

(2) 강관의 접속부 또는 교차부는 적합한 부속철물을 사용하여 접속하거나 단단히 묶을 것

(3) 교차가새로 보강할 것

(4) 외줄비계·쌍줄비계 또는 돌출비계에 대하여는 다음에 정하는 바에 따라 벽이음 및 버팀을 설치할 것

　① 강관비계의 조립간격은 다음의 기준에 적합하도록 할 것

강관비계의 종류	조립간격(단위 : m)	
	수직방향	수평방향
단관비계	5	5
틀비계 (높이가 5m 미만의 것 제외)	6	8

　② 강관·통나무등의 재료를 사용하여 견고한 것으로 할 것

　③ 인장재와 압축재로 구성되어 있는 때에는 인장재와 압축재의 간격을 1미터 이내로 할 것

(5) 가공전로에 근접하여 비계를 설치하는 때에는 가공전로를 이설하거나 가공전로에 절연용 방호구를 장착하는 등 가공전로와의 접촉을 방지하기 위한 조치를 할 것

15

비계조립시 추락에 의한 위험을 방지하기 위하여 착용해야 할 보호구를 3가지 쓰시오.

해답

① 안전모　② 안전대　③ 안전화

01

안전관리조직의 종류 3가지를 쓰시오.

해답

① Line형 조직(직계식)
② Staff형 조직(참모식)
③ Line-Staff형 조직(직계 참모식 조직)

02

안전검사와 관련한 다음 내용에서 (   )에 알맞은 내용을 쓰시오.

압력용기의 안전검사는 사업장에 설치가 끝난 날부터 (①) 이내에 최초 안전검사를 실시하되, 그 이후부터는 (②)마다 하며, (③)를 제출하여 확인을 받은 압력용기는 (④)마다 실시한다

해답

① 3년   ② 2년   ③ 공정안전보고서   ④ 4년

03

연평균 근로자 240명이 작업하는 어느 사업장에서 사상자가 3명 발생하였다면 연천인율은 얼마인가?

해답

$$연천인율 = \frac{연간재해자수}{연평균근로자수} \times 1{,}000$$

$$\therefore \ 연천인율 = \frac{3}{240} \times 1{,}000 = 12.5$$

04

안전성평가의 기본원칙 6단계를 순서대로 쓰시오.

제1단계: 관계자료의 정비 검토

제2단계: 정성적 평가

제3단계: 정량적 평가

제4단계: 안전대책

제5단계: 재해정보에 의한 재평가

제6단계: FTA에 의한 재평가

05

밀폐공간작업을 할 경우 사업주가 관리감독자로 하여금 유해위험을 방지하기 위해 수행하도록 해야할 업무내용을 3가지 쓰시오.

① 산소가 결핍된 공기나 유해가스에 노출되지 않도록 작업 시작 전에 해당 근로자의 작업을 지휘하는 업무

② 작업을 하는 장소의 공기가 적절한지를 작업 시작 전에 측정하는 업무

③ 측정장비·환기장치 또는 공기호흡기 또는 송기마스크를 작업 시작 전에 점검하는 업무

④ 근로자에게 공기호흡기 또는 송기마스크의 착용을 지도하고 착용 상황을 점검하는 업무

06

소음작업이란 산업안전보건법상 1일 8시간 작업기준으로 몇 (dB) 이상의 소음을 말하는가?

1일 8시간 작업을 기준으로 85데시벨 이상의 소음이 발생하는 작업

07

Fail-safe의 정의에 관하여 간략하게 설명하시오.

해답

조작상의 과오로 기기의 일부에 고장이 발생해도 다른 부분의 고장이 발생하는 것을 방지하거나 또는 어떤 사고를 사전에 방지하고 안전 측으로 작동하도록 설계하여 2중, 3중으로 통제를 가해두는 안전대책.

08

비계의 조립간격에 관한 다음의 표에서 ( )안에 알맞은 말을 쓰시오.

강관 비계의 종류	조립간격(단위 : m)	
	수직방향	수평방향
단관 비계	(①)	5
틀 비계(높이가 5m미만의 것 제외	6	(②)

해답

① 5 ② 8

09

무재해 운동의 위험예지 훈련에서 실시하는 문제해결 4단계 진행법을 순서대로 쓰시오.

해답

① 제1단계 : 현상파악(어떤 위험이 잠재하고 있는가?)
② 제2단계 : 본질추구(이것이 위험의 포인트이다!)
③ 제3단계 : 대책수립(당신이라면 어떻게 하겠는가?)
④ 제4단계 : 목표설정(우리들은 이렇게 하자!)

10

어느 사업장에서 근로자의 수가 350명이고, 주당 48시간씩 연간 50주 작업하는 동안 30건의 재해가 발생하였다. 도수율(빈도율)을 구하시오.

해답

$$빈도율(F.R) = \frac{재해건수}{연간총근로시간수} \times 1{,}000{,}000$$

$$\therefore \frac{30}{350 \times 48 \times 50} \times 10^6 \fallingdotseq 35.71$$

11

다음과 같은 시스템의 신뢰도를 계산하시오.

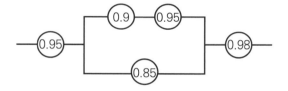

해답

$$Rs = 0.95 \times \{1 - (1 - 0.9 \times 0.95)(1 - 0.85)\} \times 0.98 = 0.91$$

01

숫돌의 회전수(rpm)가 2,000인 연삭기에 지름 300(mm)의 숫돌을 사용할 경우 숫돌의 원주속도는 얼마 이하로 해야 하는가?

해답

숫돌의 원주속도$(\text{m/분}) = \dfrac{\pi DN}{1,000}$

D : 숫돌의 직경(mm), N : 회전수(r, p, m)

$\therefore$ 숫돌의 원주속도$(\text{m/분}) = \dfrac{3.14 \times 300 \times 2,000}{1,000} = 1,884(\text{m/min})$

02

공기압축기의 작업시작전 점검해야 할 사항을 4가지 쓰시오.

해답

① 공기저장 압력용기의 외관상태 ② 드레인 밸브의 조작 및 배수
③ 압력방출장치의 기능 ④ 언로드밸브의 기능
⑤ 윤활유의 상태 ⑥ 회전부의 덮개 또는 울
⑦ 그 밖의 연결부위의 이상유무

03

다음은 계단과 계단참에 관한 안전기준이다. (   )에 맞는 내용을 쓰시오.

사업주는 계단 및 계단참을 설치할 때에는 매제곱미터당 (①)kg 이상의 하중에 견딜수 있는 강도를 가진 구조로 설치하여야 하며, 안전율은 (②) 이상으로 하여야 한다. 높이가 3m를 초과하는 계단에는 높이 (③)m 이내마다 진행방향으로 길이 (④)m 이상의 계단참을 설치하여야 한다.

해답

① 500　② 4　③ 3　④ 1.2

04

산업안전보건법에서 정하고 있는 중대재해의 종류를 3가지 쓰시오.

해답　중대재해

① 사망자가 1명 이상 발생한 재해
② 3개월 이상의 요양이 필요한 부상자가 동시에 2명 이상 발생한 재해
③ 부상자 또는 직업성 질병자가 동시에 10명 이상 발생한 재해

05

정전기 발생현상에 관한 대전의 종류를 3가지 쓰시오.

해답

① 마찰대전
② 박리대전
③ 유동대전
④ 분출대전
⑤ 충돌대전
⑥ 비말대전 등

06

다음과 같은 시스템의 신뢰도를 계산하시오.(소수점 4째 자리까지)

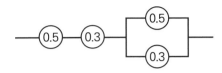

해답

$$Rs = 0.5 \times 0.3 \times \{1 - (1-0.5)(1-0.3)\} = 0.0975$$

07

평균근로자 150명이 작업하는 H사업장에서 한 해 동안 사망 1명, 3급장해 1명, 14급장해 1명, 기타 휴업일수가 20일일 경우 강도율을 계산하시오.

해답

$$강도율(S.R) = \frac{근로손실일수}{연간총근로시간수} \times 1,000$$

$$\therefore\ 강도율 = \frac{7,500 + 7,500 + 50 + \left(20 \times \dfrac{300}{365}\right)}{150 \times 8 \times 300} \times 1,000 ≒ 41.851 = 41.85$$

08

안전관리 조직의 기본유형을 3가지 쓰시오.

해답

① Line형 조직(직계식)
② Staff형 조직(참모식)
③ Line-Staff형 조직(직계 참모식 조직)

09

산소결핍에 관하여 간략히 설명하시오.

해답

산소결핍이란 공기중의 산소농도가 18% 미만인 상태를 말하며 산소가 결핍된 공기를 들여 마심으로 생기는 증상을 산소결핍증이라 한다.

10

TLV-TWA에 관하여 간략히 설명하시오.

해답 TLV-TWA(시간가중 평균 노출기준)

① 1일 8시간 작업기준으로 유해 요인의 측정치에 발생시간을 곱하여 8시간으로 나눈 값으로 1일 8시간 주 40시간을 기준으로 유해물질에 매일 노출되어도 거의 모든 근로자에게 건강상의 장애가 없을 것으로 생각되는 농도.

② 산출공식

$$TWA \text{ 환산값} = \frac{C_1 \cdot T_1 + C_2 \cdot T_2 + \cdots\cdots + C_n \cdot T_n}{8}$$

주) C : 유해요인의 측정치(단위 : ppm 또는 mg/m³)
   T : 유해요인의 발생시간(단위 : 시간)

11

보호구 중 송기 마스크의 종류를 3가지 쓰시오.

해답

① 호스마스크
② 에어라인마스크
③ 복합식 에어라인마스크

12

높이 5m 이상의 비계를 조립·해체하는 작업에서 와이어로프가 절단되는 사고가 발생하여 추락재해가 발생하였다. 다음 물음에 답하시오.

① 달기 와이어로프의 사용제한조건 2가지를 쓰시오.
② 이러한 작업에서 사업주가 준수해야 할 사항 3가지를 쓰시오.

해답

(1) 달기 와이어로프의 사용제한조건
  ① 이음매가 있는 것
  ② 와이어로프의 한 꼬임(스트랜드)에서 끊어진 소선(필러선 제외)의 수가 10% 이상(비자전로프의 경우에는 끊어진 소선의 수가 와이어로프 호칭지름의 6배 길이 이내에서 4개 이상이거나 호칭지름 30배 길이 이내에서 8개이상)인 것
  ③ 지름의 감소가 공칭지름의 7%를 초과하는 것
  ④ 꼬인 것
  ⑤ 심하게 변형되거나 부식된 것
  ⑥ 열과 전기충격에 의해 손상된 것

(2) 사업주 준수사항
  ① 관리감독자의 지휘하에 작업하도록 할 것
  ② 조립·해체 변경의 시기·범위 및 절차를 그 작업에 종사하는 근로자에게 교육할 것
  ③ 조립·해체 또는 변경작업 구역내에는 당해 작업에 종사하는 근로자외의 자의 출입을 금지시키고 그 내용을 보기 쉬운 장소에 게시할 것
  ④ 비·눈 그 밖의 기상상태의 불안정으로 인하여 날씨가 몹시 나쁠 때에는 그 작업을 중지시킬 것
  ⑤ 비계재료의 연결·해체작업을 하는 때에는 폭 20cm 이상의 발판을 설치하고 근로자로 하여금 안전대를 사용하도록 하는 등 근로자의 추락방지를 위한 조치를 할 것
  ⑥ 재료·기구 또는 공구 등을 올리거나 내리는 때에는 근로자로 하여금 달줄 또는 달포대 등을 사용하도록 할 것

tip

2024년 법령개정으로 개정된 내용 적용.

13

근로자 안전보건교육의 종류를 4가지 쓰시오.

해답

① 정기교육 　② 채용시 교육 　③ 작업내용변경시 교육 　④ 특별교육

14

굴착면의 기울기 기준에 관한 다음 사항에서 (　)에 알맞은 내용을 쓰시오.

지반의 종류	모래	연암 및 풍화암	경암	그 밖의 흙
굴착면의 기울기	(①)	(②)	(③)	(④)

해답

① 1 : 1.8 　② 1 : 1.0 　③ 1 : 0.5 　④ 1 : 1.2

tip

2023년 법령개정. 문제 및 해답은 개정된 내용 적용.

2006년 기출

01

허가대상 유해물질을 제조하거나 사용하는 작업장에 게시해야 할 사항을 5가지 쓰시오.

해답

① 허가대상 유해물질의 명칭
② 인체에 미치는 영향
③ 취급상 주의사항
④ 착용하여야할 보호구
⑤ 응급처치와 긴급 방재 요령

02

풀 프루프(Fool-proof)에 관하여 간략히 설명하시오.

해답

① 해당 기계 설비에 대하여 사전지식이 없는 작업자가 기계를 취급하거나 오조작을 하여도 위험이나 실수가 발생하지 않도록 설계된 구조를 말하며 본질적인 안전화를 의미한다.
② 바보가 작동을 시켜도 안전하다는 뜻

03

다음 FT도에서 정상사상 T의 고장발생 확률을 구하시오.(단, 기본사상 X_1, X_2, X_3의 발생확률은 각각 0.10이다)

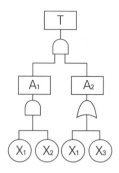

해답 **미니멀 컷과 발생확률**

① 미니멀 컷   T → $A_1 A_2$ → $X_1 X_2 A_2$ → $X_1 X_2 X_1$

$X_1 X_2 X_3$

② 미니멀 컷을 구하면 (X_1, X_2)

③ 발생확률 = $X_1 \times X_2$ = 0.1 × 0.1 = 0.01

04

기계의 원동기·회전축·기어·풀리·플라이휠·벨트 및 체인 등 근로자에게 위험을 미칠 우려가 있는 부위에 설치해야 하는 안전장치의 종류를 3가지 쓰시오.

해답

① 덮개   ② 울   ③ 슬리브   ④ 건널다리

05

목재가공용 둥근톱 기계의 방호장치를 2가지 쓰시오.

해답 목재 가공용 둥근톱 기계의 방호장치

① 분할날 등 반발예방장치
② 톱날접촉 예방장치

06

특수화학설비를 설치하는 경우 내부의 이상상태를 조기에 파악하거나 이상 상태의 발생에 따른 폭발·화재 또는 위험물의 누출을 방지하기 위하여 사업주가 조치해야 하는 사항을 3가지 쓰시오.

해답

(1) 계측장치의 설치(내부이상상태의 조기파악) : ① 온도계 ② 유량계 ③ 압력계 등
(2) 자동경보장치의 설치 : 내부이상상태의 조기파악
(3) 긴급차단장치의 설치 : 폭발, 화재 또는 위험물 누출 방지

07

작업의자형 달비계를 설치하는 경우 준수해야 할 다음 사항에서 ( )에 알맞은 내용을 쓰시오.

가. 달비계의 작업대는 나무 등 근로자의 하중을 견딜 수 있는 강도의 재료를 사용하여 견고한 구조로 제작할 것
나. 작업대의 (①) 모서리에 로프를 매달아 작업대가 뒤집히거나 떨어지지 않도록 연결할 것
다. 작업용 섬유로프는 콘크리트에 매립된 고리, 건축물의 콘크리트 또는 철재 구조물 등 (②) 이상의 견고한 고정점에 풀리지 않도록 결속할 것

해답

① 4개
② 2개

08

부탄(C_4H_{10})의 폭발하한계는 1.6(vol%)이고, 폭발상한계는 9.0(vol%)이다. 부탄의 위험도 및 완전연소조성농도를 계산하시오.(단, 소수점 둘째 자리에서 반올림 할 것)

해답

① 위험도

$$H = \frac{UFL - LFL}{LFL}$$

여기서) UFL : 연소 상한값, LFL : 연소 하한값, H : 위험도

$$\therefore H = \frac{9.0 - 1.6}{1.6} = 4.625 = 4.6$$

② 완전연소조성농도

$$cst = \frac{100}{1 + 4.773(n + \frac{m - f - 2\lambda}{4})}$$

여기서, n : 탄소, m : 수소, f : 할로겐 원소의 원자 수, λ : 산소의 원자 수

$$\therefore 완전연소조성농도 = \frac{100}{1 + 4.773(4 + \frac{10}{4})} = 3.123 = 3.1(vol\%)$$

09

먼지, 분진, 소음 작업장에서 작업하는 근로자가 착용해야 할 보호구의 종류를 3가지 쓰시오.

해답

① 방진마스크   ② 보안경   ③ 귀마개 및 귀덮개

10

크레인 등(특정기계)에 대한 위험방지를 위하여 취해야 할 안전조치를 4가지 쓰시오.

해답

① 과부하방지장치   ② 권과방지장치   ③ 비상정지장치   ④ 제동장치

11

크레인 작업시 와이어로프에 980kg의 중량을 걸어 25m/s²의 가속도로 감아 올릴 경우 와이어로프에 걸리는 총하중을 계산하시오.

해답

총하중 (W)＝정하중(W_1)＋동하중(W_2)

동하중$(W_2)=\dfrac{W_1}{g}\times a$ [g: 중력가속도(9.8m/s²) a : 가속도(m/s²)]

① 동하중＝$\dfrac{980}{9.8}\times 25=2,500(\text{kg})$

② 총하중＝$980+2,500=3,480(\text{kg})$

12

산업안전표지의 종류를 4가지 쓰시오.

해답

① 금지표지   ② 경고표지   ③ 지시표지   ④ 안내표지

tip

2012년 법개정으로 '관계자외 출입금지' 표지가 추가되었으므로 함께 알아두세요.

13

100V 단상 2선식 회로의 전류를 물에 젖은 손으로 조작하여 감전으로 인한 심실세동을 일으켰다. 이때 인체에 흐른 전류와 심실세동을 일으킨 시간을 구하시오.(단, 인체의 저항은 5,000Ω이며, 길버트의 이론에 의해 계산할 것)

해답

① 인체가 물에 젖은 경우 저항은 1/25로 감소하므로

전류$(I)=\dfrac{V}{R}=\dfrac{100}{5,000\times\dfrac{1}{25}}\times 1,000=500(\text{mA})$

② 시간 : $500(\text{mA})=\dfrac{165}{\sqrt{T}}$ ∴ $\sqrt{T}=0.33$

따라서, $T=0.1089=0.11(\text{초})$

14

보호안경 착용에 관하여 안전관리자가 안전조회를 실시하고자 한다. 아래의 교육내용을 도입, 전개, 결말의 순서로 정리하여 번호를 쓰시오.

---

(1) 연삭기 작업은 비록 짧은시간(20 ~ 30분)이라 할지라도 반드시 보안경을 착용한다. 칩은 어디로부터도 눈에 들어올 수 있다.

(2) 아무리 귀찮아도 잊지 말고 연삭작업시에는 반드시 보안경을 착용하자.

(3) 오늘은 보호안경 착용에 관한 안전교육을 실시한다.

해답

① 도입 : (3)　② 전개 : (1)　③ 결말 : (2)

15

산업 안전심리의 5대 요소를 쓰시오.

해답

① 기질　② 동기　③ 습관　④ 습성　⑤ 감정

01

산업안전보건위원회 설치대상 사업장의 기준을 2가지 쓰시오.(4점)

해답 설치대상사업장

사업의 종류	규모
1. 토사석 광업 2. 목재 및 나무제품 제조업 ; 가구제외 3. 화학물질 및 화학제품 제조업 ; 의약품 제외(세제, 화장품 및 광택제 제조업과 화학섬유 제조업은 제외한다) 4. 비금속 광물제품 제조업 5. 1차 금속 제조업 6. 금속가공제품 제조업 ; 기계 및 가구 제외 7. 자동차 및 트레일러 제조업 8. 기타 기계 및 장비 제조업(사무용 기계 및 장비 제조업은 제외한다) 9. 기타 운송장비 제조업(전투용 차량 제조업은 제외한다)	상시 근로자 50명 이상
10. 농업 11. 어업 12. 소프트웨어 개발 및 공급업 13. 컴퓨터 프로그래밍, 시스템 통합 및 관리업 13의2. 영상·오디오물 제공 서비스업 14. 정보서비스업 15. 금융 및 보험업 16. 임대업;부동산 제외 17. 전문, 과학 및 기술 서비스업(연구개발업은 제외한다) 18. 사업지원 서비스업 19. 사회복지 서비스업	상시 근로자 300명 이상
20. 건설업	공사금액 120억원 이상(「건설산업기본법 시행령」에 따른 토목공사업에 해당하는 공사의 경우에는 150억원 이상)
21. 제1호부터 제13호까지, 제13호의2 및 제14호부터 제20호까지의 사업을 제외한 사업	상시 근로자 100명 이상

tip

2024년 개정된 법령 적용

02

소음원으로부터 5(m) 떨어진 곳에서의 음압수준이 125(dB)이라면 25(m) 떨어진 곳에서의 음압은 얼마인가?(4점)

해답

d_1에서 I_1의 단위면적당 출력을 갖는 음은 거리 d_2에서는

$$dB_2 = dB_1 - 20\log\left(\frac{d_2}{d_1}\right)$$

$$\therefore \ dB_2 = 125 - 20\log\left(\frac{25}{5}\right) \fallingdotseq 111.02(dB)$$

03

안전검사 대상 유해·위험기계의 종류를 4가지 쓰시오.

해답

① 프레스
② 전단기
③ 크레인(정격하중 2톤 미만 제외)
④ 리프트
⑤ 압력용기
⑥ 곤돌라
⑦ 국소배기장치(이동식 제외)
⑧ 원심기(산업용만 해당)
⑨ 롤러기(밀폐형 구조제외)
⑩ 사출성형기[형 체결력 294킬로뉴튼(KN) 미만 제외]
⑪ 고소작업대
　(화물자동차 또는 특수자동차에 탑재한 것으로 한정)
⑫ 컨베이어
⑬ 산업용 로봇
⑭ 혼합기
⑮ 파쇄기 또는 분쇄기

tip

법령개정으로 혼합기, 파쇄기 또는 분쇄기가 추가되었으며, 2026년 6월 26일부터 시행.

04

A, B, C 각 부품의 고장확률이 각각 0.15이고, 직렬 결합이다. 시스템의 고장을 정상사상으로 하는 FT도를 작성하고, 고장 발생확률을 구하시오.(5점)

해답

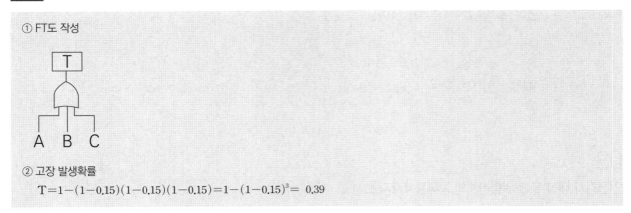

① FT도 작성

② 고장 발생확률

$$T = 1 - (1 - 0.15)(1 - 0.15)(1 - 0.15) = 1 - (1 - 0.15)^3 = 0.39$$

05

다음과 같은 안전표지의 색채에 따른 색도기준 및 용도에서 ( )안에 알맞은 내용을 쓰시오.(5점)

색채	색도기준	용도
빨간색	(①)	금지표지
		경고표지
(②)	5Y 8.5/12	(③)
파란색	2.5PB 4/10	(④)
녹색	2.5G 4/10	안내표지
(⑤)	N9.5	

해답

① 7.5R 4/14   ② 노란색   ③ 경고표지
④ 지시표지   ⑤ 흰색

tip

안전표지의 색채 및 색도기준

색채	색도기준	용도	사용례
빨간색	7.5R 4/14	금지	정지신호, 소화설비 및 그 장소, 유해행위의 금지
		경고	화학물질 취급장소에서의 유해위험 경고
노란색	5Y 8.5/12	경고	화학물질 취급장소에서의 유해위험 경고 그밖의 위험경고, 주의표지 또는 기계 방호물
파란색	2.5PB 4/10	지시	특정행위의 지시 및 사실의 고지
녹색	2.5G 4/10	안내	비상구 및 피난소, 사람 또는 차량의 통행표지
흰색	N9.5		파란색 또는 녹색에 대한 보조색
검은색	N0.5		문자 및 빨간색 또는 노란색에 대한 보조색

06

근로자 안전보건 교육의 교육과정을 4가지 쓰시오.(4점)

해답

① 정기 교육   ② 채용시 교육   ③ 작업내용 변경시 교육   ④ 특별 교육
⑤ 건설업 기초안전보건교육

07

분진폭발에 영향을 주는 인자 4가지를 쓰시오.(4점)

해답

① 분진의 화학적 성질과 조성   ② 입도와 입도분포
③ 입자의 형상과 표면의 상태   ④ 수분

08

전압을 구분하는 다음의 기준에서 알맞은 내용을 쓰시오.(5점)

전원의 종류	저압	고압	특별 고압
직류 [DC]	(①)	(②)	(③)
교류 [AC]	(④)	(⑤)	7,000V 초과

해답

① 1,500V 이하   ② 1,500V 초과 7,000V 이하   ③ 7,000V 초과
④ 1,000V 이하   ⑤ 1,000V 초과 7,000V 이하

tip

2021년 적용 법 제정으로 변경된 내용. 문제와 해답은 제정된 법에 맞도록 수정하였습니다.

09

2m에서의 조도가 120lux일 때 3m에서의 조도는 얼마인가?(3점)

해답

$$\text{조도} = \frac{\text{광도}}{(\text{거리})^2}$$

① $120(\text{lux}) = \dfrac{\text{광도}}{2^2}$ 따라서, 광도 $= 120 \times 4 = 480(\text{cd})$

② $\text{조도} = \dfrac{480}{3^2} = 53.33\text{lux}$

10

컷셋(cut set)과 패스셋(path set)을 간단히 설명하시오.(4점)

해답

(1) 컷셋(cut set) : 정상사상을 발생시키는 기본사상의 집합으로 그 안에 포함되는 모든 기본사상이 발생할 때 정상사상을 발생시킬 수 있는 기본사상의 집합
(2) 패스셋(path set) : 그 안에 포함되는 모든 기본사상이 일어나지 않을 때 처음으로 정상사상이 일어나지 않는 기본사상의 집합

11

콘크리트 타설 작업시 준수해야 할 사항을 2가지 쓰시오.(4점)

해답 콘크리트 타설 작업시 준수사항

① 당일의 작업을 시작하기 전에 당해 작업에 관한 거푸집 동바리등의 변형·변위 및 지반의 침하유무등을 점검하고 이상을 발견한 때에는 이를 보수할 것
② 작업중에는 거푸집 동바리등의 변형·변위 및 침하유무등을 감시할 수 있는 감시자를 배치하여 이상을 발견한 때에는 작업을 중지시키고 근로자를 대피시킬 것
③ 콘크리트의 타설작업시 거푸집붕괴의 위험이 발생할 우려가 있는 때에는 충분한 보강조치를 할 것
④ 설계도서상의 콘크리트 양생기간을 준수하여 거푸집 동바리 등을 해체할 것

12

폭풍 등에 대한 다음의 안전조치기준에서 알맞은 풍속의 기준을 쓰시오.(3점)

(1) 폭풍에 의한 주행크레인의 이탈방지 장치 작동 : 풍속 (①)m/s 초과
(2) 폭풍에 의한 건설용 리프트의 이상유무 점검 : 풍속 (②)m/s 초과
(3) 폭풍에 의한 옥외용 승강기의 받침수 증가 등 무너짐 방지조치 : (③)m/s 초과

해답

① 30 ② 30 ③ 35

tip

폭풍 등에 의한 안전조치사항

풍속의 기준	시기	조치사항
순간풍속이 매 초당 30미터 초과	바람이 예상 될 경우	주행크레인의 이탈방지 장치 작동
	바람이 불어온 후	작업전 크레인의 이상유무 점검
		건설용 리프트의 이상유무 점검
순간풍속이 매 초당 35미터 초과	바람이 불어올 우려가 있을 시	건설용 리프트의 받침의 수를 증가시키는 등 붕괴방지조치
		옥외에 설치된 승강기의 받침의 수를 증가시키는 등 무너지는 것을 방지하기 위한 조치

13

Fail safe를 기능적인 측면에서 3단계로 분류하여 간략히 설명하시오.(6점)

해답

① Fail-passive : 부품이 고장났을 경우 통상기계는 정지하는 방향으로 이동(일반적인 산업기계)
② Fail-active : 부품이 고장났을 경우 기계는 경보를 울리는 가운데 짧은 시간동안 운전 가능
③ Fail-operational : 부품의 고장이 있더라도 기계는 추후 보수가 이루어 질 때까지 안전한 기능 유지(병렬구조 등으로 되어 있으며 운전상 가장 선호하는 방법)

01

연소의 형태에서 고체의 연소형태를 4가지 쓰시오(4점)

해답

① 분해연소 ② 증발연소 ③ 표면연소 ④ 자기연소

02

금속의 용접 등에 사용되는 가스용기를 저장해서는 안되는 장소를 3가지 쓰시오(6점)

해답

① 통풍 또는 환기가 불충분한 장소
② 화기를 사용하는 장소 및 그 부근
③ 위험물, 화약류 또는 가연성 물질을 취급하는 장소 및 그 부근

03

잠함 등의 내부에서 굴착작업을 하는 경우 설치해야 할 설비의 종류를 3가지 쓰시오(4점)

해답

① 근로자가 안전하게 승강하기 위한 설비
② 굴착깊이가 20m를 초과하는 때에는 당해작업장소와 외부와의 연락을 위한 통신설비
③ 산소결핍이 인정되거나 굴착깊이가 20m를 초과하는 때에는 송기를 위한 설비를 설치하여 필요한 양의 공기를 송급할 것

04

LD₅₀에 대해 설명하시오(4점)

해답

한 무리의 실험동물 50%를 사망시키는 독성물질의 양으로 반수 치사량이라고도 하며 독성물질의 경우는 동물체중 1kg에 대한 독물량(mg)으로 나타낸다.

05

MTBF, MTTF, MTTR 의 용어에 대한 명칭 및 공식을 쓰시오(6점)

해답

(1) MTBF
① 명칭 : 평균수명(기대시간)으로 시스템을 수리해 가면서 사용하는 경우 MTBF(mean time between failure)라고 한다.
② 공식

$$MTBF = \frac{1}{\lambda}$$

$$고장률(\lambda) = \frac{기간중의총고장수(r)}{총동작시간(T)}$$

(2) MTTF
① 명칭 : 평균수명으로 MTBF와 다른점은 시스템을 수리하여 사용할 수 없는 경우 MTTF(mean time to failure)라고 한다.(계산하는 방법은 MTBF와 동일)
② 계의 수명 [요소의 수명(MTTF)이 지수분포를 따를 경우]

* 병렬계

$$MTTFs = \frac{1}{\lambda_o} + \frac{1}{2\lambda_o} + \cdots + \frac{1}{n\lambda_o}$$

$$MTTFs = MTTF\left(1 + \frac{1}{2} + \frac{1}{3} + \cdots + \frac{1}{n}\right)$$

* 직렬계

$$MTTFs = \frac{1}{\lambda_s}$$

$$MTTFs = \frac{MTTF}{n}$$

(3) MTTR
① 명칭 : 평균수리시간(mean time to repair : MTTR)으로 보전성의 척도
② 공식 : $MTTR = \frac{1}{평균수리율(\mu)}$

06
TLV-TWA에 관하여 설명하시오(3점)

해답 TLV-TWA(시간가중 평균 노출기준)

① 1일 8시간 작업기준으로 유해 요인의 측정치에 발생시간을 곱하여 8시간으로 나눈 값으로 1일 8시간, 주 40시간을 기준으로 유해물질에 매일 노출되어도 거의 모든 근로자에게 건강상의 장해가 없을 것으로 생각되는 농도

② 산출공식

$$TWA\ 환산값 = \frac{C_1 \cdot T_1 + C_2 \cdot T_2 + \cdots\cdots + C_n \cdot T_n}{8}$$

주) C : 유해요인의 측정치(단위 : ppm 또는 mg/m³)

T : 유해요인의 발생시간(단위 : 시간)

07
다음 그림과 같은 안전보건 표지의 바탕색체와 기본모형 및 관련부호의 색체를 쓰시오(4점)

해답

바탕은 노란색, 기본모형·관련부호 및 그림은 검정색.

08
도수율 4, 재해건수 5건, 근로손실일수 350일인 어느 사업장의 강도율 구하시오(3점)

해답

$$빈도율(F.R) = \frac{재해건수}{연간\ 총근로\ 시간수} \times 1,000,000$$

$$연간\ 총근로\ 시간수 = \frac{5}{4} \times 10^6 = 1,250,000(시간)$$

$$강도율(S.R) = \frac{근로손실일수}{연간\ 총근로\ 시간수} \times 1,000$$

$$그러므로,\ 강도율 = \frac{350}{1,250,000} \times 1,000 = 0.28$$

09

다음 그림을 보고 산업재해발생 형태를 쓰시오(3점)

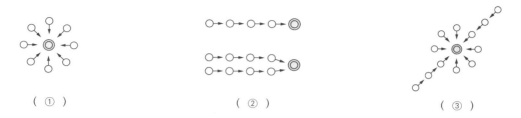

(①)   (②)   (③)

해답

구분	내용
① 단순자극형	상호 자극에 의하여 순간적으로 재해가 발생하는 유형으로 재해가 일어난 장소와 그 시기에 일시적으로 요인이 집중(집중형이라고도 함)
② 연쇄형	하나의 사고 요인이 또 다른 사고 요인을 일으키면서 재해를 발생시키는 유형 (단순 연쇄형과 복합 연쇄형)
③ 복합형	단순 자극형과 연쇄형의 복합적인 발생유형

10

동력 프레스기의 양수 기동식 안전장치의 클러치 맞물림 개소수가 4, 매분행정수가 300일 경우 안전거리를 계산하시오(5점)

해답 양수기동식의 안전거리

$D_m = 1.6\mathrm{Tm}$

D_m : 안전 거리(mm)

Tm : 양손으로 누름단추 누르기 시작할 때부터 슬라이드가 하사점에 도달하기까지 소요시간(ms)

$$\mathrm{Tm} = \left(\frac{1}{\text{클러치맞물림개소수}} + \frac{1}{2} \right) \times \frac{60,000}{\text{매분행정수}}(\mathrm{ms})$$

그러므로, $\mathrm{Tm} = \left\{ \left(\frac{1}{4} + \frac{1}{2} \right) \times \left(\frac{60,000}{300} \right) \right\} = 150(\mathrm{mm})$

따라서, $\mathrm{Dm} = 1.6 \times 150 = 240(\mathrm{mm})$

11

사업장에서 작업자가 지켜야 할 무재해 운동 실천기법 중 5C운동을 쓰시오(5점)

해답

① 복장단정(Correctness)　　② 정리정돈(Clearance)　　③ 청소청결(Cleaning)
④ 점검확인(Checking)　　⑤ 전심전력(Concentration)

12

토사 등이 떨어질 우려가 있는 위험한 장소에서 견고한 낙하물 보호구조를 갖춰야 할 차량계건설기계의 종류를 5가지 쓰시오.

해답

① 불도저
② 트랙터
③ 굴착기
④ 로더(loader: 흙 따위를 퍼올리는 데 쓰는 기계)
⑤ 스크레이퍼(scraper : 흙을 절삭·운반하거나 펴 고르는 등의 작업을 하는 토공기계)
⑥ 덤프트럭
⑦ 모터그레이더(motor grader : 땅 고르는 기계)
⑧ 롤러(roller : 지반 다짐용 건설기계)
⑨ 천공기
⑩ 항타기 및 항발기

13

비파괴 검사의 종류를 4가지 쓰시오(4점)

해답

① 방사선 투과 검사　　② 초음파 탐상검사　　③ 액체침투 탐상시험
④ 자분탐상시험　　⑤ 누설검사　　⑥ 육안검사
⑦ 음향검사 등

01

통전경로의 위험도에서 위험한 순서대로 번호를 쓰시오.(4점)

① 왼손 → 가슴   ② 오른손 → 가슴   ③ 왼손 → 등   ④ 양손 → 양발

해답

① 왼손 → 가슴 : 1.5   ② 오른손 → 가슴 : 1.3
③ 왼손 → 등 : 0.7   ④ 양손 → 양발 : 1.0
위험도 수치가 클수록 위험하므로 순서는 ① → ② → ④ → ③

02

통제표시비 설계시 고려해야 할 사항을 5가지 쓰시오.(5점)

해답

① 계기의 크기 ② 공차 ③ 목측거리 ④ 조작시간 ⑤ 방향성

03

교류 아크 용접기에 설치하는 자동전격방지기 설치시 요령 및 유의 사항 3가지를 쓰시오. (3점)

해답

① 직각으로 부착할 것(부득이할 경우 직각에서 20°를 넘지 않을 것)
② 용접기의 이동·진동·충격으로 이완되지 않도록 이완 방지 조치를 취할 것
③ 전방 장치의 작동 상태를 알기 위한 표시등은 보기쉬운 곳에 설치할 것
④ 전방 장치의 작동 상태를 실험하기 위한 테스트 스위치는 조작하기 쉬운 곳에 설치할 것

04

다음의 재해상황을 보고 재해발생형태를 쓰시오.(4점)

* 재해자가 비계 사다리 등에서 떨어진 재해 (①)
* 재해자가 평면상에서 넘어져서 발생한 재해 (②)

해답

① 떨어짐(추락)   ② 넘어짐(전도)

05

시스템안전에서 기계의 고장률을 나타내는 그래프를 그리고 명칭과 각 기간중 고장률 감소 대책을 1가지씩 쓰시오.(6점)

해답

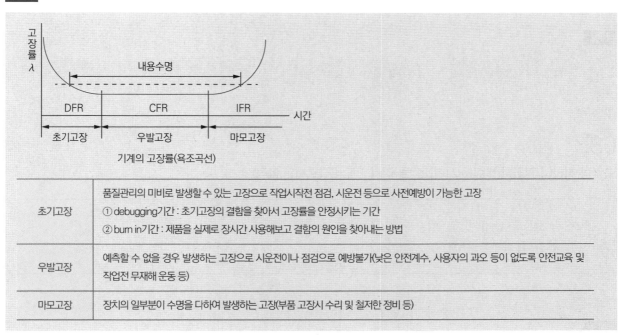

기계의 고장률(욕조곡선)

초기고장	품질관리의 미비로 발생할 수 있는 고장으로 작업시작전 점검, 시운전 등으로 사전예방이 가능한 고장 ① debugging기간 : 초기고장의 결함을 찾아서 고장률을 안정시키는 기간 ② burn in기간 : 제품을 실제로 장시간 사용해보고 결함의 원인을 찾아내는 방법
우발고장	예측할 수 없을 경우 발생하는 고장으로 시운전이나 점검으로 예방불가(낮은 안전계수, 사용자의 과오 등이 없도록 안전교육 및 작업전 무재해 운동 등)
마모고장	장치의 일부분이 수명을 다하여 발생하는 고장(부품 고장시 수리 및 철저한 정비 등)

06

휘발유 등 유류탱크 저장소에 설치해야 할 안전보건 표시에 관한 다음 사항을 쓰시오.(4점)

① 표지종류   ② 형태(모양)   ③ 바탕색   ④ 기본모형

해답

① 경고 표지(인화성 물질 경고)   ② 마름모   ③ 무색   ④ 적색(흑색도 가능)

07

다음 기계기구에 해당하는 방호장치를 1가지씩 쓰시오. (3점)

① 목재가공용 둥근톱   ② 목재가공용 띠톱기계   ③ 롤러기

해답

① 날 접촉예방장치, 반발 예방장치   ② 덮개 또는 울   ③ 급정지 장치

08

보일링 히빙이 일어나기 쉬운 지반조건을 각각 1개씩 적으시오.(4점)

① 보일링 현상이 잘 일어나는 지반
② 히빙 현상이 잘 일어나는 지반

해답

① 보일링 현상이 잘 일어나는 지반 : 투수성이 좋은 사질토 지반
② 히빙현상이 잘 일어나는 지반 : 연약성 점토지반

09

안전관리자의 직무를 5가지 쓰시오.(그 밖에 안전에 관한 사항으로서 고용노동부장관이 정하는 사항 제외)(5점)

해답 안전관리자의 직무

① 산업안전보건위원회 또는 안전·보건에 관한 노사협의체에서 심의·의결한 업무와 해당 사업장의 안전보건관리규정 및 취업규칙에서 정한 업무
② 안전인증대상 기계 등과 자율안전확인대상 기계 등 구입 시 적격품의 선정에 관한 보좌 및 지도·조언
③ 위험성평가에 관한 보좌 및 지도·조언
④ 해당 사업장 안전교육계획의 수립 및 안전교육 실시에 관한 보좌 및 지도·조언
⑤ 사업장 순회점검·지도 및 조치의 건의
⑥ 산업재해 발생의 원인 조사·분석 및 재발 방지를 위한 기술적 보좌 및 지도·조언
⑦ 산업재해에 관한 통계의 유지·관리·분석을 위한 보좌 및 지도·조언
⑧ 법 또는 법에 따른 명령으로 정한 안전에 관한 사항의 이행에 관한 보좌 및 지도·조언
⑨ 업무수행 내용의 기록·유지
⑩ 그 밖에 안전에 관한 사항으로서 고용노동부장관이 정하는 사항

tip

2020년 법령개정 내용 적용.

10

절토사면의 붕괴 방지를 위한 예방 점검을 실시하는 경우 점검사항 3가지를 쓰시오.(3점)

해답

① 전 지표면의 답사
② 경사면의 지층 변화부 상황 확인
③ 부석의 상황 변화의 확인
④ 용수의 발생 유, 무 또는 용수량의 변화 확인
⑤ 결빙과 해빙에 대한 상황의 확인
⑥ 각종 경사면 보호공의 변위, 탈락, 유, 무

11

다음은 화학설비의 안전성에 대한 정량적 평가이다. 위험등급에 따른 점수를 계산하고 해당되는 항목을 쓰시오.(4점)

① 위험등급 I : ( )	② 위험등급 II : ( )	③ 위험등급 III : ( )

항목분류	A급(10점)	B급(5점)	C급(2점)	D급(0점)
취급물질	○		○	
화학설비의 용량	○	○	○	
온도		○	○	○
압력	○	○		
조작			○	○

해답

① 합산점수 16점 이상 : 화학설비의 용량(17점)
② 합산점수 11 ~ 15점 : 압력(15점), 취급물질(12점)
③ 합산점수 0 ~ 10점 : 온도(7점), 조작(2점)

12

공정안전보고서 제출대상 사업장을 3가지 쓰시오.(6점)

해답

① 원유정제 처리업
② 기타 석유정제물 재처리업
③ 석유화학계 기초화학물질 제조업 또는 합성수지 및 기타 플라스틱물질 제조업
④ 질소 화합물, 질소 인산 및 칼리질 화학비료 제조업 중 질소질 비료 제조
⑤ 복합비료 및 기타 화학비료 제조업 중 복합비료 제조(단순혼합 또는 배합에 의한 경우는 제외)
⑥ 화학살균 살충제 및 농업용 약제 제조업(농약 원제 제조만 해당)
⑦ 화약 및 불꽃제품 제조업

13

산소결핍이 우려되는 밀폐공간에서 작업할 경우 착용해야 할 보호구를 2가지 쓰시오.(4점)

해답

① 공기 호흡기   ② 송기 마스크 등

01

방폭구조의 선정기준에서 분진폭발위험장소의 분류와 해당하는 방폭구조를 쓰시오.(5점)

해답

폭발위험장소의 분류		방폭구조 전기기계기구의 선정기준
분진폭발 위험장소	20종 장소	밀폐방진방폭구조(DIP A20 또는 DIP B20) 그 밖에 관련 공인 인증기관이 20종 장소에서 사용이 가능한 방폭구조로 인증한 방폭구조
	21종 장소	밀폐방진방폭구조(DIP A20 또는 A21, DIP B20 또는 B21) 특수방진방폭구조(SDP) 그 밖에 관련 공인 인증기관이 21종 장소에서 사용이 가능한 방폭구조로 인증한 방폭구조
	22종 장소	20종 장소 및 21종 장소에서 사용가능한 방폭구조 일반방진방폭구조(DIP A22 또는 DIP B22) 보통방진방폭구조(DP) 그 밖에 22종 장소에서 사용하도록 특별히 고안된 비방폭형 구조

02

최초의 완만한 연소에서 폭굉까지 발달하는데 유도되는 거리인 폭굉 유도거리가 짧아지는 요건을 3가지 쓰시오.(3점)

해답

① 정상의 연소속도가 큰 혼합가스일 경우
② 관속에 방해물이 있거나 관경이 가늘수록
③ 압력이 높을수록
④ 점화원의 에너지가 강할수록

03

차량계 하역운반기계 운전자가 운전위치 이탈시 준수해야 할 사항 2가지를 쓰시오.(4점)

해답

① 포크, 버킷, 디퍼 등의 장치를 가장 낮은 위치 또는 지면에 내려 둘 것
② 원동기를 정지시키고 브레이크를 확실히 거는 등 차량계 하역운반기계등, 차량계 건설기계의 갑작스러운 이동을 방지하기 위한 조치를 할 것
③ 운전석을 이탈하는 경우에는 시동키를 운전대에서 분리시킬 것. 다만, 운전석에 잠금장치를 하는 등 운전자가 아닌 사람이 운전하지 못하도록 조치한 경우는 그렇지 않다.

tip

2024년 개정된 법령 적용

04

심실세동전류의 정의와 구하는 공식을 쓰시오.(4점)

해답

① 정의 : 인체에 전류가 흐를 경우 심장의 맥동에 영향을 주어 심장마비 상태를 유발할 수 있는 전류로 통전전류가 멈춘다 해도 자연회복은 어려우며, 그대로 방치할 경우 수분이내에 사망에 이르게 되므로 즉시 인공호흡을 실시해야 하는 전류.
② 공식 : 통전전류 $I = \dfrac{165 \sim 185}{\sqrt{T}}$ (mA)

05

양중기에 사용하여서는 안되는 와이어로프의 기준을 5가지 쓰시오.(5점)

해답

① 이음매가 있는 것
② 와이어로프의 한 꼬임(스트랜드)에서 끊어진 소선(필러선 제외)의 수가 10% 이상(비자전로프의 경우에는 끊어진 소선의 수가 와이어 로프 호칭지름의 6배 길이 이내에서 4개 이상이거나 호칭지름 30배 길이 이내에서 8개 이상)인 것
③ 지름의 감소가 공칭지름의 7%를 초과하는 것
④ 꼬인 것
⑤ 심하게 변형되거나 부식된 것
⑥ 열과 전기충격에 의해 손상된 것

06

고장률이 0.0004일 경우 1,000시간 사용시 신뢰도를 구하시오.(5점)

해답

$$R(t) = e^{-\lambda t} = e^{-0.0004 \times 1000} = 0.67$$

07

공기중 사염화탄소의 농도가 0.3%인 장소에서 정화통의 흡수능력이 사염화탄소 0.5%에 대하여 50분이라면 정화통 의 유효시간을 구하시오.(5점)

해답

$$\text{유효사용시간} = \frac{\text{표준유효시간} \times \text{시험가스농도}}{\text{공기중 유해가스농도}}$$
$$= \frac{50 \times 0.5}{0.3} = 83.33$$

그러므로, 약 83분

08

안전검사 대상과 주기에 관련한 다음 내용에서 ( )에 알맞은 내용을 쓰시오.

> 크레인(이동식 크레인은 제외), 리프트(이삿짐운반용 리프트는 제외) 및 (①): 사업장에 설치가 끝난 날부터 (②) 이내에 최초 안전검사를 실시하되, 그 이후부터 (③)마다 실시한다. 다만, 건설현장에서 사용하는 것은 최초로 설치한 날부터 (④)마다 안전검사를 실시한다.

① 곤돌라   ② 3년   ③ 2년   ④ 6개월

09

사업주가 자율검사프로그램에 따른 자율안전검사를 받고자 한다. 자율검사프로그램을 인정받기 위해 충족해야 할 요건을 3가지 쓰시오.

① 검사원을 고용하고 있을 것
② 고용노동부장관이 정하여 고시하는 바에 따라 검사를 할 수 있는 장비를 갖추고 이를 유지·관리할 수 있을 것
③ 안전검사 주기의 2분의 1에 해당하는 주기(크레인 중 건설현장 외에서 사용하는 크레인의 경우에는 6개월)마다 검사를 할 것
④ 자율검사프로그램의 검사기준에 따라 고용노동부장관이 정하여 고시하는 검사기준을 충족할 것

10

정전기 발생의 영향요인을 5가지 쓰시오.(5점)

① 물체의 특성   ② 물체의 표면상태
③ 물체의 이력   ④ 접촉면적 및 압력
⑤ 분리속도   ⑥ 완화시간 등

11

소음(소음작업)의 정의와 기준을 쓰시오.(4점)

해답

(1) 소음의 정의 : 원치 않은 소리(unwanted sound)라고 정의할 수 있으며, 개인별로 주관적인 개념이 있으므로 심리적으로 불쾌감을 주거나 신체에 장애를 일으킬수 있는 소리를 소음이라 정의할 수도 있다.

(2) 소음(소음작업)의 기준 : 산업안전보건법상 1일 8시간 작업을 기준으로 85데시벨 이상의 소음이 발생하는 작업을 말한다.

12

폭발방지를 위한 불활성화방법 중 퍼지의 종류를 3가지 쓰시오.(3점)

해답

① 진공퍼지(Vacuum purging)

② 압력퍼지(Pressure purging)

③ 스위프 퍼지(Sweep-Through Purging)

④ 사이폰치환(Siphon purging)

13

산업안전보건법에서 정하는 양중기의 종류를 4가지 쓰시오.(4점)

해답 양중기의 종류

① 크레인(호이스트 포함)

② 이동식 크레인

③ 리프트(이삿짐운반용 리프트의 경우 적재하중 0.1톤 이상인 것)

④ 곤돌라

⑤ 승강기

tip

2019년 법령개정 내용 적용.

01

산업안전보건법령상 사업주가 근로자에게 실시해야 하는 근로자 안전보건교육의 교육대상별 교육시간에 관한 내용 중 (   )에 알맞은 내용을 쓰시오.(5점)

교육과정	교육대상		교육시간
가. 정기교육	사무직 종사 근로자		(①)
	그 밖의 근로자	판매업무에 직접 종사하는 근로자	(②)
		판매업무에 직접 종사하는 근로자 외의 근로자	(③)
나. 채용 시 교육	일용근로자 및 근로계약기간이 1주일 이하인 기간제근로자		1시간 이상
	근로계약기간이 1주일 초과 1개월 이하인 기간제근로자		(④)
	그 밖의 근로자		8시간 이상
다. 작업내용 변경 시 교육	일용근로자 및 근로계약기간이 1주일 이하인 기간제근로자		(⑤)
	그 밖의 근로자		2시간 이상

해답

① 매반기 6시간 이상   ② 매반기 6시간 이상   ③ 매반기 12시간 이상
④ 4시간 이상   ⑤ 1시간 이상

tip

2023년 법령개정. 문제 및 해답은 개정된 내용 적용.

02

800명의 근로자가 1년간 작업하는 동안 사망재해 2건, 기타재해로 인한 근로손실일수가 1200일 이었다. 강도율을 구하시오.(단, 주당 40시간씩 연간 50주 근로함)

해답

$$강도율(S.R) = \frac{근로손실일수}{연간총근로시간수} \times 1{,}000$$

$$\therefore\ 강도율 = \frac{(7500 \times 2) + 1{,}200}{800 \times 40 \times 50} \times 1{,}000 = 10.125 \fallingdotseq 10.13$$

03

다음 안전보건 표지의 명칭을 쓰시오.(4점)

(1) 　　(2) 　　(3) 　　(4)

해답

(1) 사용금지 　　(2) 인화성물질 경고 　　(3) 낙하물 경고 　　(4) 방진마스크 착용

04

휴먼에러의 분류중 swain의 분류에 관한 종류와 내용을 쓰시오.(4점)

해답

생략에러(Omission error)	필요한 직무나 단계를 수행하지 않은(생략) 에러(부작위 실수)
착각수행에러(Commission error)	직무나 순서 등을 착각하여 잘못 수행(불확실한 수행)한 에러
순서에러(Sequential error)	직무 수행과정에서 순서를 잘못 지켜(순서착오) 발생한 에러
시간적에러(Time error)	정해진 시간내 직무를 수행하지 못하여(수행지연)발생한 에러
과잉행동에러(Extraneous error)	불필요한 직무 또는 절차를 수행하여 발생한 에러

05

다음의 유해위험한 기계기구에 설치할 방호장치를 쓰시오.(5점)

---

(1) 아세틸렌 용접장치   (2) 교류아크 용접기   (3) 압력용기

(4) 연삭기   (5) 동력식 수동대패

해답

(1) 아세틸렌 용접장치 : 안전기

(2) 교류아크 용접기 : 자동전격 방지기

(3) 압력용기 : 압력방출장치

(4) 연삭기 : 덮개

(5) 동력식 수동대패 : 칼날접촉방지장치

06

Fail safe를 기능적인 측면에서 3단계로 분류하여 간략히 설명하시오.(6점)

해답

① Fail-passive : 부품이 고장났을 경우 통상기계는 정지하는 방향으로 이동(일반적인 산업기계)

② Fail-active : 부품이 고장났을 경우 기계는 경보를 울리는 가운데 짧은 시간동안 운전 가능

③ Fail-operational : 부품의 고장이 있더라도 기계는 추후 보수가 이루어 질 때까지 안전한 기능 유지(병렬구조 등으로 되어 있으며 운전상 가장 선호하는 방법)

07

이동식 사다리 작업시 준수해야 할 사항을 4가지 쓰시오.

해답

① 평탄하고 견고하며 미끄럽지 않은 바닥에 이동식 사다리를 설치할 것
② 이동식 사다리의 넘어짐을 방지하기 위해 다음 각 목의 어느 하나 이상에 해당하는 조치를 할 것
　　㉮ 이동식 사다리를 견고한 시설물에 연결하여 고정할 것
　　㉯ 아웃트리거(outrigger, 전도방지용 지지대)를 설치하거나 아웃트리거가 붙어있는 이동식 사다리를 설치할 것
　　㉰ 이동식 사다리를 다른 근로자가 지지하여 넘어지지 않도록 할 것
③ 이동식 사다리의 제조사가 정하여 표시한 이동식 사다리의 최대사용하중을 초과하지 않는 범위 내에서만 사용할 것
④ 이동식 사다리를 설치한 바닥면에서 높이 3.5미터 이하의 장소에서만 작업할 것
⑤ 이동식 사다리의 최상부 발판 및 그 하단 디딤대에 올라서서 작업하지 않을 것. 다만, 높이 1미터 이하의 사다리는 제외한다.
⑥ 안전모를 착용하되, 작업 높이가 2미터 이상인 경우에는 안전모와 안전대를 함께 착용할 것
⑦ 이동식 사다리 사용 전 변형 및 이상 유무 등을 점검하여 이상이 발견되면 즉시 수리하거나 그 밖에 필요한 조치를 할 것

tip

2024년 개정된 법령 적용.

08

프레스기의 방호장치 중 1행정 1정지식 프레스에 사용하는 방호장치를 쓰시오.(3점)

해답

양수조작식

09

사염화탄소 농도 0.2% 작업장에서, 사용하는 흡수관의 제품(흡수)능력이 사염화탄소 0.5%이며 사용시간이 100분일 때 방독마스크의 파과(유효)시간을 계산하시오.

$$유효사용시간 = \frac{표준유효시간 \times 시험가스농도}{공기중 \; 유해가스농도}$$

$$\therefore \; 유효사용시간 = \frac{100 \times 0.5}{0.2} = 250(분)$$

10

분진폭발에 영향을 주는 인자 4가지를 쓰시오.(4점)

① 분진의 화학적 성질과 조성   ② 입도와 입도분포
③ 입자의 형상과 표면의 상태   ④ 수분

11

MTTR과 MTTF를 간단히 설명하시오.(4점)

① 평균 수리시간(Mean Time to Repair : MTTR)
   기기 또는 시스템의 고장이 발생한 시점부터 시스템을 운영 가능한 상태로 회복시킬 때 까지 수리하는데 소요된 평균시간(수리시간의 평균치)
② 평균 고장수명(Mean Time to Failure : MTTF)
   수리하지 않는(수리 불가능한) 기기 또는 시스템의 사용시작으로부터 고장날 때까지의 동작시간의 평균치이다. 수리할 수 있는 기기 또는 시스템의 고장에서부터 다음 고장까지의 동작시간의 평균치는 MTBF(Mean Time Between Failure 평균 고장간격)라고 한다.

12

안전모의 성능시험 항목을 5가지 쓰시오.(5점)

해답

안전모의 시험성능 기준
① 내관통성   ② 충격흡수성   ③ 내전압성(자율안전확인에서는 제외)
④ 내수성(자율안전확인에서는 제외)   ⑤ 난연성   ⑥ 턱끈풀림

tip

안전모의 성능기준

구분	항목	시험 성능기준
시험 성능 기준	내관통성	AE, ABE종 안전모는 관통거리가 9.5mm 이하이고, AB종 안전모는 관통거리가 11.1mm 이하이어야 한다.(자율안전확인에서는 관통거리가 11.1mm 이하)
	충격 흡수성	최고전달충격력이 4,450N 을 초과해서는 안되며, 모체와 착장체의 기능이 상실되지 않아야 한다.
	내전압성	AE, ABE종 안전모는 교류 20kW에서 1분간 절연파괴 없이 견뎌야 하고, 이때 누설되는 충전전류는 10mA 이하이어야 한다.(자율안전확인에서는 제외)
	내수성	AE, ABE종 안전모는 질량증가율이 1% 미만이어야 한다.(자율안전확인에서는제외)
	난연성	모체가 불꽃을 내며 5초 이상 연소되지 않아야 한다.
	턱끈풀림	150N 이상 250N 이하에서 턱끈이 풀려야 한다.

13

타워크레인의 설치·조립·해체작업시 작업계획서 작성에 포함되어야 할 사항을 4가지 쓰시오.(4점)

해답

① 타워크레인의 종류 및 형식
② 설치·조립 및 해체순서
③ 작업도구·장비·가설설비 및 방호설비
④ 작업인원의 구성 및 작업근로자의 역할범위
⑤ 타워크레인의 지지 규정에 의한 지지방법

01

산업현장에서 사용되는 출입금지 표지판의 배경반사율이 80%이고 관련 그림의 반사율이 20%일 경우 표지판의 대비를 구하시오.(4점)

해답

$$대비(\%) = \frac{배경의 \ 광도(L_b) - 표적의 \ 광도(L_t)}{배경의 \ 광도(L_b)} \times 100 = \frac{80-20}{80} \times 100 = 75(\%)$$

02

착화에너지가 0.25mJ인 가스가 있는 사업장의 전기설비의 정전용량이 12pF일 때 방전시 착화가능한 최소 대전전위를 구하시오.(5점)

해답 최소착화에너지 (W)

$$E = \frac{1}{2}QV = \frac{1}{2}CV^2 = \frac{1}{2}\frac{Q^2}{C}(J)$$

① $E = \frac{1}{2}CV^2$ 식에서 $V = \sqrt{\frac{2E}{C}}$ 이므로

② $V = \sqrt{\frac{2 \times (0.25 \times 10^{-3})}{12 \times 10^{-12}}} = 6,454.97V$

03

와이어로프의 구성표시 방법에서 해당되는 명칭을 쓰시오.(3점)

$$6 \times \mathrm{Fi}(29)$$

해답

① 6 : 스트랜드(Strand) 수   ② Fi : 필러형(core)   ③ (29) : 소선(wire)수

04

기계의 원동기·회전축·기어·풀리·플라이휠·벨트 및 체인 등 근로자에게 위험을 미칠 우려가 있는 부위에 설치해야 하는 안전장치의 종류를 3가지 쓰시오.(3점)

해답

① 덮개 ② 울 ③ 슬리브 ④ 건널다리

05

근로자수 450명 A 사업장에서 연간 4건의 재해로 인하여 73일의 휴업일 수가 발생하였다. A 사업장의 강도율과 도수율을 구하시오.(단, 근로시간은 1일 8시간, 월 25일)(4점)

해답

① 도수율$(F.R) = \dfrac{\text{재해건수}}{\text{연간총근로시간수}} \times 1{,}000{,}000$

$= \dfrac{4}{450 \times 8 \times 25 \times 12} \times 10^6 = 3.70$

② 강도율$(S.R) = \dfrac{\text{근로손실일수}}{\text{연간총근로시간수}} \times 1{,}000$

$= \dfrac{73 \times \frac{300}{365}}{450 \times 8 \times 25 \times 12} \times 1{,}000 = 0.06$

06

할로겐 소화기 1211의 주요원소를 4가지 쓰시오.(4점)

해답 1211 소화기

CF_2ClBr (일취화 일염화 이불화 메탄)
① C : 탄소   ② F : 불소(플루오르)   ③ Cl : 염소   ④ Br : 취소(브롬)

07

지반의 이상현상중 보일링 현상이 일어나기 쉬운 지반의 조건을 쓰시오.(3점)

해답

투수성이 좋은 사질지반(지하수위가 높은 사질토)

08

재해발생에 관련된 이론중 하인리히의 도미노이론과 버드의 도미노이론, 아담스의 관리 시스템에 관한 단계를 쓰시오.(6점)

해답

(1) 하인리히의 도미노이론(사고연쇄성 이론)
　　① 사회적 환경 및 유전적 요인　　② 개인적 결함
　　③ 불안전한 행동 및 불안전한 상태　　④ 사고　　⑤ 재해
(2) 버드의 최신의 도미노 이론
　　① 제어(통제)의 부족(관리)　　② 기본원인(기원)　　③ 직접원인(징후)
　　④ 사고(접촉)　　⑤ 상해(손실)
(3) 아담스의 사고 요인과 관리시스템
　　① 관리구조　　② 작전적 에러　　③ 전술적 에러　　④ 사고　　⑤ 상해·손해

09

항타기 또는 항발기를 조립하거나 해체하는 경우 점검해야 할 사항을 4가지 쓰시오.

해답

① 본체 연결부의 풀림 또는 손상의 유무
② 권상용 와이어로프·드럼 및 도르래의 부착상태의 이상유무
③ 권상장치의 브레이크 및 쐐기장치 기능의 이상유무
④ 권상기의 설치상태의 이상유무
⑤ 리더(leader)의 버팀 방법 및 고정상태의 이상 유무
⑥ 본체·부속장치 및 부속품의 강도가 적합한지 여부
⑦ 본체·부속장치 및 부속품에 심한 손상·마모·변형 또는 부식이 있는지 여부

10

소음원으로 부터 4(m) 떨어진 곳에서의 음압수준이 100(dB)이라면 동일한 기계에서30(m) 떨어진 곳에서의 음압수준은 얼마인가?(5점)

해답

d_1에서 I_1의 단위면적당 출력을 갖는 음은 거리 d_2에서는

$$dB_2 = dB_1 - 20\log\left(\frac{d_2}{d_1}\right)$$

$$\therefore \ dB_2 = 100 - 20\log\left(\frac{30}{4}\right) = 82.50(dB)$$

11

공정안전보고서 작성시 내용에 포함하여야 할 사항을 4가지 쓰시오.(4점)

해답

① 공정안전자료 ② 공정위험성평가서
③ 안전운전계획 ④ 비상조치계획
⑤ 그 밖에 공정상의 안전과 관련하여 고용노동부장관이 필요하다고 인정하여 고시하는 사항

12

공업용으로 사용되는 고압가스 용기의 색깔을 쓰시오.(4점)

(1) 수소   (2) 산소   (3) 질소   (4) 아세틸렌

해답

① 수소 : 주황색 ② 산소 : 녹색 ③ 질소 : 회색 ④ 아세틸렌 : 황색

13

화재의 분류에 따른 소화기의 표시색을 쓰시오.(6점)

해답

① 일반화재(A급) : 백색
② 유류화재(B급) : 황색
③ 전기화재(C급) : 청색
④ 금속화재(D급) : 없음

01

인화성가스의 정의에 관한 다음 사항에서 ( )에 알맞은 내용을 쓰시오.

인화한계 농도의 최저한도가 (①)% 이하 또는 최고한도와 최저한도의 차가 (②)% 이상인 것으로서 표준압력(101.3kPa) 하의 (③)℃에서 (④)상태인 물질을 말한다.

해답

① 13   ② 12   ③ 20   ④ 가스

02

공정안전보고서에 포함되어야 할 사항을 4가지 쓰시오. (4점)

해답

① 공정안전자료   ② 공정위험성평가서
③ 안전운전계획   ④ 비상조치계획
⑤ 그 밖에 공정상의 안전과 관련하여 고용노동부장관이 필요하다고 인정하여 고시하는 사항

03

분진폭발의 과정에 해당하는 다음 내용을 보고 폭발의 순서를 쓰시오. (4점)

> ① 입자표면 열분해 및 기체발생   ② 주위의 공기와 혼합
> ③ 입자표면 온도상승   ④ 폭발열에 의하여 주위 입자 온도상승 및 열분해
> ⑤ 점화원에 의한 폭발

해답

③ → ① → ② → ⑤ → ④

tip

분진 폭발의 과정(분진의 퇴적 → 비산하여 분진운 생성 → 분산 → 점화원 → 폭발)

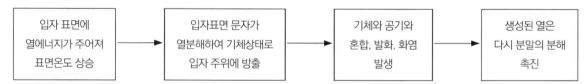

04

외부피뢰시스템에 해당하는 수뢰부 시스템에 관한 다음 사항에서 (   )에 알맞은 내용을 쓰시오.(6점)

> 가. 수뢰부시스템의 선정은 (①), (②), 그물망도체의 요소 중에 한가지 또는 이를 조합한 형식으로 시설하여야 한다.
> 나. 수뢰부시스템의 배치는 (③), (④), 그물망법 중 하나 또는 조합된 방법으로 배치하여야 한다.

해답

① 돌침   ② 수평도체   ③ 보호각법   ④ 회전구체법

05

기계설비에 의해 형성되는 위험점의 종류를 5가지 쓰시오. (5점)

해답

① 협착점　　② 끼임점
③ 절단점　　④ 물림점
⑤ 접선 물림점　　⑥ 회전 말림점

tip

기계 설비에 의해 형성되는 위험점

(1) 협착점 (Squeeze-point)	왕복 운동하는 운동부와 고정부 사이에 형성(작업점이라 부르기도 함)	① 프레스 금형 조립부위 ② 전단기의 누름판 및 칼날부위 ③ 선반 및 평삭기의 베드 끝 부위
(2) 끼임점 (Shear-point)	고정부분과 회전 또는 직선운동부분에 의해 형성	① 연삭 숫돌과 작업대 ② 반복동작되는 링크기구 ③ 교반기의 교반날개와 몸체사이
(3) 절단점 (Cutting-point)	회전운동부분 자체와 운동하는 기계 자체에 의해 형성	① 밀링컷터 ② 둥근톱 날 ③ 목공용 띠톱 날 부분
(4) 물림점 (Nip-point)	회전하는 두 개의 회전축에 의해 형성(회전체가 서로 반대방향으로 회전하는 경우)	① 기어와 피니언 ② 롤러의 회전 등
(5) 접선 물림점 (Tangential Nip-point)	회전하는 부분이 접선방향으로 물려 들어가면서 형성	① V벨트와 풀리 ② 기어와 랙 ③ 롤러와 평벨트 등
(6) 회전 말림점 (Trapping-point)	회전체의 불규칙 부위와 돌기 회전 부위에 의해 형성	① 회전축 ② 드릴축 등

06

근로자수가 500명인 어느 회사에서 연간 10건의 재해가 발생하여 6명의 사상자가 발생하였다. 도수율(빈도율)과 연천인율을 구하시오.(단, 하루 9시간, 년간 250일 근로함) (4점)

해답

① 빈도율($F.R$) $= \dfrac{재해건수}{연간총근로시간수} \times 1,000,000$

$= \dfrac{10}{500 \times 9 \times 250} \times 10^6 = 8.888 ≒ 8.89$

② 연천인율 $= \dfrac{연간재해자수}{연평균근로자수} \times 1,000 = \dfrac{6}{500} \times 1,000 = 12$

tip

연천인율 공식 : 재해건수가 아니라 재해자(사상자)수

07

가설통로의 안전기준에 관한 다음의 설명 중 ( )에 알맞은 사항을 쓰시오. (5점)

- 경사는 (①)도 이하로 할 것
- 경사가 (②)도를 초과하는 때에는 미끄러지지 아니하는 구조로 할 것
- 추락의 위험이 있는 장소에는 (③)을 설치할 것
- 수직갱에 가설된 통로의 길이가 (④)m 이상인 때에는 (⑤)m 이내마다 계단참을 설치할 것
- 건설공사에 사용하는 높이 (⑥)m 이상인 비계다리에는 (⑦)m 이내마다 계단참을 설치할 것

해답

① 30 ② 15 ③ 안전난간 ④ 15 ⑤ 10 ⑥ 8 ⑦ 7

08

다음에 해당하는 방독마스크의 정화통외부 측면 표시색을 쓰시오. (4점)

① 유기화합물용   ② 할로겐용   ③ 아황산용   ④ 암모니아용

해답

① 갈색 ② 회색 ③ 노란색 ④ 녹색

tip

정화통외부 측면 표시색

종류	시험 가스	정화통외부측면 표시색
유기화합물용	시클로헥산(C_6H_{12})	갈색
	디메틸에테르(CH_3OCH_3)	
	이소부탄(C_4H_{10})	
할로겐용	염소가스 또는 증기(Cl_2)	회색
황화수소용	황화수소가스(H_2S)	회색
시안화수소용	시안화수소가스(HCN)	회색
아황산용	아황산가스(SO_2)	노란색
암모니아용	암모니아가스(NH_3)	녹색

09

다음의 보기 중에서 재해발생형태와 상해의 종류를 구분하여 적으시오. (4점)

─── [보기] ───

• 골절   • 부종   • 추락   • 이상온도접촉
• 낙하·비래   • 협착   • 화재, 폭발   • 중독 및 질식

해답

(1) 재해발생형태 : ① 추락 ② 이상온도 접촉 ③ 낙하·비래 ④ 협착 ⑤ 화재, 폭발
(2) 상해 : ① 골절 ② 부종 ③ 중독 및 질식

10

산업안전보건법령상 사업주가 근로자에게 실시해야하는 근로자 안전보건교육 중 정기교육 내용을 4가지 쓰시오.
(4점)

해답

① 산업안전 및 사고 예방에 관한 사항
② 산업보건 및 직업병 예방에 관한 사항
③ 위험성 평가에 관한 사항
④ 건강증진 및 질병 예방에 관한 사항
⑤ 유해·위험 작업환경 관리에 관한 사항
⑥ 산업안전보건법령 및 산업재해보상보험 제도에 관한 사항
⑦ 직무스트레스 예방 및 관리에 관한 사항
⑧ 직장 내 괴롭힘, 고객의 폭언 등으로 인한 건강장해 예방 및 관리에 관한 사항

tip

2023년 법령개정. 문제 및 해답은 개정된 내용 적용.

11

안전 경고등을 작동시킬 때 스위치가 on – off로 작동된다면 정보량은 몇 bit인가?

해답

실현가능성이 같은 n개의 대안이 있을 때 총 정보량 H는
$H = \log_2 n$

on – off는 2개의 대안이므로
$H = \log_2 2 = 1(\text{bit})$

12

히빙의 지반형태와 발생원인을 2가지 쓰시오. (3점)

해답

(1) 지반형태 : 연약성 점토지반

(2) 발생원인

   ① 유동성이 큰 연약한 점토지반에서 굴착 중 흙막이 근입 깊이가 충분하지 못하여 흙막이 바깥쪽 지반의 활동력이 안쪽 지반의 저항력보다 큰 경우

   ② 유동성이 큰 연약한 점토지반에서 굴착 중 흙막이 지보공의 강성이 부족하여 흙막이 외부의 유동성이 큰 토사의 토압으로 인해 터파기 면으로 연약지반이 밀려 올라오는 경우

   ③ 유동성이 큰 연약한 점토지반에서 굴착 중 지표면(원지반)의 하중이 증가하거나 굴착면의 하중이 감소하여 흙막이 바깥쪽 지반의 활동력이 안쪽 지반의 저항력보다 큰 경우

13

인체의 열교환에 영향을 미치는 요소를 4가지 쓰시오. (4점)

해답

① 기온 ② 습도 ③ 공기의 유동 ④ 복사온도

01

근로자가 1시간 동안 1분당 6kcal의 에너지를 소모하는 작업을 수행하는 경우 작업시간과 휴식시간을 각각 구하시오. (단, 작업에 대한 권장 평균에너지 소비량은 분당 5kcal이다.) (4점)

해답

$$R = \frac{60(E-5)}{E-1.5}$$

여기서, R : 휴식시간(분),

E : 작업시 평균 에너지 소비량(kcal/분)

60분 : 총작업 시간

1.5kcal/분 : 휴식시간 중의 에너지 소비량

① 휴식시간(R) : $\frac{60(6-5)}{6-1.5} = 13.33$ (분)

② 작업시간 $= 60 - 13.33 = 46.67$ (분)

02

산업안전보건법상 롤러기에 설치하여야 하는 방호장치의 명칭과 그 종류 3가지를 쓰시오. (5점)

해답

(1) 명칭 : 급정지 장치

(2) 종류 : ① 손조작식(손으로 조작하는 로우프식) ② 복부조작식 ③ 무릎조작식

03

보호구에 관한 규정에서 정의한 다음 설명에 해당하는 용어를 쓰시오. (4점)

> ① 유기화합물용 보호복에 있어 화학물질이 보호복의 재료의 외부 표면에 접촉된 후 내부로 확산하여 내부 표면으로부터 탈착되는 현상
> ② 방독마스크에 있어 대응하는 가스에 대하여 정화통 내부의 흡착제가 포화상태가 되어 흡착능력을 상실한 상태

해답

① 투과(permeation)　　② 파과

04

다음 내용에 가장 적합한 위험분석기법을 (보기)에서 골라 한가지씩만 쓰시오. (5점)

── [보기] ──

① FMEA　　② FHA　　③ THERP　　④ ETA　　⑤ MORT
⑥ PHA　　⑦ FTA　　⑧ CA　　⑨ OHA　　⑩ HAZOP

> (1) 모든 요소의 고장을 형태별로 분석하여 그 영향을 검토하는 기법
> (2) 모든 시스템 안전프로그램의 최초단계 분석기법
> (3) 인간과오를 정량적으로 평가하기위한 기법
> (4) 초기사상의 고장영향에 의해 사고나 재해를 발전해 나가는 과정을 분석하는 기법
> (5) 결함수법이라 하며 재해발생을 연역적, 정량적으로 해석. 예측할 수 있는 기법

해답

(1) ① FMEA : 시스템 안전 분석에 이용되는 전형적인 정성적 귀납적 분석방법으로 시스템에 영향을 미치는 전체요소의 고장을 형별로 분석하여 그 영향을 검토하는 것(각 요소의 1형식 고장이 시스템의 1영향에 대응)

(2) ⑥ PHA : 모든 시스템 안전 프로그램의 최초단계의 분석으로서 시스템내의 위험요소가 얼마나 위험한 상태에 있는가를 정성적으로 평가하는 방법(공정 또는 설비 등에 관한 상세한 정보를 얻을 수 없는 상황에서 위험물질과 공정 요소에 초점을 맞추어 초기위험을 확인하는 방법)

(3) ③ THERP : 시스템에 있어서 인간의 과오를 정량적으로 평가하기 위해 개발된 기법(Swain 등에 의해 개발된 인간실수 예측기법)

(4) ④ ETA : 사상의 안전도를 사용하여 시스템의 안전도를 나타내는 시스템 모델의 하나로서 귀납적이기는 하나 정량적인 분석방법(초기 사건으로 알려진 특정한 장치의 이상 또는 운전자의 실수에 의해 발생되는 잠재적인 사고결과를 정량적으로 평가·분석하는 방법)

(5) ⑦ FTA : 분석에는 게이트, 이벤트, 부호 등의 그래픽 기호를 사용하여 결함단계를 표현하며, 각각의 단계에 확률을 부여하여 어떤 상황의 실패확률계산이 가능하고 연역적이고 정량적인 해석방법(사고의 원인이 되는 장치의 이상이나 고장의 다양한 조합 및 작업자 실수 원인을 연역적으로 분석하는 방법)

05

접지 시스템의 구분 및 종류에 관한 다음사항에서 (   )에 알맞은 내용을 쓰시오.(6점)

> 가. 접지시스템은 (①), 보호접지, (②) 등으로 구분한다.
> 나. 접지시스템의 시설종류에는 단독접지, (③), (④)가 있다

해답

① 계통접지   ② 피뢰시스템 접지
③ 공통접지   ④ 통합접지

06

산업안전보건법상 프레스를 사용하여 작업을 할 때의 작업시작 전 점검사항을 3가지를 쓰시오. (3점)

해답

① 클러치 및 브레이크의 기능
② 크랭크축·플라이휠·슬라이드·연결봉 및 연결나사의 풀림유무
③ 1행정 1정지기구·급정지장치 및 비상정지장치의 기능
④ 슬라이드 또는 칼날에 의한 위험방지 기구의 기능
⑤ 프레스의 금형 및 고정볼트 상태
⑥ 방호장치의 기능
⑦ 전단기의 칼날 및 테이블의 상태

07

물질안전보건자료의 작성항목 16가지 중 5가지만 쓰시오. (단, 기타 참고사항은 제외한다) (5점)

해답

① 화학제품과 회사에 관한 정보
② 유해·위험성
③ 구성성분의 명칭 및 함유량
④ 응급조치요령
⑤ 폭발·화재시 대처방법
⑥ 누출사고시 대처방법
⑦ 취급 및 저장방법
⑧ 노출방지 및 개인보호구
⑨ 물리화학적 특성
⑩ 안정성 및 반응성
⑪ 독성에 관한 정보
⑫ 환경에 미치는 영향
⑬ 폐기 시 주의사항
⑭ 운송에 필요한 정보
⑮ 법적규제 현황
⑯ 기타 참고사항

08

교육대상을 주로 제일선의 감독자에 두고 있는 TWI 의 교육내용 4가지를 쓰시오. (4점)

해답

① JMT(Job Method Training) : 작업방법훈련(작업개선법)
② JIT(Job Instruction Training) : 작업지도훈련(작업지도법)
③ JRT(Job Relations Training) : 인간관계훈련(부하통솔법)
④ JST(Job Safety Training) : 작업안전훈련(안전관리법)

09

산업안전보건법령상 사업주가 근로자에게 실시해야 하는 근로자 안전보건교육 중 채용시 교육 및 작업내용
변경시 교육내용을 4가지 쓰시오. (4점)

해답

① 산업안전 및 사고 예방에 관한 사항
② 산업보건 및 직업병 예방에 관한 사항
③ 위험성 평가에 관한 사항
④ 산업안전보건법령 및 산업재해보상보험 제도에 관한 사항
⑤ 직무스트레스 예방 및 관리에 관한 사항
⑥ 직장 내 괴롭힘, 고객의 폭언 등으로 인한 건강장해 예방 및 관리에 관한 사항
⑦ 기계·기구의 위험성과 작업의 순서 및 동선에 관한 사항
⑧ 작업 개시 전 점검에 관한 사항
⑨ 정리정돈 및 청소에 관한 사항
⑩ 사고 발생 시 긴급조치에 관한 사항
⑪ 물질안전보건자료에 관한 사항

tip

2023년 법령개정. 문제 및 해답은 개정된 내용 적용.

10

무재해 운동의 3원칙을 쓰시오. (3점)

해답

① 무의 원칙
② 선취(해결)의 원칙
③ (전원)참가의 원칙

11

휴먼에러를 심리적인 측면에서 분류하여 4가지만 쓰시오. (4점)

해답 스웨인(A.D.Swain)의 심리적 분류

생략에러(Omission error)	필요한 직무나 단계를 수행하지 않은(생략) 에러(부작위 실수)
착각수행에러(Commission error)	직무나 순서 등을 착각하여 잘못 수행(불확실한 수행)한 에러
순서에러(Sequential error)	직무 수행과정에서 순서를 잘못 지켜(순서착오) 발생한 에러
시간적에러(Time error)	정해진 시간내 직무를 수행하지 못하여(수행지연)발생한 에러
과잉행동에러(Extraneous error)	불필요한 직무 또는 절차를 수행하여 발생한 에러

12

기계설비에 의해 형성되는 위험점의 종류를 4가지만 쓰시오. (4점)

해답

① 협착점(Squeeze-point)   ② 끼임점(Shear-point)   ③ 절단점(Cutting-point)
④ 물림점(Nip-point)   ⑤ 접선 물림점(Tangential Nip-point)   ⑥ 회전 말림점(Trapping-point)

tip

기계 설비에 의해 형성되는 위험점

(1) 협착점 (Squeeze-point)	왕복 운동하는 운동부와 고정부 사이에 형성 (작업점이라 부르기도 함)	① 프레스 금형 조립부위 ② 전단기의 누름판 및 칼날부위 ③ 선반 및 평삭기의 베드 끝 부위
(2) 끼임점 (Shear-point)	고정부분과 회전 또는 직선운동부분에 의해 형성	① 연삭 숫돌과 작업대 ② 반복동작되는 링크기구 ③ 교반기의 교반날개와 몸체사이
(3) 절단점 (Cutting-point)	회전운동부분 자체와 운동하는 기계 자체에 의해 형성	① 밀링컷터 ② 둥근톱 날 ③ 목공용 띠톱 날 부분
(4) 물림점 (Nip-point)	회전하는 두 개의 회전축에 의해 형성 (회전체가 서로 반대방향으로 회전하는 경우)	① 기어와 피니언 ② 롤러의 회전 등
(5) 접선 물림점 (Tangential Nip-point)	회전하는 부분이 접선방향으로 물려 들어가면서 형성	① V벨트와 풀리 ② 기어와 랙 ③ 롤러와 평벨트 등
(6) 회전 말림점 (Trapping-point)	회전체의 불규칙 부위와 돌기 회전 부위에 의해 형성	① 회전축 ② 드릴축 등

13

보일링과 히빙의 지반 형태를 쓰시오. (4점)

해답

① 보일링 : 투수성이 좋은 사질토지반   ② 히빙 : 연약성 점토지반

tip

흙막이 굴착시 주의사항

구분	정의	방지대책
히빙 (Heaving)현상	연약성 점토지반 굴착시 굴착외측 흙의 중량에 의해 굴착저면의 흙이 활동 전단 파괴되어 굴착내측으로 부풀어 오르는 현상	① 흙막이 근입깊이를 깊게 ② 표토제거 하중감소 ③ 지반개량 ④ 굴착면 하중증가 ⑤ 어스앵커설치 등
보일링 (Boiling)현상	투수성이 좋은 사질지반의 흙막이 저면에서 수두차로 인한 상향의 침투압이 발생 유효응력이 감소하여 전단강도가 상실되는 현상으로 지하수가 모래와 같이 솟아 오르는 현상	① Filter 및 차수벽설치 ② 흙막이 근입깊이를 깊게(불투수층까지) ③ 약액주입등의 굴착면 고결 ④ 지하수위저하 ⑤ 압성토 공법 등

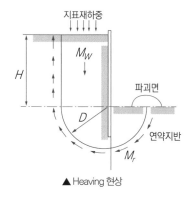

▲ Heaving 현상

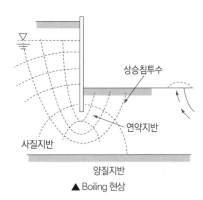

▲ Boiling 현상

01

공정안전보고서에 포함되어야 할 내용을 4가지 쓰시오.(4점)

해답

① 공정 안전 자료   ② 공정 위험성 평가서   ③ 안전 운전 계획   ④ 비상조치 계획

02

다음 FT기호의 명칭을 쓰시오.(4점)

①   ②   ③   ④

해답

① 결함사상   ② 기본사상   ③ 통상사상   ④ 제약(억제)게이트

tip

논리기호 및 사상기호

번호	기호	명칭	설명	번호	기호	명칭	설명
1		결함사상 (사상기호)	기본 고장의 결함으로 이루어진 고장상태를 나타내는 사상(개별적인 결함사상)	5	(IN)	이행(전이) 기호	FT도상에서 다른 부분에의 이행 또는 연결을 나타냄. 삼각형 정상의 선은 정보의 전입 루-트를 뜻한다
2		기본사상 (사상기호)	더 이상 전개되지 않는 기본인 사상 또는 발생 확률이 단독으로 얻어지는 낮은 레벨의 기본적인 사상	6	(OUT)	이행(전이) 기호	5와 같다. 삼각형의 옆선은 정보의 전출을 뜻한다.
3		생략사상 (최후사상)	정보부족 해석기술의 불충분 등으로 더 이상 전개할 수 없는 사상. 작업진행에 따라 해석이 가능할 때는 다시 속행한다.	7	출력 입력	[AND] 게이트 (논리기호)	모든 입력사상이 공존할 때만이 출력사상이 발생한다. (논리곱)
				8	출력 입력	[OR] 게이트 (논리기호)	입력사상중 어느 것이나 존재할 때 출력사상이 발생한다. (논리합)
4		통상사상 (사상기호)	통상의 작업이나 기계의 상태에서 재해의 발생원인이 되는 사상(통상발생이 예상되는 사상)	9	출력 조건 입력	제약(억제) 게이트 (논리기호)	입력사상중 어느 것이나 이 게이트로 나타내는 조건이 만족하는 경우에만 출력사상이 발생한다. 조건부확률

03

옥스퍼드(Oxford) 지수를 구하시오.(4점)

• 건구온도 : 30도
• 습구온도 : 20도

해답

$WD = 0.85W + 0.15D$
∴ 옥스퍼드(Oxford) 지수 = (0.85 × 20) + (0.15 × 30) = 21.5

tip

습건(WD) 지수라고도 부르며, 습구온도(W)와 건구온도(D)의 가중 평균치로 정의

04

근로자 안전보건교육의 교육과정을 4가지 쓰시오.(4점)

해답

① 정기교육 ② 채용시 교육 ③ 작업내용 변경시 교육 ④ 특별교육 ⑤ 건설업 기초안전보건교육

05

재해누발자 유형 3가지를 쓰시오.(3점)

① 미숙성 누발자   ② 상황성 누발자   ③ 습관성 누발자   ④ 소질성 누발자

tip

재해 누발자 유형

미숙성 누발자	① 기능 미숙	② 작업환경 부적응
상황성 누발자	① 작업자체가 어렵기 때문 ③ 주위 환경 상 주의력 집중 곤란	② 기계설비의 결함 존재 ④ 심신에 근심 걱정이 있기 때문
습관성 누발자	① 경험한 재해로 인하여 대응능력약화(겁장이, 신경과민) ② 여러 가지 원인으로 슬럼프(slump)상태	
소질성 누발자	① 개인의 소질 중 재해원인 요소를 가진 자 　(주의력 부족, 소심한 성격, 저 지능, 흥분, 감각운동부적합 등) ② 특수성격소유자로써 재해발생 소질 소유자	

06

크레인에 관한 다음사항에 해당하는 풍속기준을 쓰시오.(3점)

① 타워크레인의 설치·수리·점검 또는 해체작업을 중지
② 타워크레인의 운전 작업 중지
③ 옥외에 설치되어 있는 주행크레인에 대하여 이탈방지장치를 작동시키는 등 그 이탈을 방지하기 위한 조치

① 순간풍속이 매초당 10미터 초과
② 순간풍속이 매초당 15미터 초과
③ 순간풍속이 매초당 30미터 초과

07

다음 연삭기의 방호장치에 해당하는 각도를 쓰시오.(4점)

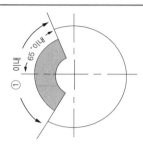

① 일반연삭작업 등에 사용하는 것을 목적으로 하는 탁상용 연삭기의 덮개 각도

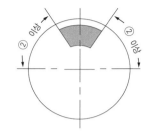

② 연삭숫돌의 상부를 사용하는 것을 목적으로 하는 탁상용 연삭기의 덮개 각도

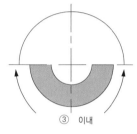

③ 휴대용 연삭기, 스윙연삭기, 스라브연삭기, 기타 이와 비슷한 연삭기의 덮개 각도

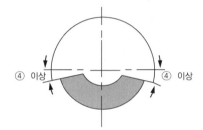

④ 평면연삭기, 절단연삭기, 기타 이와 비슷한 연삭기의 덮개 각도

해답

① 125° ② 60° ③ 180° ④ 15°

08

Fail safe를 기능적인 측면에서 3단계로 분류하여 쓰시오.(3점)

해답

① Fail-passive ② Fail-active ③ Fail-operational

tip

① Fail safe의 기능적인 분류

Fail-passive	부품이 고장났을 경우 통상기계는 정지하는 방향으로 이동(일반적인 산업기계)
Fail-active	부품이 고장났을 경우 기계는 경보를 울리는 가운데 짧은 시간동안 운전 가능
Fail-operational	부품의 고장이 있더라도 기계는 추후 보수가 이루어 질 때까지 안전한 기능 유지(병렬구조 등으로 되어 있으며 운전상 가장 선호하는 방법)

② 기능적인 분류를 하고 간략히 설명하라는 문제도 출제될 수 있으므로 함께 알아둘 것

09

작업자가 벽돌을 운반하기 위해 벽돌을 들고 비계위를 걷다가 벽돌을 떨어뜨려 발가락의 뼈가 부러졌다. 다음 물음에 답하시오. (6점)

---

① 재해형태
② 가해물
③ 기인물

해답

① 재해형태 : 맞음(낙하)
② 가해물 : 벽돌
③ 기인물 : 비계

tip

상해의 종류는 골절. 재해발생 형태와 상해의 종류는 구분하여 정리.

10

다음 보기의 기계·기구 중에서 유해·위험 방지를 위한 방호조치를 하지 아니하고는 양도·대여·설치·사용하거나, 양도·대여를 목적으로 진열해서는 아니 되는 기계·기구를 5가지 고르시오. (5점)

─────── [보기] ───────

① 연삭기　　② 사출성형기　　③ 교류아크 용접기　　④ 크레인　　⑤ 밀링머신
⑥ 보일러　　⑦ 곤돌라　　　　⑧ 컨베이어　　　　　　⑨ 원심기　　⑩ 건조설비

해답

⑨ 원심기

tip

유해·위험 방지를 위하여 방호조치가 필요한 기계·기구등

대상 기계·기구	방호 장치
1. 예초기	날접촉예방장치
2. 원심기	회전체 접촉 예방장치
3. 공기압축기	압력방출장치
4. 금속절단기	날접촉예방장치
5. 지게차	헤드가드, 백레스트, 전조등, 후미등, 안전밸트
6. 포장기계(진공포장기, 랩핑기로 한정)	구동부 방호 연동장치

11

동바리를 조립할 때 동바리의 유형별로 안전을 위해 사업주가 준수해야 할 다음 사항 중 ( )에 알맞은 내용을 쓰시오.(5점)

가. 동바리로 사용하는 파이프 서포트의 경우 파이프 서포트를 (①) 이상 이어서 사용하지 않도록 할 것
나. 동바리로 사용하는 강관틀의 경우 최상단 및 (②) 이내마다 동바리의 측면과 틀면의 방향 및 교차가새의 방향에서 (③) 이내마다 수평연결재를 설치하고 수평연결재의 변위를 방지할 것
다. 동바리로 사용하는 조립강주의 경우 조립강주의 높이가 (④)를 초과하는 경우에는 높이 4미터 이내마다 수평연결재를 (⑤) 방향으로 설치하고 수평연결재의 변위를 방지할 것

해답

① 3개　② 5단　③ 5개　④ 4미터　⑤ 2개

12

방진마스크의 등급 및 해당사항에 알맞은 내용을 쓰시오.(5점)

① 석면 취급장소의 등급 (　)
② 금속흄 등과 같이 열적으로 생기는 분진 등 발생장소의 등급 (　)
③ 베릴륨 등과 같이 독성이 강한 물질들을 함유한 분진 등 발생 장소의 등급 (　)
④ 산소농도 (　) 미만인 장소에서는 방진마스크 착용을 금지한다.
⑤ 안면부 내부의 이산화탄소 농도가 부피분율 (　) 이하이어야 한다.

해답

① 특급　② 1급　③ 특급　④ 18%　⑤ 1%

13

다음 방폭구조의 기호를 쓰시오.(5점)

① 내압 방폭구조　② 유입 방폭구조　③ 본질안전방폭구조
④ 비점화방폭구조　⑤ 몰드방폭구조

해답

① 내압 방폭구조 : Ex d　② 유입 방폭구조 : Ex o　③ 본질안전방폭구조 : Ex i(ia, ib)
④ 비점화방폭구조 : Ex n　⑤ 몰드방폭구조 : Ex m

tip

방폭구조의 기호

내압 방폭구조	압력 방폭구조	유입 방폭구조	안전증 방폭구조	특수 방폭구조	본질안전 방폭구조	몰드 방폭구조	충전 방폭구조	비점화 방폭구조
d	p	o	e	s	i	m	q	n

01

숫돌의 회전수(rpm)가 2,000인 연삭기에 지름 30(cm)의 숫돌을 사용할 경우 숫돌의 원주속도는 얼마 이하로 해야 하는가? (4점)

해답

숫돌의 원주속도(m/분)$= \dfrac{\pi D N}{1,000}$

D : 숫돌의 직경(mm), N : 회전수(r, p, m)

$\therefore$ 숫돌의 원주속도(m/분)$= \dfrac{3.14 \times 300 \times 2,000}{1,000} = 1,884 (\mathrm{m/min})$

02

하인리히의 재해구성 비율에 대해 설명하시오. (4점)

해답

하인리히의 재해구성 비율

(1) 하인리히의 법칙(1 : 29 : 300의 법칙)

① 미국의 안전기사 하인리히(H.W.Heinrich)가 발표한 이론으로 한사람의 중상자가 발생하면 동일한 원인으로 29명의 경상자가 생기고 부상을 입지 않은 무상해사고가 300번 발생한다는 것으로 이론의 핵심은 사고 발생 자체(무상해 사고)를 근원적으로 예방해야 한다는 원리를 강조하고 있다.

② 330번의 사고가 발생된다면 그 중에 중상이 1건, 경상이 29건, 무상해 사고가 300건 발생한다는 뜻

03

차량계 하역운반기계 운전자가 운전위치 이탈시 준수해야 할 사항 2가지를 쓰시오. (4점)

해답

① 포크, 버킷, 디퍼 등의 장치를 가장 낮은 위치 또는 지면에 내려 둘 것
② 원동기를 정지시키고 브레이크를 확실히 거는 등 차량계 하역운반기계등, 차량계 건설기계의 갑작스러운 이동을 방지하기 위한 조치를 할 것
③ 운전석을 이탈하는 경우에는 시동키를 운전대에서 분리시킬 것. 다만, 운전석에 잠금장치를 하는 등 운전자가 아닌 사람이 운전하지 못하도록 조치한 경우는 그렇지 않다.

tip
2024년 개정된 법령 적용

04

목재가공용 둥근톱에 설치해야 하는 방호장치 종류 2가지를 쓰시오. (4점)

해답

① 날 접촉예방장치
② 반발예방장치

05

시몬즈(Simonds) 방식의 재해손실비 산정에 있어 비보험코스트에 해당하는 세부항목변수를 4가지 쓰시오. (4점)

해답 비보험 코스트의 세부 항목변수

① 작업중지에 따른 임금손실   ② 기계설비 및 재료의 손실비용   ③ 작업중지로 인한 시간 손실
④ 신규 근로자의 교육훈련비용   ⑤ 기타 제경비

06

산업안전보건법상 보호구의 안전인증 제품에 안전인증의 표시 외에 표시하여야 하는 사항을 4가지만 쓰시오. (4점)

해답 보호구의 안전인증 제품에 표시해야 할 사항

① 형식 또는 모델명   ② 규격 또는 등급 등   ③ 제조자명
④ 제조번호 및 제조연월   ⑤ 안전인증 번호

07

구내운반차를 사용하여 작업을 하는 때의 작업시작전 점검사항을 4가지 쓰시오. (4점)

해답

구내운반차의 작업시작전 점검사항
① 제동장치 및 조종장치 기능의 이상유무
② 하역장치 및 유압장치 기능의 이상유무
③ 바퀴의 이상유무
④ 전조등·후미등·방향지시기 및 경음기 기능의 이상유무
⑤ 충전장치를 포함한 홀더 등의 결합상태의 이상유무

08

연소의 형태에서 고체의 연소형태를 4가지 쓰시오. (4점)

해답

① 분해연소   ② 증발연소   ③ 표면연소   ④ 자기연소

09

콘크리트 타설작업시 준수해야 할 사항을 3가지 쓰시오. (6점)

해답

① 당일의 작업을 시작하기 전에 당해작업에 관한 거푸집동바리등의 변형·변위 및 지반의 침하유무등을 점검하고 이상을 발견한 때에는 이를 보수할 것
② 작업중에는 거푸집동바리등의 변형·변위 및 침하유무등을 감시할 수 있는 감시자를 배치하여 이상을 발견한 때에는 작업을 중지시키고 근로자를 대피시킬 것
③ 콘크리트의 타설작업시 거푸집붕괴의 위험이 발생할 우려가 있는 때에는 충분한 보강조치를 할 것
④ 설계도서상의 콘크리트 양생기간을 준수하여 거푸집동바리등을 해체할 것

10

매슬로우, 허즈버그, 알더퍼의 이론을 상호비교한 아래의 표에서 빈칸에 알맞은 내용을 쓰시오. (5점)

매슬로우의 욕구이론	허즈버그의 2요인 이론	알더퍼의 ERG이론
자아실현의 욕구	②	성장 욕구
①		
소속의 욕구		④
안전의 욕구	③	존재 욕구
생리적 욕구		

해답

① 존경(인정)받으려는 욕구   ② 동기요인   ③ 위생요인   ④ 관계욕구

11

다음 FT도에서 시스템의 신뢰도는 약 얼마인가? (단, 발생확률은 ①, ④는 0.05 ②, ③은 0.1)(5점)

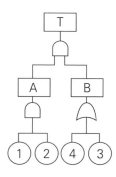

해답 시스템의 신뢰도

(1) T의 발생확률 : T = A × B
  ① A = 0.05 × 0.1 = 0.005
  ② B = 1 − (1 − 0.05)(1 − 0.1) = 0.145
  ③ T = 0.005 × 0.145 = 0.000725

(2) 시스템의 신뢰도는 1 − 0.000725 = 0.999275 ≒ 1.00

12

인체의 접촉상태에 따른 허용접촉전압을 종별로 구분하여 쓰시오. (4점)

해답 허용접촉 전압

① 제1종 : 2.5V 이하
② 제2종 : 25V 이하
③ 제3종 : 50V 이하
④ 제4종 : 제한없음

01

관리감독자의 유해위험 방지업무 무 중에서 프레스 등을 사용하는 작업에 대한 업무내용을 4가지 쓰시오. (4점)

해답 프레스 등을 사용하는 작업에 대한 관리감독자의 업무

① 프레스 등 및 그 방호장치를 점검하는 일
② 프레스 등 및 그 방호장치에 이상이 발견된 때 즉시 필요한 조치를 하는 일
③ 프레스 등 및 그 방호장치에 전환스위치를 설치한 때 그 전환스위치의 열쇠를 관리하는 일
④ 금형의 부착·해체 또는 조정작업을 직접 지휘하는 일

02

상시근로자 500명이 작업하는 어느 사업장에서 년간 재해가 5건 발생하여 8명의 재해자가 발생하였다. 근로시간은 1일 9시간, 연간 250일이며, 휴업일수가 235일이었다. 연천인율과 강도율을 구하시오. (4점)

해답

$$연천인율 = \frac{연간재해자수}{연평균근로자수} \times 1,000$$

$$\therefore \ 연천인율 = \frac{8}{500} \times 1,000 = 16$$

$$강도율(S.R) = \frac{근로손실일수}{연간총근로시간수} \times 1,000$$

$$\therefore \ 강도율 = \frac{250 \times \frac{250}{365}}{500 \times 9 \times 250} \times 1,000 = 0.143$$

03

안전모(자율안전확인)의 시험성능기준 항목을 4가지 쓰시오. (4점)

안전모의 시험성능 기준(자율안전 확인)

① 내관통성   ② 충격흡수성
③ 난연성   ④ 턱끈풀림

04

산업안전보건법상 건설업중 유해위험방지계획서 제출대상 사업장을 4가지 쓰시오. (4점)

유해위험방지 계획서 제출대상 사업장(건설업)

① 다음 각목의 어느하나에 해당하는 건축물 또는 시설 등의 건설, 개조 또는 해체공사

     ㉠ 지상 높이가 31미터 이상인 건축물 또는 인공구조물

     ㉡ 연면적 3만제곱미터 이상인 건축물

     ㉢ 연면적 5천제곱미터 이상인 시설로서 다음의 어느 하나에 해당하는 시설

         ㉮ 문화 및 집회시설   ㉯ 판매시설, 운수시설   ㉰ 종교시설   ㉱ 의료시설 중 종합병원

         ㉲ 숙박시설 중 관광숙박시설   ㉳ 지하도 상가   ㉴ 냉동, 냉장 창고시설

② 최대 지간 길이가 50미터 이상인 다리의 건설 등 공사

③ 연면적 5천 제곱 미터 이상인 냉동, 냉장창고 시설의 설비공사 및 단열공사

④ 다목적댐, 발전용댐, 저수용량 2천만톤 이상의 용수전용댐 및 지방 상수도 전용댐의 건설 등 공사

⑤ 터널의 건설등 공사

⑥ 깊이 10미터 이상인 굴착 공사

05

허즈버그의 두 요인이론에서 위생요인과 동기요인에 해당되는 내용을 각각 3가지 쓰시오. (6점)

해답 위생요인과 동기요인

(1) 위생요인
① 조직의 정책과 방침 ② 작업조건 ③ 대인관계
④ 임금, 신분, 지위 ⑤ 감독 등

(2) 동기요인
① 직무상의 성취 ② 인정 ③ 성장 또는 발전
④ 책임의 증대 ⑤ 도전 ⑥ 직무내용자체(보람된직무) 등

06

광속발산도가 $60(fL)$이고, 반사율이 80(%)일 경우, 소요조명(fc)을 구하시오. (5점)

해답

$$소요조명(fc) = \frac{광속발산도(fL)}{반사율(\%)} \times 100 = \frac{60(fL)}{80(\%)} \times 100 = 75(fc)$$

07

지반등을 굴착하는 경우 사업주가 준수해야 할 굴착면의 기울기 기준에 관한 다음 사항에서 (   )에 알맞은 내용을 쓰시오.

지반의 종류	(①)	연암 및 풍화암	(②)	그 밖의 흙
굴착면의 기울기	1 : 1.8	(③)	1 : 0.5	(④)

해답

① 모래 ② 경암 ③ 1 : 1.0 ④ 1 : 1.2

tip

2023년 법령개정. 문제 및 해답은 개정된 내용 적용.

08

산업안전표지 중 다음의 금지표지에 해당하는 명칭을 쓰시오. (4점)

①

②

③

④

해답 금지표지

① 보행금지
② 탑승금지
③ 사용금지
④ 물체이동금지

09

정전기 발생의 영향요인을 5가지 쓰시오. (4점)

해답 정전기 발생요인

① 물체의 특성
② 물체의 표면상태
③ 물체의 이력
④ 접촉면적 및 압력
⑤ 분리속도
⑥ 완화시간 등

10

산업안전보건법상 도급사업에 있어서 안전보건총괄책임자를 선임하여야 할 사업을 2가지 쓰시오. (단, 상시근로자수와 금액은 제외한다) (4점)

해답 안전보건총괄책임자 선임 대상 사업장

① 관계수급인에게 고용된 근로자를 포함한 상시 근로자가 100명(선박 및 보트 건조업, 1차 금속 제조업 및 토사석 광업의 경우에는 50명) 이상인 사업
② 관계수급인의 공사금액을 포함한 해당 공사의 총공사금액이 20억원 이상인 건설업

11

폭발방지를 위한 불활성화방법 중 퍼지의 종류를 3가지 쓰시오. (3점)

해답

① 진공퍼지(Vacuum purging)
② 압력퍼지(Pressure purging)
③ 스위프 퍼지(Sweep-Through Purging)
④ 사이폰치환(Siphon purging)

12

화학설비의 안전성평가 5단계를 순서대로 쓰시오. (4점)

해답

① 제1단계 : 관계자료의 정비검토
② 제2단계 : 정성적 평가
③ 제3단계 : 정량적 평가
④ 제4단계 : 안전대책
⑤ 제5단계 : 재평가(재해정보에 의한 재평가, FTA에 의한 재평가)

13

안전기 성능시험의 종류를 3가지 쓰시오. (4점)

해답

① 내압시험
② 기밀시험
③ 역류방지시험
④ 역화방지시험
⑤ 가스압력손실시험
⑥ 방출장치 동작시험

tip

안전기(역화방지기)의 성능시험

성능 시험	① 내압시험(수압시험기에 4.9MPa 이상의 수압)
	② 기밀시험(최고사용압력의 1.5배의 공기로 물속에서 확인)
	③ 역류방지시험(9.8kPa 이하의 공기를 흘려 시험)
	④ 역화방지시험(연속 3회 이상 시험)
	⑤ 가스압력손실시험
	⑥ 방출장치 동작시험

01

다음 기호에 해당되는 방폭구조의 명칭을 쓰시오. (5점)

① q   ② e   ③ m   ④ n   ⑤ ia, ib

해답

① q : 충전방폭구조   ② e : 안전증방폭구조   ③ m : 몰드방폭구조

④ n : 비점화방폭구조   ⑤ ia, ib : 본질안전방폭구조

tip

방폭구조의 종류 및 기호

내압 방폭구조	압력 방폭구조	유입 방폭구조	안전증 방폭구조	특수 방폭구조	본질안전 방폭구조	몰드 방폭구조	충전 방폭구조	비점화 방폭구조
d	p	o	e	s	i (ia,ib)	m	q	n

02

동작경제의 3원칙을 쓰시오. (3점)

해답 **바안스(Barnes)의 동작경제의 원칙**

① 신체의 사용에 관한 원칙(Use of the human body)

② 작업장의 배치에 관한 원칙(Arrangement of the workplace)

③ 공구 및 설비 디자인에 관한 원칙(Design of tools and equipments)

03

무재해 운동의 위험예지 훈련에서 실시하는 문제해결 4단계 진행법을 순서대로 쓰시오. (5점)

해답

> ① 제1단계 : 현상파악(어떤 위험이 잠재하고 있는가?)
> ② 제2단계 : 본질추구(이것이 위험의 포인트이다!)
> ③ 제3단계 : 대책수립(당신이라면 어떻게 하겠는가?)
> ④ 제4단계 : 목표설정(우리들은 이렇게 하자!)

04

유해 위험한 기계 기구의 방호조치 중 롤러기의 방호장치를 쓰시오. (3점)

해답

> 급정지 장치

tip

롤러 방호장치(급정지장치)의 조작부와 설치위치

조작부의 종류	설치위치	비고
손조작식	밑면에서 1.8m 이내	위치는 급정지 장치의 조작부의 중심점을 기준으로 함
복부조작식	밑면에서 0.8m 이상 1.1m 이내	
무릎조작식	밑면에서 0.4m 이상 0.6m 이내	

05

타워크레인 설치·조립·해체시 작업 계획서에 포함되어야 할 사항을 5가지 쓰시오. (5점)

해답

> ① 타워크레인의 종류 및 형식   ② 설치·조립 및 해체순서
> ③ 작업도구·장비·가설설비 및 방호설비   ④ 작업인원의 구성 및 작업근로자의 역할범위
> ⑤ 타워크레인의 지지 규정에 의한 지지방법

06

60phon일 때 sone은 얼마인가? (4점)

해답 Phon과 Sone의 관계

$$\text{sone치} = 2^{(\text{phon치}-40)/10}$$
$$\therefore 2^{(60-40)/10} = 4(\text{sone})$$

tip

Sone에 의한 음량
① 다른 음의 상대적인 주관적 크기 비교
② 40dB의 1000Hz 순음의 크기(=40Phon)를 1sone

07

Fail Safe의 기능적인 면에서의 분류 중 2가지를 쓰고 간단히 설명하시오. (4점)

해답 Fail safe의 기능적인 분류

① Fail-passive : 부품이 고장났을 경우 통상기계는 정지하는 방향으로 이동(일반적인 산업기계)
② Fail-active : 부품이 고장났을 경우 기계는 경보를 울리는 가운데 짧은 시간동안 운전 가능
③ Fail-operational : 부품의 고장이 있더라도 기계는 추후 보수가 이루어질 때까지 안전한 기능 유지(병렬구조 등으로 되어 있으며 운전
상 가장 선호하는 방법)

08

히빙(Heaving)현상에 대하여 간단히 설명하시오. (4점)

해답

히빙(Heaving)이라 함은 연질점토 지반에서 굴착에 의한 흙막이 내·외면의 흙의 중량차로 인해 굴착저면이 부풀어 올라오는 현상을 말한다.

tip

보일링(Boiling)이라 함은 사질토 지반에서 굴착저면과 흙막이 배면과의 수위차로 인해 굴착저면의 흙과 물이 함께 위로 솟구쳐 오르는 현상을 말한다.

09

산업안전보건위원회의 구성위원에 대해 쓰시오. (4점)

해답 산업안전보건위원회의 구성위원

구분	산업안전 보건위원회 구성위원
사용자 위원	㉠ 해당 사업의 대표자 ㉡ 안전관리자 1명 ㉢ 보건관리자 1명 ㉣ 산업보건의(선임되어 있는 경우) ㉤ 해당 사업의 대표자가 지명하는 9명 이내의 해당 사업장 부서의 장
근로자 위원	㉠ 근로자대표 ㉡ 근로자대표가 지명하는 1명이상의 명예산업안전감독관(위촉되어있는 사업장의 경우) ㉢ 근로자대표가 지명하는 9명이내의 해당 사업장의 근로자(명예감독관이 근로자위원으로 지명되어 있는 경우 그 수를 제외)

10

공기압축기의 작업시작 전 점검해야 할 사항을 4가지 쓰시오. (4점)

해답

① 공기저장 압력용기의 외관상태
② 드레인 밸브의 조작 및 배수
③ 압력방출장치의 기능
④ 언로드밸브의 기능
⑤ 윤활유의 상태
⑥ 회전부의 덮개 또는 울
⑦ 그 밖의 연결부위의 이상유무

11

방독 마스크 및 방진 마스크에 관한 다음사항에 답하시오. (5점)

① 방진 마스크는 산소농도 몇 % 이상에서 사용가능한가?
② 방진마스크는 안면부 내부의 이산화탄소(CO_2) 농도가 부피분율 얼마 이하여야 하는가?
③ 방독마스크는 산소농도 몇 % 이상에서 사용가능한가?
④ 방독마스크는 안면부 내부의 이산화탄소(CO_2) 농도가 부피분율 얼마 이하여야 하는가?
⑤ 고농도와 중농도에서 사용가능한 방독마스크는?

해답

① 18% 이상
② 부피분율 1% 이하일 것
③ 18% 이상
④ 부피분율 1% 이하일 것
⑤ 전면형(격리식, 직결식)

12

인화성가스의 정의에 관한 다음 사항에서 (   )에 알맞은 내용을 쓰시오.

> 인화한계 농도의 최저한도가 (①)% 이하 또는 최고한도와 최저한도의 차가 (②)% 이상인 것으로서 표준압력(101.3kPa) 하의 (③)℃에서 (④)상태인 물질을 말한다.

해답

① 13   ② 12   ③ 20   ④ 가스

13

공업용으로 사용되는 다음 고압가스에 해당하는 용기의 색상을 쓰시오.(5점)

> ① 산소   ② 질소   ③ 아세틸렌   ④ 수소   ⑤ 헬륨

해답

① 산소 : 녹색   ② 질소 : 회색   ③ 아세틸렌 : 황색
④ 수소 : 주황색   ⑤ 헬륨 : 회색

tip

고압가스 용기의 도색

가스의 종류	도색 구분	가스의 종류	도색 구분
액화 석유가스	회색	액화암모니아	백색
수소	주황색	액화염소	갈색
아세틸렌	황색	산소	녹색
액화탄산가스	청색	질소	회색
소방용 용기	소방법에 의한 도색	그 밖의 가스	회색

01

근로자 400명이 1일 8시간, 연간 300일 작업(잔업은 1인당 년 50시간)하는 어떤 작업장에 연간20건의 재해가 발생하여 근로손실일수 150일과 휴업일수 73일이 발생하였다. 강도율, 도수율을 구하시오.

해답 재해율

① 강도율$(S.R) = \dfrac{\text{근로손실일수}}{\text{연간총근로시간수}} \times 1{,}000$

$= \dfrac{150 + \left(73 \times \dfrac{300}{365}\right)}{(400 \times 8 \times 300) + (400 \times 50)} \times 1{,}000 = 0.21$

② 빈도율$(F.R) = \dfrac{\text{재해건수}}{\text{연간총근로시간수}} \times 10^6$

$= \dfrac{20}{(400 \times 8 \times 300) + (400 \times 50)} \times 10^6 = 20.41$

02

10톤의 화물을 두 줄걸이 로프로 상부각도 60°로 들어올릴 때 한쪽 와이어로프에 걸리는 하중을 계산하시오.

해답 슬링 와이어로프의 한가닥에 걸리는 하중

하중$= \dfrac{\text{화물의 무게}(W_1)}{2} \div \cos\dfrac{\theta}{2} = \dfrac{10톤}{2} \div \cos\dfrac{60}{2} = 5.77톤$

03

안전보건 진단을 받아 개선계획을 수립해야 하는 대상사업장을 2곳 쓰시오.

해답

① 산업재해율이 같은 업종 평균 산업재해율의 2배 이상인 사업장

② 사업주가 필요한 안전조치 또는 보건조치를 이행하지 아니하여 중대재해가 발생한 사업장

③ 직업성 질병자가 연간 2명 이상(상시근로자 1천명 이상 사업장의 경우 3명 이상) 발생한 사업장

④ 그 밖에 작업환경 불량, 화재·폭발 또는 누출사고 등으로 사업장 주변까지 피해가 확산된 사업장으로서 고용노동부령으로 정하는 사업장

tip

2020년 법령개정 내용 적용.

04

시스템안전에서 기계의 고장률을 나타내는 그래프를 그리고 명칭과 각 기간 중 고장률 감소 대책을 1가지씩 쓰시오.

해답 기계의 고장률(욕조 곡선)

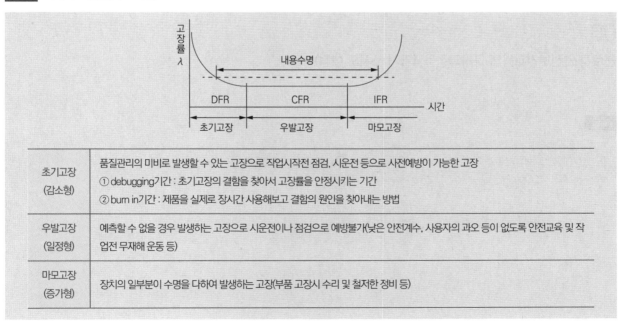

초기고장 (감소형)	품질관리의 미비로 발생할 수 있는 고장으로 작업시작전 점검, 시운전 등으로 사전예방이 가능한 고장 ① debugging기간 : 초기고장의 결함을 찾아서 고장률을 안정시키는 기간 ② burn in기간 : 제품을 실제로 장시간 사용해보고 결함의 원인을 찾아내는 방법
우발고장 (일정형)	예측할 수 없을 경우 발생하는 고장으로 시운전이나 점검으로 예방불가(낮은 안전계수, 사용자의 과오 등이 없도록 안전교육 및 작업전 무재해 운동 등)
마모고장 (증가형)	장치의 일부분이 수명을 다하여 발생하는 고장(부품 고장시 수리 및 철저한 정비 등)

05

다음 내용에 가장 적합한 위험분석기법을 쓰시오.

---

① 인간과오를 정량적으로 평가하기 위한 기법

② 모든 요소의 고장을 형태별로 분석하여 그 영향을 검토하는 기법

③ 초기사상의 고장영향에 의해 사고나 재해를 발전해 나가는 과정을 분석하는 기법

해답

① THERP ② FMEA ③ ETA

tip

시스템 위험분석 기법

① THERP [시스템에 있어서 인간의 과오를 정량적으로 평가하기 위해 개발된 기법(Swain 등에 의해 개발된 인간실수 예측기법)]

② FMEA [시스템 안전 분석에 이용되는 전형적인 정성적 귀납적 분석방법으로 시스템에 영향을 미치는 전체요소의 고장을 형별로 분석하여 그 영향을 검토하는 것(각 요소의 1형식 고장이 시스템의 1영향에 대응)]

③ ETA [특정한 장치의 이상이나 운전자의 실수로부터 발생되는 초기 사상으로서 시스템에 들어온 경우에 그 영향으로 계속해서 어떠한 부적합한 사상으로 발전해 가는지 그 과정을 분석하는 방법]

06

근로자 안전보건교육의 교육과정을 4가지 쓰시오.(4점)

해답

① 정기교육 ② 채용시의 교육 ③ 작업내용 변경시의 교육 ④ 특별교육 ⑤ 건설업 기초안전보건교육

07

할로겐 소화기 1211의 주요원소를 4가지 쓰시오.

① C : 탄소   ② F : 불소(플루오르)   ③ Cl : 염소   ④ Br : 취소(브롬)

tip

1211 소화기
CF_2ClBr (일취화 일염화 이불화 메탄)

08

전압을 구분하는 다음의 기준에서 알맞은 내용을 쓰시오.

전원의 종류	저압	고압	특별 고압
직류 [DC]	(①)	(②)	(③)
교류 [AC]	(④)	(⑤)	7,000V 초과

① 1,500V 이하   ② 1,500V 초과 7,000V 이하   ③ 7,000V 초과   ④ 1,000V 이하
⑤ 1,000V 초과 7,000V 이하

tip

2021년 법령개정 내용 적용.

09

추락 및 감전 위험방지용 안전모의 종류 및 사용구분에 관하여 간략히 쓰시오.

해답 추락 및 감전 위험방지용 안전모의 종류

종류(기호)	사용구분
AB	물체의 낙하 또는 비래 및 추락에 의한 위험을 방지 또는 경감시키기 위한 것
AE	물체의 낙하 또는 비래에 의한 위험을 방지 또는 경감하고, 머리부위 감전에 의한 위험을 방지하기 위한 것
ABE	물체의 낙하 또는 비래 및 추락에 의한 위험을 방지 또는 경감하고, 머리부위 감전에 의한 위험을 방지하기 위한 것

10

잠함·우물통·수직갱 기타 이와 유사한 건설물 또는 설비의 내부에서 굴착작업을 하는 경우 준수해야 할 사항을 2가지 쓰시오.

해답 잠함등 설비의 내부에서 굴착작업시 준수사항

① 산소결핍의 우려가 있는 때에는 산소의 농도를 측정하는 자를 지명하여 측정하도록 할 것
② 근로자가 안전하게 승강하기 위한 설비를 설치할 것
③ 굴착깊이가 20미터를 초과하는 때에는 당해작업장소와 외부와의 연락을 위한 통신설비등을 설치할 것

tip

산소농도의 측정결과 산소결핍이 인정되거나 굴착깊이가 20m를 초과하는 때에는 송기를 위한 설비를 설치하여 필요한 양의 공기를 송급하여야 한다.

11

건설현장에서 주로 발생하는 절토면 토사붕괴의 원인 중 외적원인을 4가지 쓰시오.

해답

① 사면, 법면의 경사 및 기울기의 증가   ② 절토 및 성토 높이의 증가
③ 공사에 의한 진동 및 반복 하중의 증가   ④ 지표수 및 지하수의 침투에 의한 토사 중량의 증가
⑤ 지진, 차량, 구조물의 하중작용   ⑥ 토사 및 암석의 혼합층 두께

12

로봇의 작동범위 내에서 그 로봇에 관하여 교시 등(로봇의 동력원을 차단하고 행하는 것을 제외한다)의 작업을 하는 경우 작업시작전 점검사항을 3가지 쓰시오.

해답

① 외부전선의 피복 또는 외장의 손상유무
② 매니퓰레이터(manipulator)작동의 이상유무
③ 제동장치 및 비상정지장치의 기능

13

산업안전보건법상 다음 기계·기구에 설치하여야 할 방호장치를 쓰시오.

① 가스집합용접장치   ② 압력용기   ③ 동력식 수동대패   ④ 산업용 로봇   ⑤ 교류아크용접기

해답

① 안전기
② 압력방출장치
③ 칼날접촉방지장치
④ 높이 1.8미터 이상의 울타리 설치(컨베이어 시스템의 설치 등으로 울타리를 설치할 수 없는 일부 구간 – 안전매트 또는 광전자식 방호장치 등 감응형(感應形) 방호장치 설치)
⑤ 자동전격방지기

01

정보전달에 있어 청각적 장치보다 시각적 장치를 사용하는 것이 더 좋은 때 3가지를 쓰시오(3점)

해답

① 전언이 길 경우	② 즉각적인 행동을 요구하지 않는 경우
③ 재 참조가 되는 경우	④ 공간적인 위치를 다루는 경우

tip

청각장치와 시각 장치의 비교

청각 장치 사용	시각 장치 사용
① 전언이 간단하다.	① 전언이 복잡하다.
② 전언이 짧다.	② 전언이 길다.
③ 전언이 후에 재참조되지 않는다.	③ 전언이 후에 재참조된다.
④ 전언이 시간적 사상을 다룬다.	④ 전언이 공간적인 위치를 다룬다.
⑤ 전언이 즉각적인 행동을 요구한다(긴급할 때)	⑤ 전언이 즉각적인 행동을 요구하지 않는다.
⑥ 수신장소가 너무 밝거나 암조응유지가 필요시	⑥ 수신장소가 너무 시끄러울 때
⑦ 직무상 수신자가 자주 움직일 때	⑦ 직무상 수신자가 한곳에 머물 때
⑧ 수신자가 시각계통이 과부하상태일 때	⑧ 수신자의 청각 계통이 과부하상태일 때

02

주의의 특성 3가지를 쓰고, 각각을 설명하시오.(6점)

해답 주의의 특성

선택성	동시에 두개 이상의 방향에 집중하지 못하고 소수의 특정한 것에 한하여 선택한다.
변동성	고도의 주의는 장시간 지속할 수 없고 주기적으로 부주의 리듬이 존재한다.
방향성	한 지점에 주의를 집중하면 주변 다른 곳의 주의는 약해진다(주시점만 인지)

03

안전보건표지의 종류에서 경고에 해당하는 표지명칭을 3가지만 쓰시오.(명칭 정확히 표기할 것.) (6점)

해답

① 인화성 물질경고
② 산화성 물질경고
③ 부식성 물질경고
④ 폭발성 물질경고
⑤ 급성독성 물질경고

04

교류아크용접기에 관한 다음 사항에 답하시오. (4점)

① 사용전압이 220V인 경우 출력측의 무부하전압(실효값)은 몇 V 이하여야 하는가?
② 용접봉 홀더에 용접기 출력측의 무부하전압이 발생한 후 주접점이 개방될 때까지의 시간은 몇 초 이내여야 하는가?

해답

① 25V 이하
② 1.0초 이내

05

안전인증대상 기계 또는 설비, 방호장치 또는 보호구에 해당하는 것 4가지를 고르고 번호로 쓰시오(4점)

① 안전대	② 연삭기 덮개
③ 아세틸렌용접장치용 안전기	④ 산업용로봇
⑤ 압력용기	⑥ 양중기용 과부하방지장치
⑦ 교류 아크용접기용 자동전격 방지기	⑧ 곤돌라
⑨ 동력식 수동 대패용 칼날접촉 방지장치	⑩ 보호복

해답 안전인증대상 기계 또는 설비, 방호장치 또는 보호구

① 안전대
⑤ 압력용기
⑥ 양중기용 과부하방지장치
⑧ 곤돌라
⑩ 보호복

tip

안전인증대상 기계·기구

기계 또는 설비	① 프레스 ② 전단기 및 절곡기 ③ 크레인 ④ 리프트 ⑤ 압력용기
	⑥ 롤러기 ⑦ 사출성형기 ⑧ 고소 작업대 ⑨ 곤돌라
방호장치	① 프레스 및 전단기 방호장치 ② 양중기용 과부하방지장치
	③ 보일러 압력방출용 안전밸브 ④ 압력용기 압력방출용 안전밸브
	⑤ 압력용기 압력방출용 파열판 ⑥ 절연용 방호구 및 활선작업용 기구
	⑦ 방폭구조 전기기계·기구 및 부품
	⑧ 추락·낙하 및 붕괴 등의 위험 방지 및 보호에 필요한 가설기자재로서 고용노동부장관이 정하여 고시하는 것
	⑨ 충돌·협착 등의 위험방지에 필요한 산업용 로봇 방호장치로서 고용노동부장관이 정하여 고시하는 것
보호구	① 추락 및 감전 위험방지용 안전모 ② 안전화 ③ 안전장갑
	④ 방진마스크 ⑤ 방독마스크 ⑥ 송기마스크
	⑦ 전동식 호흡보호구 ⑧ 보호복 ⑨ 안전대
	⑩ 차광 및 비산물 위험방지용 보안경 ⑪ 용접용 보안면 ⑫ 방음용 귀마개 또는 귀덮개

2020년 법령개정 내용 적용.

06

공정안전보고서 변경요소관리에 관한 지침에 반드시 관리절차가 마련되어야 하는 변경의 종류 2가지를 쓰시오 (4점)

해답

① 단위공정, 공정설비 또는 시설
② 안전운전절차, 운전원, 운전제어 시스템, 원료 또는 생산품 변경 등

07

아세틸렌용접장치 역화원인 4가지를 쓰시오(4점)

해답 아세틸렌 용접 장치의 역화원인

① 압력 조정기 고장   ② 과열되었을 때   ③ 산소 공급이 과다할 때
④ 토오치의 성능이 좋지 않을 때   ⑤ 토오치 팁에 이물질이 묻었을 때

08

재해분석방법으로 개별분석방법과 통계에 의한 분석방법이 있다. 통계적인 분석방법 2가지만 쓰고, 각각의 방법에 대해 설명하시오(4점)

해답 통계적인 분석방법

파레토도 (Pareto diagram)	관리 대상이 많은 경우 최소의 노력으로 최대의 효과를 얻을 수 있는 방법 (분류항목을 큰 값에서 작은 값의 순서로 도표화 하는데 편리)
특성요인도	특성과 요인관계를 어골상으로 세분하여 연쇄관계를 나타내는 방법 (원인요소와의 관계를 상호의 인과관계만으로 결부)
관리도	재해 발생건수 등의 추이파악 → 목표관리 행하는데 필요한 월별재해 발생 수의 그래프화 → 관리 구역 설정 → 관리하는 방법

09

달기체인 사용 금지기준에 관하여 빈칸에 알맞은 내용을 쓰시오.(4점)

---

1) 링의 단면지름이 제조된 때의 해당 링의 지름의 (①) 초과한 것

2) 길이의 증가가 제조된 때의 길이의 (②) 초과한 것

해답

① 10퍼센트   ② 5퍼센트

tip

양중기 와이어로프 및 체인 등의 사용금지 조건

양중기 와이어로프	① 이음매가 있는 것 ② 와이어로프의 한 꼬임(스트랜드)에서 끊어진 소선(필러선 제외)의 수가 10% 이상(비자전로프의 경우에는 끊어진 소선의 수가 와이어로프 호칭지름의 6배 길이 이내에서 4개 이상이거나 호칭지름 30배 길이 이내에서 8개이상)인 것 ③ 지름의 감소가 공칭지름의 7%를 초과하는 것 ④ 꼬인 것 ⑤ 심하게 변형되거나 부식된 것 ⑥ 열과 전기충격에 의해 손상된 것
양중기 달기체인	① 달기체인의 길이가 달기체인이 제조된 때의 길이의 5퍼센트를 초과한 것 ② 링의 단면지름이 달기체인이 제조된 때의 해당 링의 지름의 10퍼센트를 초과하여 감소한 것 ③ 균열이 있거나 심하게 변형된 것

10

각 부품고장확률이 0.12인 A, B, C 3개의 부품이 병렬결합모델로 만들어진 시스템이 있다. 시스템작동 안됨을 정상사상(Top event)으로 하고, A고장, B고장, C고장을 기본사상으로 한 FT도를 작성하고, 정상사상 발생할 확률을 구하시오(단, 소수 다섯째자리에서 반올림하고, 소수 넷째자리까지 표기할 것. 5점)

① FT도 그릴것
② 계산과정 표기할 것
③ 정답 표기할 것

해답 정상사상 발생 확률

① 병렬결합모델 시스템

② FT도 작성

시스템 작동안됨

A B C

③ 계산식 T = 0.12 × 0.12 ×0.12 = 0.001728

④ 정답 : 0.0017

11

자율안전확인대상 연삭기 덮개에 자율안전확인표시 외에 추가로 표시해야 할 사항 2가지를 쓰시오.(4점)

해답 연삭기 표시사항

① 숫돌사용 주속도 ② 숫돌회전방향

12

강관비계에 사용하는 부속철물종류 3가지를 쓰시오(3점)

해답

부속철물 : ① 연결철물   ② 밑받침철물   ③ 이음철물

13

분진폭발위험성을 증가시키는 조건 4가지를 쓰시오(4점)

해답 분진폭발위험성을 증가시키는 조건

분진의 화학적 성질과 조성	예를 들어 발열량이 클수록 폭발성이 크다.
입도와 입도분포	① 평균 입자의 직경이 작고 밀도가 작은 것일수록 비표면적은 크게 되고 표면에너지도 크게 된다. ② 보다 작은 입경의 입자를 함유하는 분진이 폭발성이 높다.
입자의 형상과 표면의 상태	산소에 의한 신선한 표면을 갖고 폭로시간이 짧은 경우 폭발성은 높게 된다.
수분	① 수분은 분진의 부유성을 억제 ② 마그네슘, 알루미늄 등은 물과 반응하여 수소기체 발생

01

고체의 연소형태를 4가지 쓰시오(4점)

해답

① 표면연소 ② 분해연소 ③ 증발연소 ④ 자기연소

02

스웨인의 부작위실수와 작위실수 중 작위실수에 포함되는 사항을 3가지 쓰시오(3점)

해답 작위실수

① 정성적착오 ② 선택착오 ③ 순서착오 ④ 시간착오

03

숫돌속도가 2000m/min일 때 회전수 rpm은 얼마인지 쓰시오. (단, 숫돌치수는 150 × 25 × 15.88이라고 한다)
(4점)

해답 회전속도 구하기

계산공식 : $V = \dfrac{\pi DN}{1{,}000}$

$$2000 = \dfrac{3.14 \times 150 \times N}{1000}$$

$$\therefore\ N = \dfrac{2{,}000{,}000}{3.14 \times 150} = 4246.28(\text{rpm})$$

04

아담스의 관리구조와 하인리히의 연쇄성 이론에 대하여 표기하시오(4점)

해답 연쇄성 이론

(1) 하인리히의 도미노이론(사고연쇄성 이론)
  ① 사회적 환경 및 유전적 요인   ② 개인적 결함   ③ 불안전한 행동 및 불안전한 상태
  ④ 사고   ⑤ 재해
(2) 아담스의 사고 요인과 관리시스템
  ① 관리구조   ② 작전적 에러   ③ 전술적 에러   ④ 사고   ⑤ 상해·손해

05

고장을 시기별로 3가지 분류하고 고장률 계산공식을 쓰시오(5점)

해답 고장의 분류

1) 분류 : ① 초기고장 ② 우발고장 ③ 마모고장

2) 고장률(λ) $= \dfrac{r(\text{그 기간중의 총고장수})}{T(\text{총동작시간})}$

tip

고장의 분류

초기고장	품질관리의 미비로 발생할 수 있는 고장으로 작업시작전 점검, 시운전 등으로 사전예방이 가능한 고장
	① debugging 기간 : 초기고장의 결함을 찾아서 고장률을 안정시키는 기간
	② burn in 기간 : 제품을 실제로 장시간 사용해보고 결함의 원인을 찾아내는 방법
우발고장	예측할 수 없을 경우 발생하는 고장으로 시운전이나 점검으로 예방불가 (낮은 안전계수, 사용자의 과오 등)
마모고장	장치의 일부분이 수명을 다하여 발생하는 고장(부식 또는 마모, 불충분한 정비 등)

06

충전전로의 이격거리를 쓰시오(4점)

1) 충전전로 0.25kV 일 때 (①)
2) 충전전로 0.7kV 일 때 (②)
3) 충전전로 22kV 일 때 (③)
4) 충전전로 154kV 일 때 (④)

해답

① 접촉금지 ② 30센티미터 ③ 90센티미터 ④ 170센티미터

tip

충전전로의 접근한계거리(2011년 개정내용임)

충전전로의 선간전압 (단위 : 킬로볼트)	충전전로에 대한 접근한계거리 (단위 : 센티미터)
0.3 이하	접촉금지
0.3 초과 0.75 이하	30
0.75 초과 2 이하	45
2 초과 15 이하	60
15 초과 37 이하	90
37 초과 88 이하	110
88 초과 121 이하	130
121 초과 145 이하	150
145 초과 169 이하	170
169 초과 242 이하	230
242 초과 362 이하	380
362 초과 550 이하	550
550 초과 800 이하	790

07

토질의 동상현상에 영향을 주는 주된 인자 4가지를 쓰시오(4점)

해답

① 흙의 투수성   ② 지하수위   ③ 모관상승고의 크기   ④ 동결 온도의 지속시간

tip

동상현상(frost heave)

(1) 정의 : 흙속의 공극수가 동결되어 부피가 약 9% 팽창되기 때문에 지표면이 부풀어 오르는 현상

(2) 주된 원인

　① 모관상승고가 크다.

　② 투수성이 크다.

　③ 지하수위가 높아 동결선 위쪽에 있다.

　④ 영하의 온도 지속기간이 길때(동결지수가 크다)

08

방독 마스크 정화통외부 측면 표시색에 관한 다음의 사항에서 (   )안에 해당하는 내용을 넣으시오(4점)

유기화합물	시클로헥산	(①)
할로겐용	(②)	회색
아황산용	(③)	노란색
암모니아용	암모니아가스	(④)

해답

① 갈색　　　　　② 염소가스 또는 증기 (Cl_2)
③ 아황산가스 (SO_2)　　　④ 녹색

tip

방독 마스크 정화통외부 측면 표시색

종류	시험 가스	정화통외부측면 표시색
유기화합물용	시클로헥산(C_6H_{12})	갈색
	디메틸에테르(CH_3OCH_3)	
	이소부탄(C_4H_{10})	
할로겐용	염소가스 또는 증기(Cl_2)	회색
황화수소용	황화수소가스(H_2S)	회색
시안화수소용	시안화수소가스(HCN)	회색
아황산용	아황산가스(SO_2)	노란색
암모니아용	암모니아가스(NH_3)	녹색

09

산업안전보건법상의 건강진단의 종류 5가지를 쓰시오(5점)

해답　건강진단의 종류

① 일반건강진단　　　② 특수건강진단　　　③ 배치전건강진단
④ 수시건강진단　　　⑤ 임시건강진단

10

자율안전확인 대상 기계 또는 설비 3가지를 쓰시오(3점)

해답 자율안전확인 대상 기계 또는 설비

① 연삭기 또는 연마기(휴대형은 제외)　② 산업용 로봇　③ 혼합기

tip

자율안전 확인 대상 기계 등

기계 또는 설비	① 연삭기 또는 연마기(휴대형은 제외)	② 산업용 로봇
	③ 혼합기	④ 파쇄기 또는 분쇄기
	⑤ 식품가공용기계(파쇄·절단·혼합·제면기만 해당)	⑥ 컨베이어
	⑦ 자동차 정비용 리프트	⑧ 공작기계(선반, 드릴기, 평삭·형삭기, 밀링만 해당)
	⑨ 고정형 목재가공용 기계	⑩ 인쇄기
	(둥근톱, 대패, 루타기, 띠톱, 모떼기 기계만 해당)	
방호장치	① 아세틸렌 용접장치용 또는 가스집합 용접장치용 안전기	② 교류아크 용접기용 자동전격 방지기
	③ 롤러기 급정지장치	④ 연삭기 덮개
	⑤ 목재가공용 둥근톱 반발예방장치와 날접촉 예방장치	⑥ 동력식 수동대패용 칼날 접촉방지장치
	⑦ 추락·낙하 및 붕괴 등의 위험방지 및 보호에 필요한 가설기자재	
	(안전인증대상기계기구에 해당되는 사항 제외)로서 고용노동부장관이 정하여 고시하는 것	
보호구	① 안전모(안전인증대상보호구에 해당되는 안전모는 제외)	② 보안경(안전인증대상보호구에 해당되는 보안경은 제외)
	③ 보안면(안전인증대상보호구에 해당되는 보안면은 제외)	

2020년 법령개정으로 개정된 내용 적용.

11

아세틸렌 가스의 용기에 표시해야 할 다음의 사항을 설명하시오(4점)

① TP25　　　② FP15

해답

① TP25 : 내압시험압력(MPa)이 25MPa　② FP15 : 최고충전압력(MPa)이 15MPa

12

콘크리트 타설작업을 하기 위하여 콘크리트 플레이싱 붐(placing boom), 콘크리트 분배기, 콘크리트 펌프카 등 콘크리트 타설장비를 사용하는 경우 사업주가 준수해야 할 사항을 3가지 쓰시오.(6점)

해답

① 작업을 시작하기 전에 콘크리트타설장비를 점검하고 이상을 발견하였으면 즉시 보수할 것
② 건축물의 난간 등에서 작업하는 근로자가 호스의 요동·선회로 인하여 추락하는 위험을 방지하기 위하여 안전난간 설치 등 필요한 조치를 할 것
③ 콘크리트타설장비의 붐을 조정하는 경우에는 주변의 전선 등에 의한 위험을 예방하기 위한 적절한 조치를 할 것
④ 작업 중에 지반의 침하나 아웃트리거 등 콘크리트타설장비 지지구조물의 손상 등에 의하여 콘크리트타설장비가 넘어질 우려가 있는 경우에는 이를 방지하기 위한 적절한 조치를 할 것

tip

2023년 법령개정. 문제 및 해답은 개정된 내용 적용.

13

신체 내에서 $1l$의 산소를 소비하면 5kcal의 에너지가 소모되며, 작업시 산소소비량 측정결과 분당 $1.5l$를 소비한다면 작업시간 60분 동안 포함되어야 하는 휴식시간은?(단, 평균에너지 상한 5kcal, 휴식시간 에너지 소비량 1.5kcal) (5점)

해답 휴식시간 산출

① 작업 시 평균에너지 소비량 $= 5\text{kcal}/l \times 1.5l/\text{min} = 7.5\text{kcal/min}$

② 휴식시간$(R) = \dfrac{60(E-5)}{E-1.5} = \dfrac{60(7.5-5)}{7.5-1.5} = 25(\text{분})$

01

안전관리자의 직무를 5가지 쓰시오.(5점)

해답 안전관리자의 직무

① 산업안전보건위원회 또는 안전·보건에 관한 노사협의체에서 심의·의결한 업무와 해당 사업장의 안전보건관리규정 및 취업규칙에서 정한 업무
② 안전인증대상 기계 등과 자율안전확인대상 기계 등 구입 시 적격품의 선정에 관한 보좌 및 지도·조언
③ 위험성평가에 관한 보좌 및 지도·조언
④ 해당 사업장 안전교육계획의 수립 및 안전교육 실시에 관한 보좌 및 지도·조언
⑤ 사업장 순회점검·지도 및 조치의 건의
⑥ 산업재해 발생의 원인 조사·분석 및 재발 방지를 위한 기술적 보좌 및 지도·조언
⑦ 산업재해에 관한 통계의 유지·관리·분석을 위한 보좌 및 지도·조언
⑧ 법 또는 법에 따른 명령으로 정한 안전에 관한 사항의 이행에 관한 보좌 및 지도·조언
⑨ 업무수행 내용의 기록·유지
⑩ 그 밖에 안전에 관한 사항으로서 고용노동부장관이 정하는 사항

02

소음(소음작업)의 정의와 기준을 쓰시오.(4점)

해답 소음작업의 정의와 기준

(1) 소음의 정의 : 원치 않은 소리(unwanted sound)라고 정의할 수 있으며, 개인별로 주관적인 개념이 있으므로 심리적으로 불쾌감을 주거나 신체에 장애를 일으킬수 있는 소리를 소음이라 정의할 수도 있다.
(2) 소음(소음작업)의 기준 : 산업안전보건법상 1일 8시간 작업을 기준으로 85데시벨 이상의 소음이 발생하는 작업을 말한다.

03

연평균근로자 600명이 작업하는 어느 사업장에서 15건의 재해가 발생하였다. 근로시간은 48시간×50주이며, 잔업시간은 년간 1인당 100시간, 평생근로년수는 40년일 때 다음을 구하시오.(4점)

> 1) 도수율을 구하시오.
> 2) 이 사업장에서 어느 작업자가 평생 근로한다면 몇 건의 재해를 당하겠는가?

해답 도수율(빈도율)과 환산도수율

1) 도수율(빈도율F.R)$=\dfrac{\text{재해건수}}{\text{연간총근로시간수}}\times 1,000,000$

$\therefore \dfrac{15}{(600\times48\times50)+(600\times100)}\times 10^6=10$

2) 환산 도수율$=$도수율$\times\dfrac{1}{10}=10\times\dfrac{1}{10}=1(건)$

04

안전인증 방독마스크에 안전인증의 표시에 따른 표시 외에 추가로 표시해야 할 사항을 4가지 쓰시오. (4점)

해답 방독마스크 추가 표시사항

① 파과곡선도   ② 사용시간 기록카드
③ 정화통의 외부측면의 표시 색   ④ 사용상의 주의사항

05

전기화재에 해당하는 급수와 적응소화기를 2가지 쓰시오.(6점)

해답 전기화재

① 급수 : C급화재   ② 적응소화기 : 분말 소화기, 탄산가스 소화기

06

심실세동전류의 정의와 구하는 공식을 쓰시오.(4점)

해답 심실세동전류

① 정의 : 인체에 전류가 흐를 경우 심장의 맥동에 영향을 주어 심장마비 상태를 유발할 수 있는 전류로 통전전류가 멈춘다 해도 자연회복은 어려우며, 그대로 방치할 경우 수분이내에 사망에 이르게 되므로 즉시 인공호흡을 실시해야 하는 전류

② 공식 : 통전전류 $I = \dfrac{165}{\sqrt{T}}(\mathrm{mA})$

07

재해사례 연구순서 중에서 전제조건을 제외한 4단계를 쓰시오.(4점)

해답 재해사례 연구순서

① 제1단계 : 사실의 확인
② 제2단계 : 문제점의 발견
③ 제3단계 : 근본적 문제점의 결정
④ 제4단계 : 대책수립

08

무재해 운동의 3원칙을 쓰고 설명하시오(6점)

해답 무재해운동의 3대 원칙

무의 원칙	무재해란 단순히 사망재해나 휴업재해만 없으면 된다는 소극적인 사고가 아닌, 사업장 내의 모든 잠재위험요인을 적극적으로 사전에 발견하고 파악·해결함으로써 산업재해의 근원적인 요소들을 없앤다는 것을 의미한다.
안전제일(선취)의 원칙	무재해 운동에 있어서 안전제일이란 안전한 사업장을 조성하기 위한 궁극의 목표로서 사업장 내에서 행동하기 전에 잠재위험요인을 발견하고 파악·해결하여 재해를 예방하는 것을 의미한다.
참여(참가)의 원칙	무재해 운동에서 참여란 작업에 따르는 잠재위험요인을 발견하고 파악·해결하기 위하여 전원이 일치 협력하여 각자의 위치에서 적극적으로 문제해결을 하겠다는 것을 의미한다.

09

누적외상성 질환 등 근골격계 질환의 주요원인을 3가지 쓰시오.(3점)

해답 누적외상성 질환의 원인

① 부적절한 작업자세　　② 무리한 반복작업
③ 과도한 힘　　④ 부족한 휴식시간
⑤ 신체적 압박　　⑥ 차가운 온도나 무더운 온도의 작업환경

10

자율안전확인 대상 기계 등에서 방호장치에 해당하는 내용을 4가지 쓰시오.(4점)

해답 자율안전확인 대상 기계 등(방호장치)

① 아세틸렌 용접장치용 또는 가스집합 용접장치용 안전기
② 교류아크 용접기용 자동전격 방지기
③ 롤러기 급정지장치
④ 연삭기 덮개
⑤ 목재가공용 둥근톱 반발예방장치와 날접촉 예방장치
⑥ 동력식 수동대패용 칼날 접촉방지장치

11

다음은 계단과 계단참에 관한 안전기준이다. ( )에 맞는 내용을 쓰시오.(4점)

사업주는 계단 및 계단참을 설치할 때에는 매제곱미터당 (①)kg 이상의 하중에 견딜 수 있는 강도를 가진 구조로 설치하여야 하며, 안전율은 (②) 이상으로 하여야 한다. 높이가 3m를 초과하는 계단에는 높이(③)m 이내마다 진행방향으로 길이 (④)m 이상의 계단참을 설치하여야 한다.

해답 계단의 강도강도 및 계단참의 높이

① 500 ② 4 ③ 3 ④ 1.2

tip

계단의 안전기준

계단 및 계단참의 강도	① 매제곱미터당 500킬로그램 이상의 하중에 견딜 수 있는 강도를 가진 구조로 설치 ② 안전율(재료의 파괴응력도와 허용응력도의 비율을 말한다)은 4 이상 ③ 계단 및 승강구 바닥을 구멍이 있는 재료로 만드는 경우 렌치나 그 밖의 공구 등이 낙하할 위험이 없는 구조
계단의 폭	폭은 1미터 이상(급유용·보수용·비상용 계단 및 나선형 계단이거나 높이 1미터 미만의 이동식 계단은 제외)이며 손잡이 외 다른 물건 설치, 적재금지
계단참의 높이	높이가 3미터를 초과하는 계단에 높이 3미터 이내마다 진행방향으로 길이 1.2미터 이상의 계단참 설치
천장의 높이	바닥면으로부터 높이 2미터 이내의 공간에 장애물이 없을 것(급유용·보수용·비상용 계단 및 나선형 계단은 제외)
계단의 난간	높이 1미터 이상인 계단의 개방된 측면에는 안전난간설치

12

다음은 비계의 벽이음 간격이다. (　) 안에 알맞은 숫자를 쓰시오.(4점)

구 분		조립간격(m)	
		수직방향	수평방향
강관비계	단관비계	(①)	(②)
	틀비계	(③)	(④)

해답 비계의 벽이음 간격

①5 　②5 　③6 　④8

13

프레스의 손쳐내기식 방호장치의 설치방법에 관한 사항이다. (　)에 맞는 내용을 쓰시오. (4점)

> 슬라이드 하행정거리의 (①) 위치에서 손을 완전히 밀어내어야 하며, 방호판의 폭은 (②)의 (③)이어야 하고, 행정길이가 (④) mm 이상의 프레스기계에는 방호판 폭을 300mm로 해야 한다.

해답 손쳐내기식 방호장치

①3/4 　②금형폭 　③1/2 이상 　④300

tip

손쳐내기식 방호장치의 설치방법
① 슬라이드 하행정거리의 3/4 위치에서 손을 완전히 밀어내어야 한다.
② 손쳐내기봉의 행정(Stroke) 길이를 금형의 높이에 따라 조정할 수 있고 진동폭은 금형폭 이상이어야 한다.
③ 방호판과 손쳐내기봉은 경량이면서 충분한 강도를 가져야 한다.
④ 방호판의 폭은 금형폭의 1/2 이상이어야 하고, 행정길이가 300mm 이상의 프레스기계에는 방호판 폭을 300mm로 해야 한다.
⑤ 손쳐내기봉은 손 접촉 시 충격을 완화할 수 있는 완충재를 붙이는 등의 조치가 강구되어야 한다.
⑥ 부착볼트 등의 고정금속부분은 예리한 돌출현상이 없어야 한다.

01

[보기]의 교류아크용접기 자동전격방지기 표시사항을 상세히 기술하시오. (4점)

───────── [보기] ─────────

SP−3A−H

해답 자동전격 방지기 표시사항

① SP : 외장형
② 3 : 300A
③ A : 용접기에 내장되어 있는 콘덴서의 유무에 관계없이 사용할 수 있는 것
④ H : 고저항시동형

02

승강기의 설치·조립·수리·점검 또는 해체 작업을 하는 경우 안전조치 사항 3가지를 쓰시오 (3점)

해답 조립등의 작업시 안전조치 사항

① 작업을 지휘하는 사람을 선임하여 그 사람의 지휘하에 작업을 실시할 것
② 작업을 할 구역에 관계 근로자가 아닌 사람의 출입을 금지하고 그 취지를 보기 쉬운 장소에 표시할 것
③ 비, 눈, 그 밖에 기상상태의 불안정으로 날씨가 몹시 나쁜 경우에는 그 작업을 중지시킬 것

03

산업안전보건법상 작업장의 조도기준에 관한 다음사항에서 (   )에 알맞은 내용을 쓰시오.(3점)

초정밀작업	정밀작업	보통작업	그 밖의 작업
(①) Lux 이상	(②) Lux 이상	(③) Lux 이상	(④) Lux 이상

해답 작업장 조도기준

① 750   ② 300   ③ 150   ④ 75

04

60rpm으로 회전하는 롤러기의 앞면 롤러의 지름이 120mm인 경우 앞면 롤러의 표면속도와 관련 규정에 따른 급정지거리[mm]를 구하시오(5점)

해답

① 표면속도$(V) = \dfrac{\pi DN}{1,000} = \dfrac{\pi \times 120 \times 60}{1,000} = 22.62[\text{m/min}]$

② 급정지거리 기준

앞면 롤러의 표면 속도(m/분)	급정지 거리
30 미만	앞면 롤러 원주의 1/3 이내
30 이상	앞면 롤러 원주의 1/2.5 이내

③ 급정지 거리 $= \pi D \times \dfrac{1}{3} = \pi \times 120 \times \dfrac{1}{3} = 125.66[\text{mm}]$ 이내

05

수인식 방호장치의 수인끈, 수인끈의 안내통, 손목밴드의 구비조건 3가지를 쓰시오 (3점)

해답 수인식 방호장치의 구비조건

① 수인끈은 작업자와 작업공정에 따라 그 길이를 조정할 수 있어야 한다.
② 수인끈의 안내통은 끈의 마모와 손상을 방지할 수 있는 조치를 해야 한다.
③ 손목밴드는 착용감이 좋으며 쉽게 착용할 수 있는 구조이어야 한다.
④ 각종 레버는 경량이면서 충분한 강도를 가져야 한다.

tip

다음의 내용들도 구비조건에 포함되는 사항입니다.
① 손목밴드(wrist band)의 재료는 유연한 내유성 피혁 또는 이와 동등한 재료를 사용해야 한다.
② 수인끈의 재료는 합성섬유로 직경이 4mm 이상이어야 한다.

06

토사 등이 떨어질 우려가 있는 위험한 장소에서 견고한 낙하물 보호구조를 갖춰야할 차량계건설기계의 종류를 5가지 쓰시오.

해답

① 불도저
② 트랙터
③ 굴착기
④ 로더(loader: 흙 따위를 퍼올리는 데 쓰는 기계)
⑤ 스크레이퍼(scraper : 흙을 절삭·운반하거나 펴 고르는 등의 작업을 하는 토공기계)
⑥ 덤프트럭
⑦ 모터그레이더(motor grader : 땅 고르는 기계)
⑧ 롤러(roller : 지반 다짐용 건설기계)
⑨ 천공기
⑩ 항타기 및 항발기

tip

2024년 법령개정 내용 적용.

07

경고표지를 4가지 쓰시오.(단, 위험장소 경고는 제외한다) (4점)

해답 경고표지의 종류

① 인화성물질경고	② 산화성물질경고	③ 폭발성물질경고	④ 급성독성물질경고
⑤ 부식성물질경고	⑥ 방사성물질경고	⑦ 고압전기경고	⑧ 매달린물체경고
⑨ 낙하물경고	⑩ 고온경고	⑪ 저온경고	⑫ 몸균형상실경고
⑬ 레이저광선경고	⑭ 발암성·변이원성·생식독성·전신독성·호흡기과민성 물질 경고		
⑮ 위험장소경고			

08

[보기]의 재해빈발자의 유발요인을 3가지씩 쓰시오. (6점)

─────────── [보기] ───────────

① 상황성 유발자   ② 소질성 유발자

해답 재해유발 요인

상황성 누발자	① 작업자체가 어렵기 때문 ② 기계설비의 결함 존재 ③ 주위 환경 상 주의력 집중 곤란 ④ 심신에 근심 걱정이 있기 때문
소질성 누발자	① 주의력부족 ② 소심한 성격 ③ 저지능 ④ 감각운동 부적합 등

tip

재해 누발자 유형

미숙성 누발자	① 기능 미숙 ② 작업환경 부적응
상황성 누발자	① 작업자체가 어렵기 때문 ② 기계설비의 결함 존재 ③ 주위 환경 상 주의력 집중 곤란 ④ 심신에 근심 걱정이 있기 때문
습관성 누발자	① 경험한 재해로 인하여 대응능력약화(겁장이, 신경과민) ② 여러 가지 원인으로 슬럼프(slump)상태
소질성 누발자	① 개인의 소질 중 재해원인 요소를 가진 자 (주의력 부족, 소심한 성격, 저 지능, 흥분, 감각운동부적합 등) ② 특수성격소유자로써 재해발생 소질 소유자

09

화학설비 안전거리를 쓰시오 (4점)

> ① 사무실·연구실·실험실·정비실 또는 식당으로부터 단위공정시설 및 설비, 위험물질의 저장탱크, 위험물질 하역설비, 보일러 또는 가열로의 사이
>
> ② 위험물질 저장탱크로부터 단위공정 시설 및 설비, 보일러 또는 가열로의 사이

해답 안전거리

① 사무실 등의 외면으로 부터 20미터 이상
② 저장탱크의 외면으로 부터 20미터 이상

tip

위험물 저장 취급 화학설비의 안전거리

구분	안전거리
단위공정시설 및 설비로부터 다른 단위공정시설 및 설비의 사이	설비의 외면으로부터 10미터 이상
플레어스택으로부터 단위공정시설 및 설비, 위험물질 저장탱크 또는 위험물질 하역설비의 사이	플레어스택으로부터 반경 20미터 이상
위험물질 저장탱크로부터 단위공정시설 및 설비, 보일러 또는 가열로의 사이	저장탱크의 외면으로부터 20미터 이상
사무실·연구실·실험실·정비실 또는 식당으로부터 단위공정시설 및 설비, 위험물질 저장탱크, 위험물질 하역설비, 보일러 또는 가열로의 사이	사무실 등의 외면으로부터 20미터 이상

10

산업안전보건법상 유해·위험한 기계·기구·설비 등이 안전기준에 적합한지를 확인하기 위하여 안전인증기관이 심사하는 심사의 종류 3가지와 심사기간을 쓰시오. (6점)

해답 안전인증 심사의 종류 및 심사기간

① 예비심사 : 7일
② 서면심사 : 15일(외국에서 제조한 경우는 30일)
③ 기술능력 및 생산체계 심사 : 30일(외국에서 제조한 경우는 45일)
④ 제품심사
　㉠ 개별 제품심사 : 15일
　㉡ 형식별 제품심사 : 30일(방폭구조전기기계기구 및 부품 과 일부 보호구는 60일)

11

기계의 고장률 곡선을 그리고 및 감소 대책을 쓰시오 (6점)

해답 기계의 고장률

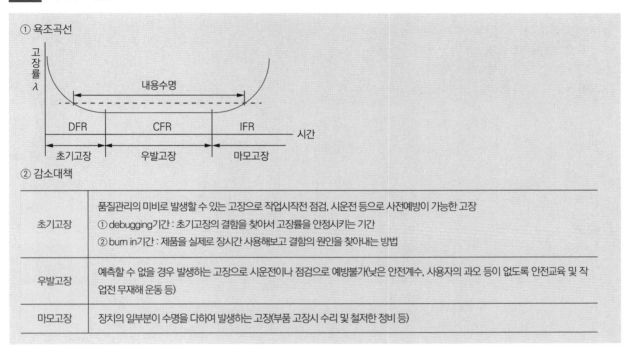

① 욕조곡선

② 감소대책

초기고장	품질관리의 미비로 발생할 수 있는 고장으로 작업시작전 점검, 시운전 등으로 사전예방이 가능한 고장 ① debugging기간 : 초기고장의 결함을 찾아서 고장률을 안정시키는 기간 ② burn in기간 : 제품을 실제로 장시간 사용해보고 결함의 원인을 찾아내는 방법
우발고장	예측할 수 없을 경우 발생하는 고장으로 시운전이나 점검으로 예방불가(낮은 안전계수, 사용자의 과오 등이 없도록 안전교육 및 작업전 무재해 운동 등)
마모고장	장치의 일부분이 수명을 다하여 발생하는 고장(부품 고장시 수리 및 철저한 정비 등)

12

위험방지기술에서 리스크 처리방법 4가지를 쓰시오 (4점)

해답 위험의 처리기술

① 회피(avoidance) ② 감축(reduction) ③ 보유(retention) ④ 전가(transfer)

13

건설현장에서 주로 발생하는 절토면 토사붕괴의 원인 중 외적원인을 3가지 쓰시오.(3점)

해답 외적원인

① 사면, 법면의 경사 및 기울기의 증가
② 절토 및 성토 높이의 증가
③ 공사에 의한 진동 및 반복 하중의 증가
④ 지표수 및 지하수의 침투에 의한 토사 중량의 증가

01

다음 [보기]의 방폭구조 기호를 쓰시오.

[보기]

① 용기 분진방폭구조   ② 본질안전 분진방폭구조
③ 몰드 분진방폭구조   ④ 압력 분진방폭구조

해답

① tD   ② iD   ③ mD   ④ pD

02

다음 안전표지판의 명칭을 쓰시오.

①   ②   ③   ④

해답

① 낙하물경고
② 폭발성물질경고
③ 보안면착용
④ 세안장치

03

산소소비량을 측정하기 위하여 5분간 배기하여 성분을 분석한 결과 O_2=16(%), CO_2=4(%)이고, 총배기량은 90(l)일 경우 분당 산소소비량과 에너지 소비량을 구하시오. [단, 산소 1(l)의 에너지가는 5(kcal)이다]

해답

흡기부피를 V_1, 배기부피를 V_2 (분당배기량)라 하면 $79\% \times V_1 = N_2\% \times V_2$

$$V_1 = \frac{(100 - O_2\% - CO_2\%)}{79} \times V_2$$

산소소비량 $= (21\% \times V_1) - (O_2\% \times V_2)$

① 분당 배기량 : $\dfrac{90}{5} = 18(l\,/분)$

② 분당 흡기량 : $\dfrac{(100 - 16 - 4)}{79} \times 18 = 18.227(l\,/분)$

③ 분당 산소소비량 : $(18.227 \times 0.21) - (18 \times 0.16) = 0.947(l\,/분)$

④ 분당 에너지 소비량 : $0.947 \times 5 = 4.74(kcal/분)$

04

안전보건 개선 계획에 포함되어야 할 사항 4가지를 쓰시오.

해답

① 시설
② 안전·보건관리체제
③ 안전·보건교육
④ 산업재해예방 및 작업환경 개선을 위하여 필요한 사항

05

안전인증 파열판에 안전인증 외에 추가로 표시하여야 할 사항 4가지를 쓰시오.

해답

① 호칭지름
② 용도
③ 설정파열압력(MPa) 및 설정온도(℃)
④ 분출용량(kg/h) 또는 공칭분출계수
⑤ 파열판의 재질
⑥ 유체의 흐름방향 지시

2012년 기출

06

시몬즈(Simonds) 방식의 재해손실비 산정에 있어 비보험코스트에 해당하는 세부항목변수를 4가지 쓰시오. (4점)

해답 비보험 코스트의 세부 항목변수

① 작업중지에 따른 임금손실
② 기계설비 및 재료의 손실비용
③ 작업중지로 인한 시간 손실
④ 신규 근로자의 교육훈련비용
⑤ 기타 제경비

07

다음 내용에 가장 적합한 위험분석기법을 〈보기〉에서 골라 한가지씩만 쓰시오.

〈 보기 〉
---

① FMEA　　② FHA　　③ THERP　　④ ETA　　⑤ MORT
⑥ PHA　　⑦ FTA　　⑧ CA　　⑨ OHA　　⑩ HAZOP

---

(1) 모든 요소의 고장을 형태별로 분석하여 그 영향을 검토하는 기법
(2) 모든 시스템 안전프로그램의 최초단계 분석기법
(3) 인간과오를 정량적으로 평가하기위한 기법
(4) 초기사상의 고장영향에 의해 사고나 재해를 발전해 나가는 과정을 분석하는 기법
(5) 결함수법이라 하며 재해발생을 연역적, 정량적으로 해석. 예측할 수 있는 기법

해답

(1) ① FMEA : 시스템 안전 분석에 이용되는 전형적인 정성적 귀납적 분석방법으로 시스템에 영향을 미치는 전체요소의 고장을 형별로 분석하여 그 영향을 검토하는 것(각 요소의 1형식 고장이 시스템의 1영향에 대응)
(2) ⑥ PHA : 모든 시스템 안전 프로그램의 최초단계의 분석으로서 시스템내의 위험요소가 얼마나 위험한 상태에 있는가를 정성적으로 평가하는 방법(공정 또는 설비 등에 관한 상세한 정보를 얻을 수 없는 상황에서 위험물질과 공정 요소에 초점을 맞추어 초기위험을 확인하는 방법)
(3) ③ THERP : 시스템에 있어서 인간의 과오를 정량적으로 평가하기 위해 개발된 기법(Swain 등에 의해 개발된 인간실수 예측기법)
(4) ④ ETA : 사상의 안전도를 사용하여 시스템의 안전도를 나타내는 시스템 모델의 하나로서 귀납적이기는 하나 정량적인 분석방법(초기사건으로 알려진 특정한 장치의 이상 또는 운전자의 실수에 의해 발생되는 잠재적인 사고결과를 정량적으로 평가·분석하는 방법)
(5) ⑦ FTA : 분석에는 게이트, 이벤트, 부호 등의 그래픽 기호를 사용하여 결함단계를 표현하며, 각각의 단계에 확률을 부여하여 어떤 상황의 실패확률계산이 가능하고 연역적이고 정량적인 해석방법(사고의 원인이 되는 장치의 이상이나 고장의 다양한 조합 및 작업자 실수 원인을 연역적으로 분석하는 방법)

08

굴착작업 시 토사등의 붕괴 또는 낙하에 의하여 근로자에게 위험을 미칠 우려가 있는 경우 사업주가 위험을 방지하기 위해 해야 하는 필요한 조치를 3가지 쓰시오.

해답 굴착작업시 안전조치 사항

① 흙막이 지보공 설치
② 방호망 설치
③ 근로자의 출입금지

09

다음 그림을 보고 시스템고장(전등 켜지지 않음)을 정상사상으로 하는 FT도를 그리시오.

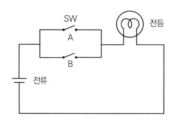

해답 FT도

10

공정흐름도에 표시되어야 할 사항 3가지를 쓰시오

해답

① 주요동력기계   ② 장치 및 설비의 표시 및 명칭
③ 주요 계장설비 및 제어설비   ④ 물질 및 열 수지
⑤ 운전온도 및 운전압력 등

11

최초의 완만한 연소에서 폭굉까지 발달하는데 유도되는 거리인 폭굉 유도거리가 짧아지는 요건을 3가지 쓰시오.

① 정상의 연소속도가 큰 혼합가스일 경우
② 관속에 방해물이 있거나 관경이 가늘수록
③ 압력이 높을수록
④ 점화원의 에너지가 강할수록

12

작업발판 일체형거푸집의 종류 4가지를 쓰시오.

① 갱폼(gang form)
② 슬립폼(slip form)
③ 클라이밍폼(climbing form)
④ 터널 라이닝폼(tunnel lining form)
⑤ 그 밖에 거푸집과 작업발판이 일체로 제작된 거푸집 등

13

유해·위험 방지를 위한 방호조치를 하지 아니하고는 양도·대여·설치·사용하거나, 양도·대여를 목적으로 진열해서는 아니 되는 기계·기구를 5가지 쓰시오.

해답

① 예초기	② 원심기	③ 공기압축기
④ 금속절단기	⑤ 지게차	⑥ 포장기계

tip

유해·위험 방지를 위하여 방호조치가 필요한 기계·기구 등

대상 기계·기구	방호 장치
1. 예초기	날접촉예방장치
2. 원심기	회전체 접촉 예방장치
3. 공기압축기	압력방출장치
4. 금속절단기	날접촉예방장치
5. 지게차	헤드가드, 백레스트, 전조등, 후미등, 안전밸트
6. 포장기계(진공포장기, 랩핑기로 한정)	구동부 방호 연동장치

01

재해발생에 관련된 이론 중 하인리히의 도미노이론과 버드의 도미노이론 5단계를 쓰시오.

해답

(1) 하인리히의 도미노이론(사고연쇄성 이론)
    ① 사회적 환경 및 유전적 요인   ② 개인적 결함
    ③ 불안전한 행동 및 불안전한 상태   ④ 사고   ⑤ 재해

(2) 버드의 최신의 도미노 이론
    ① 제어(통제)의 부족(관리)   ② 기본원인(기원)   ③ 직접원인(징후)
    ④ 사고(접촉)   ⑤ 상해(손실)

tip

아담스의 사고 요인과 관리시스템
① 관리구조   ② 작전적 에러   ③ 전술적 에러   ④ 사고   ⑤ 상해·손해

02

안전관리자의 직무를 5가지 쓰시오.

해답 안전관리자의 직무

① 산업안전보건위원회 또는 안전·보건에 관한 노사협의체에서 심의·의결한 업무와 해당 사업장의 안전보건관리규정 및 취업규칙에서 정한 업무
② 안전인증대상 기계 등과 자율안전확인대상 기계 등 구입 시 적격품의 선정에 관한 보좌 및 지도·조언
③ 위험성평가에 관한 보좌 및 지도·조언
④ 해당 사업장 안전교육계획의 수립 및 안전교육 실시에 관한 보좌 및 지도·조언
⑤ 사업장 순회점검·지도 및 조치의 건의
⑥ 산업재해 발생의 원인 조사·분석 및 재발 방지를 위한 기술적 보좌 및 지도·조언
⑦ 산업재해에 관한 통계의 유지·관리·분석을 위한 보좌 및 지도·조언
⑧ 법 또는 법에 따른 명령으로 정한 안전에 관한 사항의 이행에 관한 보좌 및 지도·조언
⑨ 업무수행 내용의 기록·유지
⑩ 그 밖에 안전에 관한 사항으로서 고용노동부장관이 정하는 사항

03

휴먼에러(Human Error)의 분류방법 중 심리적 분류(A.D.Swain)의 종류를 4가지 쓰시오.

해답 스웨인(A.D.Swain)의 심리적 분류

① Omission error	② Commission error	③ Sequential error
④ Time error	⑤ Extraneous error	

tip

스웨인(A.D.Swain)의 분류

생략에러(Omission error)	필요한 직무나 단계를 수행하지 않은(생략) 에러
착각수행에러(Commission error)	직무나 순서 등을 착각하여 잘못 수행(불확실한 수행)한 에러
순서에러(Sequential error)	직무 수행과정에서 순서를 잘못 지켜(순서착오) 발생한 에러
시간적에러(Time error)	정해진 시간내 직무를 수행하지 못하여(수행지연)발생한 에러
과잉행동에러(Extraneous error)	불필요한 직무 또는 절차를 수행하여 발생한 에러

04

기계설비에 의해 형성되는 위험점의 종류를 5가지 쓰시오. (5점)

해답

① 협착점	② 끼임	③ 절단점
④ 물림점	⑤ 접선 물림점	⑥ 회전 말림점

tip

기계 설비에 의해 형성되는 위험점

협착점(Squeeze-point)	왕복 운동하는 운동부와 고정부 사이에 형성(작업점이라 부르기도 함)
끼임점(Shear-point)	고정부분과 회전 또는 직선운동부분에 의해 형성
절단점(Cutting-point)	회전운동부분 자체와 운동하는 기계 자체에 의해 형성
물림점(Nip-point)	회전하는 두 개의 회전축에 의해 형성(회전체가 서로 반대방향으로 회전하는 경우)
접선 물림점 (Tangential Nip-point)	회전하는 부분이 접선방향으로 물려 들어가면서 형성
회전 말림점(Trapping-point)	회전체의 불규칙 부위와 돌기 회전 부위에 의해 형성

05

산업안전보건법상 승강기의 종류 4가지를 쓰시오.

해답 승강기의 종류

① 승객용 엘리베이터   ② 승객 화물용 엘리베이터   ③ 화물용 엘리베이터   ④ 소형 화물용 엘리베이터   ⑤ 에스컬레이터

tip

양중기의 종류(2019년 법령개정으로 개정된 내용 적용)
① 크레인[호이스트(hoist)를 포함]   ② 이동식 크레인   ③ 리프트   ④ 곤돌라   ⑤ 승강기

06

정전기 발생현상에 관한 대전의 종류를 4가지 쓰시오.

해답

① 마찰대전   ② 박리대전   ③ 유동대전   ④ 분출대전   ⑤ 충돌대전 등

07

가스집합장치에 관한 사항이다. (   )안에 알맞은 숫자를 쓰시오.

(1) 사업주는 가스집합장치에 대해서는 화기를 사용하는 설비로부터 (①) 미터 이상 떨어진 장소에 설치하여야 한다.
(2) 주관 및 분기관에는 안전기를 설치할 것. 이 경우 하나의 취관에 (②)개 이상의 안전기를 설치하여야 한다.
(3) 사업주는 용해아세틸렌의 가스집합용접장치의 배관 및 부속기구는 구리나 구리 함유량이 (③)퍼센트 이상인 합금을 사용해서는 아니 된다.

해답

① 5   ② 2   ③ 70

tip

아세틸렌 용접장치의 안전기 설치위치

① 취관 마다 안전기설치

② 주관 및 취관에 가장 근접한 분기관 마다 안전기부착

③ 가스용기가 발생기와 분리되어 있는 아세틸렌 용접장치는 발생기와 가스용기 사이(흡입관)에 안전기 설치

08

폭풍 등에 대한 다음의 안전조치기준에서 알맞은 풍속의 기준을 쓰시오.

---

(1) 폭풍에 의한 주행크레인의 이탈방지 장치 작동

(2) 폭풍에 의한 건설용 리프트의 받침수 증가등 붕괴방지조치

(3) 폭풍에 의한 옥외용 승강기의 받침수 증가 등 무너짐방지조치

해답

① 순간풍속이 30m/s 초과　　② 순간풍속이 35m/s 초과　　③ 순간풍속이 35m/s 초과

tip

폭풍 등에 의한 안전조치사항

풍속의 기준	시기	조치사항
순간풍속이 매 초당 30미터 초과	바람이 예상 될 경우	주행크레인의 이탈방지 장치 작동
	바람이 불어온 후	작업전 크레인의 이상유무 점검
		건설용 리프트의 이상유무 점검
순간풍속이 매 초당 35미터 초과	바람이 불어올 우려가 있을 시	건설용 리프트의 받침의 수를 증가시키는 등 붕괴방지조치
		옥외에 설치된 승강기의 받침의 수를 증가시키는 등 무너지는 것을 방지하기 위한 조치

09

다음 물음에 해당하는 답을 보기에서 모두 골라 기호와 함께 쓰시오.

---

(1) 전기설비에 사용하는 소화기

(2) 인화성 액체에 사용하는 소화기

(3) 자기반응성 물질에 사용하는 소화기

[보기]

① 포 소화기　　② 이산화탄소소화기　　③ 봉상수소화기　　④ 봉상강화액소화기　　⑤ 할로겐화합물소화기　　⑥ 분말소화기

해답　대상물에 따른 소화기의 종류

(1) 전기설비에 사용하는 소화기 : ② 이산화탄소소화기　⑤ 할로겐화합물소화기　⑥ 분말소화기

(2) 인화성 액체에 사용하는 소화기 : ① 포 소화기　② 이산화탄소소화기　⑤ 할로겐화합물소화기　⑥ 분말소화기

(3) 자기반응성 물질에 사용하는 소화기 : ① 포 소화기　③ 봉상수소화기　④ 봉상강화액소화기

tip

1. 소화설비의 적응성(대형·소형 수동식 소화기)

소화설비의 구분		대상물 구분			
		전기설비	인화성액체	자기반응성물질	산화성액체
봉상수소화기				○	○
무상수소화기		○		○	○
봉상강화액소화기				○	○
무상강화액소화기		○	○	○	○
포소화기			○	○	○
이산화탄소소화기		○	○		△
할로겐화합물소화기		○	○		
분말 소화기	인산염류소화기	○	○		○
	탄산수소염류소화기	○	○		
	그 밖의 것				

2. 대상물이 인화성 고체일 경우에는 대형·소형 수동식 소화기 모두를 사용할 수 있다.

10

산업안전보건법상의 안전·보건표지 중 안내표지종류를 3가지 쓰시오.

① 응급구호표지 ② 녹십자표지 ③ 세안장치 ④ 들것 ⑤ 비상구

tip

안내표지의 종류

녹십자표지	응급구호표지	들것	세안장치	비상용기구	비상구	좌측비상구	우측비상구

11

근로자가 1시간동안 1분당 6kcal의 에너지를 소모하는 작업을 수행하는 경우 작업시간과 휴식시간을 각각 구하시오. (단, 작업에 대한 권장 평균에너지 소비량은 분당 5kcal이다.)

휴식시간 산출

$$R = \frac{60(E-5)}{E-1.5}$$

여기서, R : 휴식시간(분),

   E : 작업시 평균 에너지 소비량(kcal/분)

   60분 : 총작업 시간

   1.5kcal/분 : 휴식시간 중의 에너지 소비량

① 휴식시간(R) : $\frac{60(6-5)}{6-1.5} = 13.33$ (분)

② 작업시간 $= 60 - 13.33 = 46.67$ (분)

12

조종장치를 촉각적으로 정확하게 식별하기 위한 암호화방법 3가지를 쓰시오.

해답

조종장치의 촉각적 암호화
① 형상을 이용한 암호화   ② 표면촉감을 이용한 암호화   ③ 크기를 이용한 암호화

tip

표면 촉감을 이용한 조종장치
① 매끄러운면   ② 세로홈(flute)   ③ 깔쭉면(knurl)

13

산업안전보건법상 다음의 특수건강진단 대상 유해인자에 해당하는 배치후 첫 번째 특수건강진단 시기와 주기를 쓰시오.

---

① 벤젠
② 소음 및 충격소음
③ 석면, 면분진

해답 **특수건강진단의 시기 및 주기**

번호	대상유해인자	시기 (배치후 첫 번째 특수 건강진단)	주기
①	벤젠	2개월 이내	6개월
②	소음 및 충격소음	12개월 이내	24개월
③	석면, 면 분진	12개월 이내	12개월

tip

특수건강진단의 시기 및 주기

구분	대상 유해인자	시기 배치 후 첫 번째 특수 건강진단	주기
1	N,N-디메틸아세트아미드 N,N-디메틸포름아미드	1개월 이내	6개월
2	벤젠	2개월 이내	6개월
3	1,1,2,2-테트라클로로에탄 사염화탄소 아크릴로니트릴 염화비닐	3개월 이내	6개월
4	석면, 면 분진	12개월 이내	12개월
5	광물성 분진 목재 분진 소음 및 충격소음	12개월 이내	24개월
6	제1호부터 제5호까지의 규정의 대상 유해인자를 제외한 특수건강진단 대상 유해인자의 모든 대상 유해인자	6개월 이내	12개월

01

운전자가 운전위치를 이탈하게 해서는 안되는 기계를 3가지 쓰시오.

해답

① 양중기
② 항타기 또는 항발기(권상장치에 하중을 건 상태)
③ 양화장치(화물을 적재한 상태)

02

기계설비의 방호장치의 분류에서 격리식 방호장치에 해당하는 종류를 3가지 쓰시오.

해답

① 완전차단형 방호장치 ② 덮개형 방호장치 ③ 안전방책

03

다음은 적응의 기제에 관한 설명이다. 해당하는 적응의 기제를 쓰시오.

① 자신이 무의식적으로 저지른 일관성 있는 행동에 대해 그럴듯한 이유를 붙여 설명하는 일종의 자기 변명으로 자신의 행동을 정당화하여 자신이 받을 수 있는 상처를 완화시킴
② 받아들일 수 없는 충동이나 욕망 또는 실패 등을 타인의 탓으로 돌리는 행위
③ 욕구가 좌절되었을 때 욕구충족을 위해 보다 가치 있는 방향으로 전환하는 것
④ 자신의 결함으로 욕구충족에 방해를 받을 때 그 결함을 다른 것으로 대치하여 욕구를 충족하고 자신의 열등감에서 벗어나려는 행위

해답

① 합리화 ② 투사 ③ 승화 ④ 보상

04

터널굴착작업시 시공계획에 포함되어야 할 사항을 3가지 쓰시오.

① 굴착의 방법
② 터널지보공 및 복공의 시공방법과 용수의 처리방법
③ 환기 또는 조명시설을 하는 때에는 그 방법

05

반경 20cm의 조정구를 20° 움직였을 때 표시장치를 2cm 이동하였다면, 통제표시비(C/D) 값이 적당한지 판단하시오.

① 회전 운동을 하는 조정장치가 선형 표시장치를 움직일 경우

$$C/D비 = \frac{(a/360) \times 2\pi L}{\text{표시장치의 이동거리}} = \frac{(20/360) \times 2\pi \times 20}{2} = 3.49$$

L : 반경(지레의 길이), a : 조정장치가 움직인 각도

② 최적 통제표시비는 제어장치의 종류나 표시장치의 크기, 제어 허용오차 및 지연시간 등에 의해 달라지므로, 해당 조종/표시장치에 대한 실험에 의해서 구할 수 있다. 일반적으로 알려진 최적 C/D비는 1.08~2.20 이다. 이 자료에 적용하자면, C/D비 3.49는 부적합하다고 판단할 수 있다.

06

산업안전보건법령에 의한 산업안전보건위원회를 설치·운영하여야 할 사업의 종류 및 규모를 2가지 쓰시오.

해답 산업안전보건위원회를 설치·운영해야 할 사업의 종류 및 규모

사업의 종류	규모
1. 토사석 광업 2. 목재 및 나무제품 제조업 ; 가구제외 3. 화학물질 및 화학제품 제조업 ; 의약품 제외(세제, 화장품 및 광택제 제조업과 화학섬유 제조업은 제외한다) 4. 비금속 광물제품 제조업 5. 1차 금속 제조업 6. 금속가공제품 제조업 ; 기계 및 가구 제외 7. 자동차 및 트레일러 제조업 8. 기타 기계 및 장비 제조업(사무용 기계 및 장비 제조업은 제외한다) 9. 기타 운송장비 제조업(전투용 차량 제조업은 제외한다)	상시 근로자 50명 이상
10. 농업 11. 어업 12. 소프트웨어 개발 및 공급업 13. 컴퓨터 프로그래밍, 시스템 통합 및 관리업 13의2. 영상·오디오물 제공 서비스업 14. 정보서비스업 15. 금융 및 보험업 16. 임대업:부동산 제외 17. 전문, 과학 및 기술 서비스업(연구개발업은 제외한다) 18. 사업지원 서비스업 19. 사회복지 서비스업	상시 근로자 300명 이상
20. 건설업	공사금액 120억원 이상(「건설산업기본법 시행령」에 따른 토목공사업에 해당하는 공사의 경우에는 150억원 이상)
21. 제1호부터 제13호까지, 제13호의2 및 제14호부터 제20호까지의 사업을 제외한 사업	상시 근로자 100명 이상

tip

2024년 개정된 법령 적용

07

다음의 고압가스용기에 해당하는 색을 쓰시오. (4점)

| ① 산소   ② 아세틸렌   ③ 헬륨   ④ 질소   ⑤ 수소 |

① 녹색   ② 노란색(황색)   ③ 회색   ④ 회색   ⑤ 주황색

08

동력식 수동대패기의 방호장치와 그 방호장치와 송급테이블의 간격을 쓰시오.

① 방호장치 : 칼날접촉 방지장치(날접촉예방장치)
② 간격 : 날접촉 예방장치인 덮개와 송급테이블면과의 간격이 8mm 이하이어야 한다.

09

크레인에 걸리는 하중에서 정격하중과 권상하중의 정의를 쓰시오.

① 정격하중(rated load) : 크레인의 권상 하중에서 훅, 크래브 또는 버킷 등 달기기구의 중량에 상당하는 하중을 뺀 하중을 말한다. 다만, 지브가 있는 크레인 등으로서 경사각의 위치, 지브의 길이에 따라 권상능력이 달라지는 것은 그 위치에서의 권상하중에서 달기기구의 중량을 뺀 하중을 말한다.
② 권상하중(hoisting load) : 들어 올릴 수 있는 최대의 하중을 말한다.

10

인간실수확률에 대한 추정기법을 3가지 쓰시오.

해답

① 위급 사건 기법(critical incident technique : CIT)
② 직무위급도 분석 (pickrel, et al.의 실수효과 심각성의 4등급)
③ THERP(Technique for Human Error Rate Prediction)
④ 조작자 행동나무(operator action tree : OAT)

11

다음의 내용에서 재해발생형태와 상해의 종류를 구분하여 번호를 쓰시오.

① 골절	② 추락	③ 화재폭발
④ 낙하, 비래	⑤ 부종	⑥ 이상온도접촉
⑦ 협착	⑧ 중독 및 질식	

해답

(1) 상해의 종류 : ① ⑤ ⑧
(2) 재해발생 형태 : ② ③ ④ ⑥ ⑦

12

다음은 정전기 대전에 관한 설명이다. 해당되는 대전의 종류를 쓰시오

---

① 두 물질이 접촉과 분리과정이 반복되면서 마찰을 일으킬 때 전하분리가 생기면서 정전기가 발생

② 분체류, 액체류, 기체류가 단면적이 작은 개구부를 통해 분출할 때 분출물질과 개구부의 마찰로 인하여 정전기가 발생.

③ 분체류에 의한 입자끼리 또는 입자와 고정된 고체의 충돌, 접촉, 분리 등에 의해 정전기가 발생

④ 액체류를 파이프 등으로 수송할 때 액체류가 파이프 등과 접촉하여 두 물질의 경계에 전기 2중층이 형성되어 정전기가 발생

⑤ 상호 밀착해 있던 물체가 떨어지면서 전하 분리가 생겨 정전기가 발생

해답

① 마찰대전 ② 분출대전 ③ 충돌대전 ④ 유동대전 ⑤ 박리대전

13

산업안전보건법상 안전·보건 표지에서 '관계자외 출입금지표지'의 종류 3가지를 쓰시오.

해답

① 허가대상물질 작업장

② 석면취급/해체 작업장

③ 금지대상물질의 취급 실험실 등

01

프로판 80vol%, 부탄 15vol%, 메탄 5vol% 의 조성을 가진 혼합가스의 폭발하한계 값(vol%)을 계산하시오. (단, 프로판, 부탄, 메탄의 폭발하한값은 각각 5vol%, 3vol%, 2.1vol% 이다.) (5점)

해답 르샤틀리에의 법칙

$$\frac{100}{L} = \frac{V_1}{L_1} + \frac{V_2}{L_2} + \frac{V_3}{L_3} = \frac{80}{5} + \frac{15}{3} + \frac{5}{2.1} = 23.38$$

그러므로 $L = 4.28\text{vol}\%$

02

차광보안경에 관한 용어의 정의에서 괄호에 알맞은 내용을 쓰시오.

(①) : 착용자의 시야를 확보하는 보안경의 일부로서 렌즈 및 플레이트 등을 말한다.
(②) : 필터와 플레이트의 유해광선을 차단할 수 있는 능력을 말한다.
(③) : 필터 입사에 대한 투과 광속의 비를 말하며, 분광투과율을 측정한다.

해답

① 접안경   ② 차광도 번호   ③ 시감투과율

tip

용어의 정의
1. "접안경"이란 착용자의 시야를 확보하는 보안경의 일부로서 렌즈 및 플레이트 등을 말한다.
2. "필터"란 해로운 자외선 및 적외선 또는 강렬한 가시광선의 강도를 감소시킬 수 있도록 설계된 것을 말한다.
3. "필터렌즈(플레이트)"란 유해광선을 차단하는 원형 또는 변형모양의 렌즈(플레이트)를 말한다.
4. "커버렌즈(플레이트)"란 분진, 칩, 액체약품 등 비산물로부터 눈을 보호하기 위해 사용하는 렌즈(플레이트)를 말한다.
5. "시감투과율"이란 필터 입사에 대한 투과 광속의 비를 말하며, 분광투과율을 측정한다.
7. "차광도 번호(scale number)"란 필터와 플레이트의 유해광선을 차단할 수 있는 능력을 말하고 자외선, 가시광선 및 적외선에 대해 표기할 수 있다.

03

다음은 연삭기 덮개에 관한 사항이다. 괄호에 알맞은 답을 쓰시오 (3점)

- 탁상용 연삭기의 덮개에는 (①) 및 조정편을 구비하여야 한다.
- (①)는 연삭숫돌과의 간격을 (②)mm 이하로 조정할 수 있는 구조이어야 한다.
- 연삭기 덮개에는 자율안전확인의 표시에 따른 표시외에 추가로 숫돌사용주속도, (③) 을 표시해야 한다.

해답

① 워크레스트   ② 3   ③ 숫돌회전방향

tip

연삭기 덮개의 일반구조
① 덮개에 인체의 접촉으로 인한 손상위험이 없어야 한다.
② 덮개에는 그 강도를 저하시키는 균열 및 기포 등이 없어야 한다.
③ 탁상용 연삭기의 덮개에는 워크레스트 및 조정편을 구비하여야 하며, 워크레스트는 연삭숫돌과의 간격을 3밀리미터 이하로 조정할 수 있는 구조이어야 한다.
④ 각종 고정부분은 부착하기 쉽고 견고하게 고정될 수 있어야 한다.

04

다음 불대수를 계산하시오 (4점)

---

① A+1   ② A+0
③ A(A+B)   ④ A+AB

해답

① A+1 = 1
② A+0 = A
③ A(A+B) = (A·A) + (A·B) = A + (A·B) = A
④ A+AB = A

05

다음 [보기]의 사업에 대한 안전관리자의 최소 인원을 쓰시오.(5점)

```
──────────── [ 보기 ] ────────────
① 펄프 제조업 – 상시근로자 300명      ② 식료품 제조업 – 상시근로자 400명
③ 통신업 – 상시근로자 1500명          ④ 건설업 – 공사금액 700억원
```

해답

① 1명   ② 1명   ③ 2명   ④ 1명

06

공정안전보고서 제출대상 사업장을 4가지 쓰시오.(4점)

해답

① 원유정제 처리업
② 기타 석유정제물 재처리업
③ 석유화학계 기초화학물질 제조업 또는 합성수지 및 기타 플라스틱물질 제조업
④ 질소 화합물, 질소 인산 및 칼리질 화학비료 제조업 중 질소질 비료 제조
⑤ 복합비료 및 기타 화학비료 제조업 중 복합비료 제조(단순혼합 또는 배합에 의한 경우는 제외)
⑥ 화학살균 살충제 및 농업용 약제 제조업(농약 원제 제조만 해당)
⑦ 화약 및 불꽃제품 제조업

07

근로자수가 500명인 어느 회사에서 연간 10건의 재해가 발생하여 6명의 사상자가 발생하였다. 도수율(빈도율)과 연천인율을 구하시오.(단, 하루 9시간, 년간 250일 근로함) (4점)

해답 도수율과 연천인율

① 도수율 $= \dfrac{\text{요양재해건수}}{\text{연근로시간수}} \times 1,000,000 = \dfrac{10}{500 \times 9 \times 250} \times 10^{6} = 8.888 = 8.89$

② 연천인율 $= \dfrac{\text{연간재해자수}}{\text{연평균근로자수}} \times 1,000 = \dfrac{6}{500} \times 1,000 = 12$

08

교량의 설치·해체 또는 변경 작업을 하는 경우 작업계획서 내용을 4가지 쓰시오.(4점) (단, 그 밖에 안전·보건에 관련된 사항 제외)

해답 작업계획서 내용

① 작업 방법 및 순서
② 부재의 낙하·전도 또는 붕괴를 방지하기 위한 방법
③ 작업에 종사하는 근로자의 추락 위험을 방지하기 위한 안전조치 방법
④ 공사에 사용되는 가설 철구조물 등의 설치·사용·해체 시 안전성 검토 방법
⑤ 사용하는 기계 등의 종류 및 성능, 작업방법
⑥ 작업지휘자 배치계획

09

자율안전확인대상 기계 등에 해당하는 방호장치의 종류를 4가지 쓰시오.(4점)

해답 자율안전확인 대상 방호장치

① 아세틸렌 용접장치용 또는 가스집합 용접장치용 안전기
② 교류 아크용접기용 자동전격방지기
③ 롤러기 급정지장치
④ 연삭기 덮개
⑤ 목재 가공용 둥근톱 반발 예방장치와 날 접촉 예방장치
⑥ 동력식 수동대패용 칼날 접촉 방지장치
⑦ 추락·낙하 및 붕괴 등의 위험 방지 및 보호에 필요한 가설기자재로서 고용노동부장관이 정하여 고시하는 것

tip

2020년 법령개정으로 개정된 내용 적용.

10

로봇을 운전하는 경우 당해 로봇에 접촉함으로 근로자에게 위험이 발생할 우려가 있는 때에 사업주가 취해야 할 안전조치사항을 2가지 쓰시오.(4점)

해답

① 높이 1.8미터 이상의 울타리 설치
② 컨베이어 시스템의 설치 등으로 울타리를 설치할 수 없는 일부 구간
   – 안전매트 또는 광전자식 방호장치 등 감응형(感應形) 방호장치 설치

11

동기부여의 이론 중 허즈버그와 알더퍼의 이론을 상호비교한 아래의 표에서 빈칸에 알맞은 내용을 쓰시오. (5점)

욕구단계	허즈버그의 2요인 이론	알더퍼의 ERG이론
제5단계	①	③
제4단계		
제3단계		④
제2단계	②	⑤
제1단계		

해답

① 동기요인 ② 위생요인 ③ 성장욕구 ④ 관계욕구 ⑤ 존재 욕구

12

충전전로의 선간전압에 대한 접근한계거리를 쓰시오.(4점)

---

1) 충전전로 0.25kV 일 때 (①)　　2) 충전전로 1.5kV 일 때 (②)

3) 충전전로 22kV 일 때　(③)　　4) 충전전로 220kV 일 때 (④)

해답

① 접촉금지　② 45센티미터　③ 90센티미터　④ 230센티미터

tip

충전전로의 접근한계거리

충전전로의 선간전압 (단위 : 킬로볼트)	충전전로에 대한 접근한계거리 (단위 : 센티미터)
0.3 이하	접촉금지
0.3 초과 0.75 이하	30
0.75 초과 2 이하	45
2 초과 15 이하	60
15 초과 37 이하	90
37 초과 88 이하	110
88 초과 121 이하	130
121 초과 145 이하	150
145 초과 169 이하	170
169 초과 242 이하	230
242 초과 362 이하	380
362 초과 550 이하	550
550 초과 800 이하	790

13

구축물 또는 이와 유사한 시설물에 대하여 안전진단 등 안전성 평가를 하여 근로자에게 미칠 위험성을 미리 제거하여야 하는 경우를 3가지 쓰시오. (단, 그 밖의 잠재위험이 예상될 경우 제외)

해답 안전성 평가를 하여야 하는 경우

① 구축물등의 인근에서 굴착·항타작업 등으로 침하·균열 등이 발생하여 붕괴의 위험이 예상될 경우

② 구축물등에 지진, 동해, 부동침하 등으로 균열·비틀림 등이 발생했을 경우

③ 구축물등이 그 자체의 무게·적설·풍압 또는 그 밖에 부가되는 하중 등으로 붕괴 등의 위험이 있을 경우

④ 화재 등으로 구축물등의 내력이 심하게 저하됐을 경우

⑤ 오랜 기간 사용하지 않던 구축물등을 재사용하게 되어 안전성을 검토해야 하는 경우

⑥ 구축물등의 주요구조부에 대한 설계 및 시공 방법의 전부 또는 일부를 변경하는 경우

⑦ 그 밖의 잠재위험이 예상될 경우

01

사업주는 위험물을 기준량 이상으로 제조하거나 취급하는 경우에는 내부의 이상 상태를 조기에 파악하기 위하여 필요한 온도계·유량계·압력계 등의 계측장치를 설치하여야 한다. 해당되는 화학설비를 쓰시오.

해답

① 발열반응이 일어나는 반응장치
② 증류·정류·증발·추출 등 분리를 하는 장치
③ 가열시켜 주는 물질의 온도가 가열되는 위험물질의 분해온도 또는 발화점보다 높은 상태에서 운전되는 설비
④ 반응폭주 등 이상 화학반응에 의하여 위험물질이 발생할 우려가 있는 설비
⑤ 온도가 섭씨 350도 이상이거나 게이지 압력이 980킬로파스칼 이상인 상태에서 운전되는 설비
⑥ 가열로 또는 가열기

02

휴먼에러(Human Error)의 분류방법 중 심리적 분류(A.D.Swain)의 종류를 4가지 쓰시오.

해답 스웨인(A.D.Swain)의 심리적 분류

① Omission error	② Commission error	③ Sequential error
④ Time error	⑤ Extraneous error	

tip

스웨인(A.D.Swain)의 분류

생략에러(Omission error)	필요한 직무나 단계를 수행하지 않은(생략) 에러
착각수행에러(Commission error)	직무나 순서 등을 착각하여 잘못 수행(불확실한 수행)한 에러
순서에러(Sequential error)	직무 수행과정에서 순서를 잘못 지켜(순서착오) 발생한 에러
시간적에러(Time error)	정해진 시간내 직무를 수행하지 못하여(수행지연)발생한 에러
과잉행동에러(Extraneous error)	불필요한 직무 또는 절차를 수행하여 발생한 에러

03

안전관리자가 수행하여야 할 업무를 5가지 쓰시오.

해답 안전관리자의 업무

① 산업안전보건위원회 또는 안전·보건에 관한 노사협의체에서 심의·의결한 업무와 해당 사업장의 안전보건관리규정 및 취업규칙에서 정한 업무
② 안전인증대상 기계 등과 자율안전확인대상 기계 등 구입 시 적격품의 선정에 관한 보좌 및 지도·조언
③ 위험성평가에 관한 보좌 및 지도·조언
④ 해당 사업장 안전교육계획의 수립 및 안전교육 실시에 관한 보좌 및 지도·조언
⑤ 사업장 순회점검·지도 및 조치의 건의
⑥ 산업재해 발생의 원인 조사·분석 및 재발 방지를 위한 기술적 보좌 및 지도·조언
⑦ 산업재해에 관한 통계의 유지·관리·분석을 위한 보좌 및 지도·조언
⑧ 법 또는 법에 따른 명령으로 정한 안전에 관한 사항의 이행에 관한 보좌 및 지도·조언
⑨ 업무수행 내용의 기록·유지
⑩ 그 밖에 안전에 관한 사항으로서 고용노동부장관이 정하는 사항

04

다음 연삭기의 방호장치에 해당하는 각도를 쓰시오.

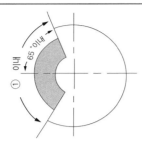

① 일반연삭작업 등에 사용하는 것을 목적으로 하는 탁상용 연삭기의 덮개 각도

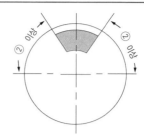

② 연삭숫돌의 상부를 사용하는 것을 목적으로 하는 탁상용 연삭기의 덮개 각도

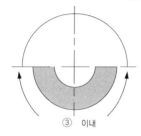

③ 휴대용 연삭기, 스윙연삭기, 스라브연삭기, 기타 이와 비슷한 연삭기의 덮개 각도

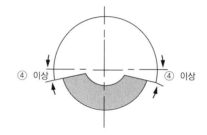

④ 평면연삭기, 절단연삭기, 기타 이와 비슷한 연삭기의 덮개 각도

해답

① 125° ② 60° ③ 180° ④ 15°

05

재해사례 연구순서를 5단계로 쓰시오.

해답

① 제1단계 : 재해상황의 파악   ② 제2단계 : 사실의 확인
③ 제3단계 : 문제점의 발견   ④ 제4단계 : 근본적 문제점 결정
⑤ 제5단계 : 대책수립

06

인간-기계 기능 체계의 기본기능 4가지를 쓰시오.

① 감지기능
② 정보보관기능
③ 정보처리 및 의사결정기능
④ 행동기능

07

압력용기의 안전검사 주기에 관한 내용이다. 내용에 맞는 주기를 쓰시오.

(1) 사업장에 설치가 끝난 날부터 (①)년 이내에 최초 안전검사를 실시한다.
(2) 최초안전검사 이후 매(②)년마다 안전검사를 실시한다.
(3) 공정안전보고서를 제출하여 확인을 받은 압력용기는 (③)년마다 안전검사를 실시한다.

① 3 ② 2 ③ 4

tip

① 안전검사의 주기

크레인(이동식크레인 제외), 리프트(이삿짐운반용리프트 제외) 및 곤돌라	사업장에 설치가 끝난 날부터 3년 이내에 최초 안전검사를 실시하되, 그 이후부터 2년마다(건설현장에서 사용하는 것은 최초로 설치한 날부터 6개월마다)
이동식크레인, 이삿짐운반용리프트, 고소작업대	자동차 관리법에 따른 신규 등록 이후 3년 이내에 최초 안전검사를 실시하되, 그 이후부터는 2년마다
프레스, 전단기, 압력용기, 국소배기장치, 원심기, 롤러기, 사출성형기, 컨베이어 및 산업용 로봇	사업장에 설치가 끝난 날부터 3년 이내에 최초 안전검사를 실시하되, 그 이후부터 2년마다(공정안전보고서를 제출하여 확인을 받은 압력용기는 4년마다)

② 2020년 법령개정으로 개정된 내용 적용.

08

다음 내용에 맞는 안전계수를 쓰시오.

근로자가 탑승하는 운반구를 지지하는 달기와이어로프 또는 달기체인의 경우	(①) 이상
화물의 하중을 직접 지지하는 경우 달기와이어로프 또는 달기체인의 경우	(②) 이상
훅, 샤클, 클램프, 리프팅 빔의 경우	(③) 이상
그 밖의 경우	(④) 이상

해답

① 10 ② 5 ③ 3 ④ 4

tip

와이어로프의 안전계수는 그 절단하중의 값을 와이어로프에 걸리는 하중의 최대값으로 나눈 값이다.

09

방진마스크의 시험성능 기준에 있는 여과재분진 등 포집효율에 관한 다음 내용중 ( )에 알맞은 내용을 쓰시오.

종류	등급	염화나트륨(NaCl) 및 파라핀오일(Paraffin oil)시험(%)
분리식	특급	(①)% 이상
	1급	94.0% 이상
	2급	(②)% 이상
안면부여과식	특급	(③)% 이상
	1급	94.0% 이상
	2급	(④)% 이상

해답

① 99.95 ② 80 ③ 99.0 ④ 80.0

10

히빙이 발생하기 쉬운 지반형태와 발생원인을 2가지 쓰시오. (3점)

(1) 지반형태 : 연약성 점토지반
(2) 발생원인
  ① 유동성이 큰 연약한 점토지반에서 굴착 중 흙막이 근입 깊이가 충분하지 못하여 흙막이 바깥쪽 지반의 활동력이 안쪽 지반의 저항력보다 큰 경우
  ② 유동성이 큰 연약한 점토지반에서 굴착 중 흙막이 지보공의 강성이 부족하여 흙막이 외부의 유동성이 큰 토사의 토압으로 인해 터파기 면으로 연약지반이 밀려 올라오는 경우
  ③ 유동성이 큰 연약한 점토지반에서 굴착 중 지표면(원지반)의 하중이 증가하거나 굴착면의 하중이 감소하여 흙막이 바깥쪽 지반의 활동력이 안쪽 지반의 저항력보다 큰 경우

11

광전자식 방호장치가 설치된 마찰클러치식 기계프레스에서 급정지시간이 200ms로 측정 되었을 경우 안전거리(mm)를 구하시오. (5점)

① $D = 1600 \times (Tc + Ts) = 1600 \times$ 급정지시간(초)

  D : 안전거리(mm)

  Tc : 방호장치의 작동시간[즉 손이 광선을 차단했을 때부터 급정지기구가 작동을 개시할 때까지의 시간 (초)]

  Ts : 프레스의 최대정지시간[즉 급정지기구가 작동을 개시했을 때부터 슬라이드가 정지할 때까지의 시간 (초)]

② $D = 1600 \times 200 \times \dfrac{1}{1000} = 320$(mm)

tip

접근 반응형 방호장치

① 위험 범위 내로 신체가 접근할 경우 이를 감지하여 즉시 기계의 작동을 정지시키거나 전원이 차단되도록 하는 방법
② 프레스의 광 전자식

12

교류 아크 용접기에 설치하는 자동전격방지기 설치시 요령 및 유의 사항 3가지를 쓰시오 (3점)

해답

① 직각으로 부착할 것(부득이할 경우 직각에서 20°를 넘지 않을 것)
② 용접기의 이동·진동·충격으로 이완되지 않도록 이완 방지 조치를 취할 것
③ 작동 상태를 알기 위한 표시등은 보기쉬운 곳에 설치할 것
④ 작동 상태를 실험하기 위한 테스트 스위치는 조작하기 쉬운 곳에 설치할 것

13

구안법(project method)의 장점을 쓰시오.

해답 구안법의 장점

① 학습활동에 대한 확실한 동기부여(학습자의 흥미에서 시작)
② 자발적이고 능동적인 학습활동 (학습자가 계획)
③ 창조적인 태도 형성에 도움(결과를 만들어 내는 실천적인 면을 중시)
④ 학교생활과 실제생활의 연결(현실생활의 실천적 문제해결)
⑤ 만족감과 성취감 제공 (스스로 계획하고 실천하는 활동)

01

상시근로자 50명이 작업하는 어느 사업장에서 년간 재해건수 8건, 재해자수 10명이 발생하였으며, 휴업일수가 219일이었다. 도수율과 강도율을 구하시오.(단, 근로시간은 1일 9시간, 년간 280일)

해답

① 도수율$(F.R) = \dfrac{재해건수}{연간총근로시간수} \times 1,000,000$

$\quad = \dfrac{8}{50 \times 9 \times 280} \times 10^6 = 63.49$

② 강도율$(S.R) = \dfrac{근로손실일수}{연간총근로시간수} \times 1,000$

$\quad = \dfrac{219 \times \frac{280}{365}}{50 \times 9 \times 280} \times 1,000 = 1.33$

02

다음에 주어진 안전·보건표지의 명칭을 쓰시오.

①	②	③
④	⑤	⑥

해답

① 사용금지	② 인화성물질 경고	③ 방사성물질 경고
④ 낙하물 경고	⑤ 들것	⑥ 산화성물질 경고

03

미 국방성의 위험성 평가에서 분류한 재해의 위험수준(MIL-STD-882B)을 4가지 범주로 설명하시오.

해답 위험성의 분류

범주 I	파국적(catastrophic : 대재앙)	인원의 사망 또는 중상, 또는 완전한 시스템 손실
범주 II	위기적(critical : 심각한)	인원의 상해 또는 중대한 시스템의 손상으로 인원이나 시스템 생존을 위해 즉시 시정조치 필요
범주 III	한계적(marginal : 경미한)	인원의 상해 또는 중대한 시스템의 손상 없이 배제 또는 제어 가능
범주 IV	무시(negligible : 무시할만한)	인원의 손상이나 시스템의 손상은 초래하지 않는다.

04

접지시스템의 구분에서 계통접지의 종류를 3가지 쓰고, 접지시스템의 종류를 3가지 쓰시오.

해답

(1) 계통접지의 종류 : ① TN 계통   ② TT 계통   ③ IT 계통
(2) 접지시스템의 종류 : ① 단독접지   ② 공통접지   ③ 통합접지

tip

2021년 법령개정으로 개정된 내용 적용.

05

밀폐공간에서 작업할 경우 실시해야하는 특별안전보건교육의 내용 4가지와 연간 교육시간을 쓰시오.(단, 그 밖에 안전보건관리에 필요한 사항은 제외)

해답

(1) 교육내용
  ① 산소농도 측정 및 작업환경에 관한 사항
  ② 사고시의 응급처치 및 비상시 구출에 관한 사항
  ③ 보호구 착용 및 보호 장비 사용에 관한 사항
  ④ 작업내용·안전작업 방법 및 절차에 관한 사항
  ⑤ 장비·설비 및 시설 등의 안전점검에 관한 사항

(2) 교육시간

일용근로자 및 근로계약기간이 1주일 이하인 기간제근로자	2시간 이상
일용근로자 및 근로계약기간이 1주일 이하인 기간제근로자를 제외한 근로자	– 16시간 이상 – 단기간 작업 또는 간헐적 작업인 경우에는 2시간 이상

tip

2023년 법령개정. 문제 및 해답은 개정된 내용 적용.

06

직렬로 접속되어 있는 A, B, C 의 발생확률이 각각 0.15일 경우, 고장사상을 정상사상으로 하는 FT도를 그리고 발생확률을 구하시오.

해답

① FT도

② 발생확률
  T = 1 − (1 − 0.15)(1 − 0.15)(1 − 0.15) = 0.386 = 0.39

07

자율안전확인 안전기에 자율안전확인의 표시에 따른 표시 외에 추가로 표시해야 할 사항을 2가지 쓰시오.

해답

① 가스의 흐름 방향   ② 가스의 종류

08

비, 눈, 그 밖의 기상상태의 악화로 작업을 중지시킨후 또는 비계를 조립, 해체하거나 변경한 후에 그 비계에서 작업을 하는 경우 해당 작업을 시작하기 전에 점검해야 할 사항을 6가지 쓰시오.

해답

① 발판재료의 손상여부 및 부착 또는 걸림상태
② 당해 비계의 연결부 또는 접속부의 풀림상태
③ 연결재료 및 연결철물의 손상 또는 부식상태
④ 손잡이의 탈락여부
⑤ 기둥의 침하·변형·변위 또는 흔들림 상태
⑥ 로프의 부착상태 및 매단장치의 흔들림 상태

09

산업안전보건법에 따른 산업안전보건위원회의 심의 의결사항을 4가지 쓰시오.

해답

① 사업장의 산업재해예방계획의 수립에 관한 사항
② 안전보건관리규정의 작성 및 변경에 관한 사항
③ 근로자에 대한 안전·보건교육에 관한 사항
④ 작업환경 측정 등 작업환경의 점검 및 개선에 관한 사항
⑤ 근로자의 건강진단 등 건강관리에 관한 사항
⑥ 산업재해의 원인조사 및 재발방지대책 수립에 관한 사항중 중대재해에 관한 사항
⑦ 산업재해에 관한 통계의 기록 및 유지에 관한 사항
⑧ 유해하거나 위험한 기계기구와 그 밖의 설비를 도입한 경우 안전 및 보건관련 조치에 관한 사항
⑨ 그 밖에 해당 사업장 근로자의 안전 및 보건을 유지·증진시키기 위하여 필요한 사항

10

안전인증 대상 기계기구를 5가지 쓰시오.(단, 세부사항까지 작성하고, 프레스, 크레인은 제외한다)

① 전단기 및 절곡기　　② 리프트
③ 압력용기　　　　　　④ 롤러기
⑤ 사출성형기　　　　　⑥ 고소 작업대
⑦ 곤돌라

11

위험물에 해당하는 급성독성물질의 다음에 해당하는 기준치를 쓰시오.

① LD50(경구, 쥐)

② LD50(경피, 토끼 또는 쥐)

③ 가스 LC50(쥐, 4시간 흡입)

④ 증기 LC50(쥐, 4시간 흡입)

급성 독성물질

① LD50(경구, 쥐) : 킬로그램당 300밀리그램(체중) 이하인 화학물질

② LD50(경피, 토끼 또는 쥐) : 킬로그램당 1000밀리그램(체중) 이하인 화학물질

③ 가스 LC50(쥐, 4시간 흡입) : 2,500ppm 이하인 화학물질

④ 증기 LC50(쥐, 4시간 흡입) : 10mg/ℓ 이하인 화학물질

2014년 기출

12

프레스의 손쳐내기식 방호장치의 설치방법에 관한 사항이다. (   )에 맞는 내용을 쓰시오.

> (1) 슬라이드 하행정거리의 (①) 위치에서 손을 완전히 밀어내어야 한다.
> (2) 방호판의 폭은 금형폭의 (②) 이상이어야 하고, 행정길이가 300mm 이상의 프레스기계에는 방호판 폭을 (③)mm로 해야 한다.

해답

① 3/4 ② 1/2 ③ 300

13

양중기에 사용하는 달기체인의 사용금지 기준을 2가지 쓰시오.

해답

① 달기체인의 길이가 달기체인이 제조된 때의 길이의 5퍼센트를 초과한 것
② 링의 단면지름이 달기체인이 제조된 때의 해당 링의 지름의 10퍼센트를 초과하여 감소한 것
③ 균열이 있거나 심하게 변형된 것

tip

양중기 와이어로프의 사용금지 조건
① 이음매가 있는 것
② 와이어로프의 한 꼬임(스트랜드)에서 끊어진 소선(필러선 제외)의 수가 10% 이상인 것
③ 지름의 감소가 공칭지름의 7%를 초과하는 것
④ 꼬인 것
⑤ 심하게 변형되거나 부식된 것
⑥ 열과 전기충격에 의해 손상된 것

01

이황화탄소의 폭발상한계가 44.0(vol%)이고, 폭발하한계가 1.2(vol%)라면, 이황화탄소의 위험도를 계산하시오.

해답

위험도 $H = \dfrac{UFL - LFL}{LFL}$

여기서 UFL : 연소 상한값, LFL : 연소 하한값, H : 위험도

$\therefore H = \dfrac{44.0 - 1.2}{1.2} = 35.67$

02

휴대용 목재가공용 둥근톱기계의 방호장치와 설치방법에서 덮개에 대한 구조조건을 3가지 쓰시오.

해답

① 절단작업이 완료되었을 때 자동적으로 원위치에 되돌아오는 구조일 것
② 이동범위를 임의의 위치로 고정할 수 없을 것
③ 휴대용 둥근톱 덮개의 지지부는 덮개를 지지하기 위한 충분한 강도를 가질 것
④ 휴대용 둥근톱 덮개의 지지부의 볼트 및 이동덮개가 자동적으로 되돌아오는 기계의 스프링 고정볼트는 이완방지장치가 설치되어 있는 것일 것

tip

휴대용 둥근톱 가공덮개와 톱날 노출각이 45도 이내이어야 한다.

03

재해분석방법으로 개별분석방법과 통계에 의한 분석방법이 있다. 통계적인 분석방법 2가지만 쓰고, 각각의 방법에 대해 설명하시오.

해답

① 파레토도(Pareto diagram) : 관리 대상이 많은 경우 최소의 노력으로 최대의 효과를 얻을 수 있는 방법(분류항목을 큰 값에서 작은 값의 순서로 도표화 하는데 편리)
② 특성요인도 : 특성과 요인관계를 어골상으로 세분하여 연쇄관계를 나타내는 방법 (원인요소와의 관계를 상호의 인과관계만으로 결부)
③ 크로스(Cross)분석 : 두가지 또는 그 이상의 요인이 서로 밀접한 상호관계를 유지할 때 사용되는 방법

tip

관리도

재해 발생건수 등의 추이파악 → 목표관리 행하는데 필요한 월별재해 발생 수의 그래프화 → 관리 구역 설정 → 관리하는 방법

04

차량계 하역운반기계 운전자가 운전위치 이탈시 준수해야 할 사항 2가지를 쓰시오.

해답

① 포크, 버킷, 디퍼 등의 장치를 가장 낮은 위치 또는 지면에 내려 둘 것
② 원동기를 정지시키고 브레이크를 확실히 거는 등 차량계 하역운반기계등, 차량계 건설기계의 갑작스러운 이동을 방지하기 위한 조치를 할 것
③ 운전석을 이탈하는 경우에는 시동키를 운전대에서 분리시킬 것. 다만, 운전석에 잠금장치를 하는 등 운전자가 아닌 사람이 운전하지 못하도록 조치한 경우는 그렇지 않다.

tip

2024년 개정된 법령 적용

05

산업안전보건법상 유해·위험 방지를 위한 방호조치를 해야만 하는 다음 보기의 기계·기구에 설치해야 할 방호장치를 쓰시오.

─────[보기]─────

① 예초기 ② 원심기 ③ 공기압축기 ④ 금속절단기 ⑤ 지게차

해답

① 예초기 : 날접촉예방장치
② 원심기 : 회전체 접촉 예방장치
③ 공기압축기 : 압력방출장치
④ 금속절단기 : 날접촉예방장치
⑤ 지게차 : 헤드가드, 백레스트, 전조등, 후미등, 안전밸트

tip

포장기계(진공포장기, 랩핑기로 한정) : 구동부 방호 연동장치

06

양중기에 사용하는 와이어로프의 사용금지 기준을 3가지 쓰시오.(단, 꼬인 것, 부식된 것, 변형된 것은 제외한다)

해답

① 이음매가 있는 것
② 와이어로프의 한 꼬임(스트랜드)에서 끊어진 소선(필러선 제외)의 수가 10% 이상인 것
③ 지름의 감소가 공칭지름의 7%를 초과하는 것
④ 열과 전기충격에 의해 손상된 것

tip

달기체인의 사용금지 기준
① 달기체인의 길이가 달기체인이 제조된 때의 길이의 5퍼센트를 초과한 것
② 링의 단면지름이 달기체인이 제조된 때의 해당 링의 지름의 10퍼센트를 초과하여 감소한 것
③ 균열이 있거나 심하게 변형된 것

07

암실에서 정지된 작은 광점이나 밤하늘의 별들을 응시하면 움직이는 것처럼 보이는 현상을 운동의 착각현상 중 '자동운동'이라 한다. 자동운동이 생기기 쉬운 조건을 3가지 쓰시오.

해답

① 광점이 작을수록
② 시야의 다른 부분이 어두울수록
③ 광의 강도가 작을수록
④ 대상이 단순할수록

tip

착각현상의 종류
① 자동운동
② 유도운동
③ 가현운동

08

Fool proof의 대표적인 기구인 가드에 해당하는 고정가드와 인터록 가드에 대하여 간단히 설명하시오.

해답

① 고정 가드(Fixed Guard) : 개구부로부터 가공물과 공구 등을 넣어도 손은 위험영역에 머무르지 않는 형태
② 인터록 가드(Interlock Guard) : 기계가 작동중에 개폐되는 경우 정지하는 형태

tip ①

① 조절 가드(Adjustable Guard) : 가공물과 공구에 맞도록 형상과 크기를 조절하는 형태
② 경고 가드(Warning Guard) : 손이 위험영역에 들어가기 전에 경고를 하는 형태

tip ②

Fool proof의 대표적인 기구
① 가드(Guard)
② 록기구(Lock기구)
③ 오버런기구(Overrun기구)
④ 트립 기구(Trip 기구)
⑤ 밀어내기기구(Push&Pull 기구)
⑥ 기동방지 기구

09

다음 보기에 해당하는 재해 발생 형태별 분류를 쓰시오.

─────── [보기] ───────

① 재해자가 구조물 상부에서 「전도(넘어짐)」로 인하여 「추락(떨어짐)」되어 두개골 골절이 발생한 경우

② 재해자가 「전도(넘어짐)」 또는 「추락(떨어짐)」으로 물에 빠져 익사한 경우

해답

① 추락(떨어짐)　　② 유해·위험물질 노출·접촉

10

산업현장에서 사용되는 출입금지 표지판의 배경반사율이 80%이고 관련 그림의 반사율이 20%일 경우 표지판의 대비를 구하시오.

해답

① 공식 : 대비(%) $= \dfrac{\text{배경의 광도}(L_b) - \text{표적의 광도}(L_t)}{\text{배경의 광도}(L_b)} \times 100$

② 계산식 : $\dfrac{80-20}{80} \times 100 = 75(\%)$

11

[보기]의 교류아크용접기의 자동전격방지기 표시사항을 상세히 기술하시오.

―――― [보기] ――――

SP−3A−H

해답 자동전격 방지기 표시사항

① SP : 외장형
② 3 : 300A
③ A : 용접기에 내장되어 있는 콘덴서의 유무에 관계없이 사용할 수 있는 것
④ H : 고저항시동형

12

보호구에 관한 규정에서 정의한 다음 설명에 해당하는 용어를 쓰시오.

① 유기화합물용 보호복에 있어 화학물질이 보호복의 재료의 외부 표면에 접촉된 후 내부로 확산하여 내부 표면으로부터 탈착되는 현상
② 방독마스크에 있어 대응하는 가스에 대하여 정화통 내부의 흡착제가 포화상태가 되어 흡착능력을 상실한 상태

해답

① 투과(permeation)　② 파과

13

다음의 표를 참고하여 열압박지수(HSI), 작업지속시간(WT), 휴식시간(RT)을 구하시오(단, 체온상승 허용치는 1℃를 250Btu로 환산한다.)

열부하원	작업환경	휴식장소
대사	1500	320
복사	1000	−200
대류	50	−500
E_{max}	1500	1200

해답

① E_{req}(소요증발열손실)$=M($대사$)+R($복사$)+C($대류$)=1500+1000+50=2,550[\text{Btu/hr}]$

② $E'_{req}=M($대사$)+R($복사$)+C($대류$)=320+(-200)+(-500)=-380[\text{Btu/hr}]$

③ $HSI=\dfrac{E_{req}}{E_{max}}\times100\%=\dfrac{2,550}{1,500}\times100=170\%$

④ $WT=\dfrac{250}{E_{req}-E_{max}}=\dfrac{250}{2,550-1,500}=0.24[\text{시간}]$

⑤ $RT=\dfrac{250}{E'_{max}-E'_{req}}=\dfrac{250}{1,200-(-380)}=0.158=0.16[\text{시간}]$

01

A사업장의 도수율이 4이고 지난 한해 동안 5건의 재해로 인하여 15명의 재해자가 발생하였고 350일의 근로손실일수가 발생하였을 경우 강도율을 구하시오.

해답

① 도수율 $= \dfrac{\text{재해건수}}{\text{연간 총근로 시간수}} \times 1{,}000{,}000$

연간 총근로시간수 $= \dfrac{\text{재해건수}}{\text{도수율}} \times 1{,}000{,}000 = \dfrac{5}{4} \times 10^6 = 1{,}250{,}000(\text{시간})$

② 강도율$(S.R) = \dfrac{\text{근로손실일수}}{\text{연간 총근로 시간수}} \times 1{,}000 = \dfrac{350}{1{,}250{,}000} \times 1{,}000 = 0.28$

02

굴착면의 기울기 기준에 관한 다음 사항에서 ( )에 알맞은 내용을 쓰시오.

지반의 종류	모래	연암 및 풍화암	경암	그 밖의 흙
굴착면의 기울기	(①)	(②)	(③)	(④)

해답

① 1 : 1.8   ② 1 : 1.0   ③ 1 : 0.5   ④ 1 : 1.2

tip

2023년 법령개정. 문제 및 해답은 개정된 내용 적용.

03

Fool proof의 대표적인 기구를 5가지 쓰시오.

① 가드(Guard)
② 록기구(Lock기구)
③ 오버런기구(Overun기구)
④ 트립 기구(Trip 기구)
⑤ 밀어내기기구(Push&Pull 기구)
⑥ 기동방지 기구

04

공정안전보고서 내용에 포함하여야 할 사항을 4가지 쓰시오.

① 공정안전자료	② 공정위험성평가서
③ 안전운전계획	④ 비상조치계획

05

인간의 주의에 대한 다음 특성에 대하여 설명하시오.

주의의 특성

선택성	동시에 두개 이상의 방향에 집중하지 못하고 소수의 특정한 것에 한하여 선택한다.
변동성	고도의 주의는 장시간 지속할 수 없고 주기적으로 부주의 리듬이 존재한다.
방향성	한 지점에 주의를 집중하면 주변 다른 곳의 주의는 약해진다(주시점만 인지)

06

산업안전보건법상 위험물의 종류에 관한 사항이다. 괄호에 알맞은 내용을 쓰시오.

> (1) 인화성액체 : 에틸에테르, 가솔린, 아세트알데히드, 산화프로필렌, 그 밖에 인화점이 섭씨 (①) 미만이고 초기 끓는점이 섭씨 35도 이하인 물질
>
> (2) 크렌실, 아세트산아밀, 등유, 경유, 테레핀유, 이소아밀알코올, 아세트산, 하이드라진, 그 밖에 인화점이 섭씨 (②) 이상 섭씨 60도 이하인 물질
>
> (3) 부식성산류 : 농도가 (③)퍼센트 이상인 염산, 황산, 질산, 그 밖에 이와 같은 정도 이상의 부식성을 가지는 물질
>
> (4) 부식성 산류 : 농도가 (④)퍼센트 이상인 인산, 아세트산, 불산, 그 밖에 이와 같은 정도 이상의 부식성을 가지는 물질

해답

① 23도   ② 23도   ③ 20   ④ 60

tip

① 인화성액체 : 노르말헥산, 아세톤, 메틸에틸케톤, 메틸알코올, 에틸알코올, 이황화탄소, 그 밖에 인화점이 섭씨 23도 미만이고 초기 끓는점이 섭씨 35도를 초과하는 물질

② 부식성 염기류 : 농도가 40퍼센트 이상인 수산화나트륨, 수산화칼륨, 그 밖에 이와 같은 정도 이상의 부식성을 가지는 염기류

07

MTBF, MTTF, MTTR의 용어에 대해 설명하시오.

해답

① MTBF(mean time between failure/평균 고장 간격) : 평균수명으로 시스템을 수리해 가면서 사용하는 경우 한 번 고장난 후 다음 고장이 날 때까지 평균적으로 얼마나 걸리는지를 나타내는 것으로 동작시간의 평균치이다(고장률과는 역수관계)

② MTTF(mean time to failure/평균 고장 수명) : 평균수명으로 수리하지 않는(수리 불가능한) 부품 등의 사용 시작으로부터 고장 날 때까지의 동작 시간의 평균치로 길수록 우수한 장비라 할 수 있다.

③ MTTR(Mean Time to Repair/평균 수리 시간) : 설비의 고장이 발생한 시점부터 다시 운영 가능한 상태로 회복시킬 때 까지 수리하는 데 소요되는 고장수리(복구)시간으로 짧을수록 우수한 장비라 할 수 있다.

08

근로자가 착용하는 보호구 중 가죽제안전화의 성능시험 종류를 4가지 쓰시오.

해답

① 내압박성시험	② 내충격성시험
③ 박리저항시험	④ 내답발성시험
⑤ 은면결렬시험	⑥ 인열강도시험
⑦ 6가크롬함량	⑧ 내부식성시험
⑨ 인장강도시험	⑩ 내유성시험 등

09

접지 시스템의 구성요소를 3가지 쓰시오.

해답

① 접지극   ② 접지도체   ③ 보호도체 및 기타 설비

10

토사 등이 떨어질 우려가 있는 위험한 장소에서 견고한 낙하물 보호구조를 갖춰야할 차량계건설기계의 종류를 5가지 쓰시오.

해답

① 불도저
② 트랙터
③ 굴착기
④ 로더(loader: 흙 따위를 퍼올리는 데 쓰는 기계)
⑤ 스크레이퍼(scraper : 흙을 절삭·운반하거나 펴 고르는 등의 작업을 하는 토공기계)
⑥ 덤프트럭
⑦ 모터그레이더(motor grader : 땅 고르는 기계)
⑧ 롤러(roller : 지반 다짐용 건설기계)
⑨ 천공기
⑩ 항타기 및 항발기

11

산업안전보건법상 신규·보수 교육 대상자를 4명 쓰시오.

해답

① 안전보건관리책임자
② 안전관리자, 안전관리전문기관의 종사자
③ 보건관리자, 보건관리전문기관의 종사자
④ 재해예방전문지도기관 종사자

tip

안전보건관리책임자 등에 대한 교육(2020년 개정된 내용임)

교육대상	교육시간	
	신규	보수
안전보건관리책임자	6시간 이상	6시간 이상
안전관리자, 안전관리전문기관의 종사자	34시간 이상	24시간 이상
보건관리자, 보건관리전문기관의 종사자	34시간 이상	24시간 이상
재해예방전문지도기관의 종사자	34시간 이상	24시간 이상
석면조사기관의 종사자	34시간 이상	24시간 이상
안전보건관리담당자	—	8시간 이상
안전검사기관, 자율안전검사기관의 종사자	34시간 이상	24시간 이상

12

다음 보기의 설명에 해당하는 내용을 쓰시오.

[보기]

① 단조로운 업무가 장시간 지속될 때 작업자의 감각기능 및 판단기능이 둔화 또는 마비되는 현상을 말한다.

② 작업대사량과 기초대사량의 비를 나타내는 것으로 여기서 작업대사량은 작업시 소비된 에너지와 안정시 소비된 에너지와의 차를 말한다.

③ 인간·기계시스템의 신뢰도에서 기계의 결함을 찾아내어 고장률을 안정시키는 기간을 말한다.

④ 인간 또는 기계의 과오나 동작상의 실수가 있어도 사고를 발생시키지 않도록 2중, 3중으로 통제를 가하는 것을 말한다.

해답

① 감각차단현상   ② R.M.R(에너지소비량)   ③ 디버깅기간   ④ 페일세이프(fail-safe)

13

프레스의 손쳐내기식 방호장치의 설치방법에 관한 사항이다. ( )에 맞는 내용을 쓰시오.(4점)

---
(1) 슬라이드 하행정거리의 (①) 위치에서 손을 완전히 밀어내어야 한다.

(2) 방호판의 폭은 (②)의 (③)이어야 하고, 행정길이가 (④)mm 이상의 프레스기계에는 방호판 폭을 300mm로 해야 한다.

해답   **손쳐내기식 방호장치**

① 3/4   ② 금형폭   ③ 1/2 이상   ④ 300

01
산업안전보건법에서 정하고 있는 승강기의 종류를 4가지 쓰시오.

해답 승강기의 종류

① 승객용 엘리베이터　②승객 화물용 엘리베이터　③화물용 엘리베이터
④소형 화물용 엘리베이터　⑤에스컬레이터

tip

양중기의 종류(2019년 법령개정으로 개정된 내용 적용)
① 크레인[호이스트(hoist)를 포함]　②이동식 크레인　③리프트
④ 곤돌라　⑤승강기

02
안전관리자의 업무를 4가지 쓰시오.

해답 안전관리자의 업무

① 산업안전보건위원회 또는 안전·보건에 관한 노사협의체에서 심의·의결한 업무와 해당 사업장의 안전보건관리규정 및 취업규칙에서
　정한 업무
② 안전인증대상 기계 등과 자율안전확인대상 기계 등 구입 시 적격품의 선정에 관한 보좌 및 지도·조언
③ 위험성평가에 관한 보좌 및 지도·조언
④ 해당 사업장 안전교육계획의 수립 및 안전교육 실시에 관한 보좌 및 지도·조언
⑤ 사업장 순회점검·지도 및 조치의 건의
⑥ 산업재해 발생의 원인 조사·분석 및 재발 방지를 위한 기술적 보좌 및 지도·조언
⑦ 산업재해에 관한 통계의 유지·관리·분석을 위한 보좌 및 지도·조언
⑧ 법 또는 법에 따른 명령으로 정한 안전에 관한 사항의 이행에 관한 보좌 및 지도·조언
⑨ 업무수행 내용의 기록·유지
⑩ 그 밖에 안전에 관한 사항으로서 고용노동부장관이 정하는 사항

03

건구온도 30도, 습구온도 20도 일 경우 옥스퍼드(Oxford) 지수를 구하시오.(4점)

$WD = 0.85W + 0.15D$

∴ 옥스퍼드(Oxford) 지수 = (0.85 × 20) + (0.15 × 30) = 21.5

tip

습건(WD) 지수라고도 부르며, 습구온도(W)와 건구온도(D)의 가중 평균치로 정의

04

허즈버그의 두 요인이론에서 위생요인과 동기요인에 해당되는 내용을 각각 3가지 쓰시오. (6점)

해답 위생요인과 동기요인

(1) 위생요인

| ① 조직의 정책과 방침 | ② 작업조건 | ③ 대인관계 |
| ④ 임금, 신분, 지위 | ⑤ 감독 등 | |

(2) 동기요인

| ① 직무상의 성취 | ② 인정 | ③ 성장 또는 발전 |
| ④ 책임의 증대 | ⑤ 도전 | ⑥ 직무내용자체(보람된직무) 등 |

05

산업안전보건법상 지게차의 작업시작전 점검사항 4가지를 쓰시오.

해답

① 제동장치 및 조종장치 기능의 이상유무
② 하역장치 및 유압장치 기능의 이상유무
③ 바퀴의 이상유무
④ 전조등·후미등·방향지시기 및 경보장치 기능의 이상유무

06

아세틸렌 용접장치를 사용하여 금속의 용접, 용단 또는 가열작업을 하는 경우의 준수사항이다. ( )에 알맞은 내용을 넣으시오.

발생기에서 (①)m 이내 또는 발생기실에서 (②)m 이내의 장소에서는 흡연, 화기의 사용 또는 불꽃이 발생할 위험한 행위를 금지시킬 것

해답

① 5 ② 3

07

산업안전보건법상 사업장에 안전보건관리규정을 작성하고자 할때 포함되어야할 사항을 4가지 쓰시오. (단, 그 밖에 안전보건에 관한 사항은 제외한다.)

해답 **안전보건관리규정에 포함되어야 할 사항**

① 안전 및 보건에 관한 관리조직과 그 직무에 관한 사항
② 안전보건교육에 관한 사항
③ 작업장의 안전 및 보건관리에 관한 사항
④ 사고조사 및 대책수립에 관한 사항
⑤ 그 밖에 안전 및 보건에 관한 사항

08

산업안전보건법상 안전인증 대상 방호장치의 종류를 4가지 쓰시오.

① 프레스 및 전단기 방호장치
② 양중기용 과부하방지장치
③ 보일러 압력방출용 안전밸브
④ 압력용기 압력방출용 안전밸브
⑤ 압력용기 압력방출용 파열판
⑥ 절연용 방호구 및 활선작업용 기구
⑦ 방폭구조 전기기계·기구 및 부품
⑧ 추락·낙하 및 붕괴 등의 위험 방지 및 보호에 필요한 가설기자재로서 고용노동부장관이 정하여 고시하는 것
⑨ 충돌·협착 등의 위험방지에 필요한 산업용 로봇 방호장치로서 고용노동부장관이 정하여 고시하는 것

tip

2020년 법령개정으로 개정된 내용 적용.

09

휘발유 저장탱크에 표시해야 할 안전보건표지에 관한 다음 사항에 답하시오.

① 표지종류   ② 바탕색   ③ 그림색   ④ 기본모형색   ⑤ 모양

① 표지종류 : 경고표지
② 바탕색 : 무색
③ 그림색 : 검은색
④ 기본모형색 : 빨간색
⑤ 모양(형태) : 마름모

10

전압을 구분하는 다음의 기준에서 (   )에 알맞은 내용을 쓰시오.

전원의 종류	저압	고압	특고압
직류 [DC]	(①)	(②)	(③)
교류 [AC]	(④)	(⑤)	7,000V 초과

해답

① 1,500V 이하
② 1,500V 초과 7,000V 이하
③ 7,000V 초과
④ 1,000V 이하
⑤ 1,000V 초과 7,000V 이하

tip

2021년 법령개정으로 개정된 내용 적용.

11

NATM공법에 의한 터널공사 시 계측방법의 종류를 4가지 쓰시오.

해답

① 터널내 육안조사
② 내공변위 측정
③ 천단침하 측정
④ 록 볼트 인발시험
⑤ 지표면 침하측정
⑥ 지중변위 측정
⑦ 지중침하 측정
⑧ 지중수평변위 측정
⑨ 지하수위 측정
⑩ 록 볼트 축력측정
⑪ 뿜어붙이기 콘크리트 응력측정
⑫ 터널내 탄성파 속도 측정
⑬ 주변 구조물의 변형상태 조사

12

가스폭발 위험장소 또는 분진폭발 위험장소에 설치되는 건축물 등에 대해서는 산업안전보건법에서 정하고 있는 해당하는 부분을 내화구조로 하여야 하며, 그 성능이 항상 유지될 수 있도록 점검·보수 등 적절한 조치를 하여야 한다. 여기에 해당하는 부분을 2가지 쓰시오.

해답

① 건축물의 기둥 및 보 : 지상 1층(지상 1층의 높이가 6미터를 초과하는 경우에는 6미터)까지
② 위험물 저장·취급용기의 지지대(높이가 30센티미터 이하인 것은 제외한다) : 지상으로부터 지지대의 끝부분까지
③ 배관·전선관 등의 지지대 : 지상으로부터 1단(1단의 높이가 6미터를 초과하는 경우에는 6미터)까지

13

다음은 사업장 위험성 평가에 관한 용어의 정의이다. 해당하는 용어를 쓰시오.

① 유해·위험요인을 일으킬 잠재적 가능성이 있는 것의 고유한 특징이나 속성을 말한다.
② 유해·위험요인이 사망, 부상 또는 또는 질병으로 이어질 수 있는 가능성과 중대성 등을 고려한 위험의 정도를 말한다.
③ 사업주가 스스로 유해·위험요인을 파악하고 해당 유해·위험요인의 위험성 수준을 결정하여, 위험성을 낮추기 위한 적절한 조치를 마련하고 실행하는 과정을 말한다..

해답

① 유해·위험요인 ② 위험성 ③ 위험성 평가

tip
2023년 법령개정으로 개정된 내용 적용.

01
산업안전보건법상의 건강진단의 종류 5가지를 쓰시오

해답 건강진단의 종류

① 일반건강진단 ② 특수건강진단 ③ 배치전건강진단
④ 수시건강진단 ⑤ 임시건강진단

02
분진폭발의 과정에 해당하는 다음 내용을 보고 폭발의 순서를 쓰시오.

[보기]

① 입자표면 열분해 및 기체발생   ② 주위의 공기와 혼합
③ 입자표면 온도상승   ④ 폭발열에 의하여 주위 입자 온도상승 및 열분해
⑤ 점화원에 의한 폭발

해답

③ → ① → ② → ⑤ → ④

tip

분진 폭발의 과정(분진의 퇴적 → 비산하여 분진운 생성 → 분산 → 점화원 → 폭발)

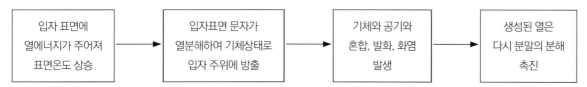

| 입자 표면에 열에너지가 주어져 표면온도 상승 | → | 입자표면 문자가 열분해하여 기체상태로 입자 주위에 방출 | → | 기체와 공기와 혼합, 발화, 화염 발생 | → | 생성된 열은 다시 분말의 분해 촉진 |

03

작업의자형 달비계에 사용해서는 안되는 작업용 섬유로프 또는 안전대의 섬유벨트 기준을 3가지 쓰시오.

해답

① 꼬임이 끊어진 것
② 심하게 손상되거나 부식된 것
③ 2개 이상의 작업용 섬유로프 또는 섬유벨트를 연결한 것
④ 작업높이보다 길이가 짧은 것

tip

2021년 법령개정으로 개정된 내용 적용.

04

산업안전보건법에서 정하는 중대재해의 종류를 3가지 쓰시오.

해답 중대재해

① 사망자가 1명 이상 발생한 재해
② 3개월 이상의 요양이 필요한 부상자가 동시에 2명 이상 발생한 재해
③ 부상자 또는 직업성 질병자가 동시에 10명 이상 발생한 재해

05

스웨인(A.D.Swain)은 인간의 실수를 작위실수와 부작위 실수로 구분하고 있다. 이중 작위실수에 포함되는 종류를 2가지 쓰시오.

해답

① 정성적착오
② 선택착오
③ 순서착오
④ 시간착오

06

근로자가 1시간동안 1분당 6.5kcal의 에너지를 소모하는 작업을 수행하는 경우 휴식시간을 구하시오. (단, 작업에 대한 권장 평균에너지 소비량은 분당 5kcal이다.)

해답 휴식시간 산출

$$R = \frac{총작업시간(E - 작업에 대한 평균에너지 소비량)}{E - 휴식시간 중의 에너지소비량}$$

여기서 R : 휴식시간(분)

E : 작업시 평균 에너지 소비량(kcal/분)

휴식시간(R) : $\frac{60(6.5-5)}{6.5-1.5} = 18$(분)

07

다음은 정전기 대전에 관한 설명이다. 해당되는 대전의 종류를 쓰시오.

---

① 두 물질이 접촉과 분리과정이 반복되면서 마찰을 일으킬 때 전하분리가 생기면서 정전기가 발생

② 분체류, 액체류, 기체류가 단면적이 작은 개구부를 통해 분출할 때 분출물질과 개구부의 마찰로 인하여 정전기가 발생.

③ 액체류를 파이프 등으로 수송할 때 액체류가 파이프 등과 접촉하여 두 물질의 경계에 전기 2중층이 형성되어 정전기가 발생

④ 상호 밀착해 있던 물체가 떨어지면서 전하 분리가 생겨 정전기가 발생

해답

① 마찰대전

② 분출대전

③ 유동대전

④ 박리대전

08

프레스와 전단기에 관한 다음의 설명에 맞는 방호장치를 각각 쓰시오.

① 1행정 1정지 기구에 사용할 수 있어야 하며, 양손으로 동시에 조작하지 않으면 동작하지 않고 한손이라도 조작장치에서 떨어지면 정지되는 구조이어야 한다.

② 슬라이드와 작업자의 손을 끈으로 연결하여 슬라이드가 하강할 때 작업자의 손을 당겨 위험영역에서 떨어질수 있도록 한 것으로 수인끈은 작업자와 작업공정에 따라 그 길이를 조정할 수 있어야 한다.

③ 부착볼트 등의 고정금속부분은 예리한 돌출현상이 없어야 하며, 슬라이드 하행정거리의 3/4 위치에서 손을 완전히 밀어내어야 한다.

해답

① 양수조작식 방호장치
② 수인식 방호장치
③ 손쳐내기식 방호장치

09

산업안전표지중 다음의 금지표지에 해당하는 명칭을 쓰시오.

①   ②   ③   ④

해답 금지표지

① 보행금지
② 탑승금지
③ 사용금지
④ 물체이동금지

10

토사붕괴의 발생을 예방하기 위하여 점검사항을 점검해야 할 시기를 4가지 쓰시오.

해답

① 작업 전
② 작업 중
③ 작업 후
④ 비온 후
⑤ 인접 작업구역에서 발파한 경우

11

유해·위험 방지를 위한 방호조치를 하지 아니하고는 양도·대여·설치·사용하거나, 양도·대여를 목적으로 진열해서는 아니 되는 기계·기구를 5가지 쓰시오.

해답

① 예초기	② 원심기	③ 공기압축기
④ 금속절단기	⑤ 지게차	⑥ 포장기계

12

산업안전보건법령상 사업주가 근로자에게 실시해야 하는 근로자 안전보건교육의 교육시간에 관한 다음 사항에서 (   ) 에 알맞은 내용을 쓰시오.

교육과정	교육대상		교육시간
정기교육	사무직 종사 근로자		매반기 6시간 이상
	그 밖의 근로자	판매업무에 직접 종사하는 근로자	①
		판매업무에 직접 종사하는 근로자 외의 근로자	②
채용 시 교육	일용근로자 및 근로계약기간이 1주일 이하인 기간제근로자		③
작업내용 변경 시 교육	그 밖의 근로자		④
건설업기초 안전·보건 교육	건설 일용근로자		⑤

해답

① 매반기 6시간 이상
② 매반기 12시간 이상
③ 1시간 이상
④ 2시간 이상
⑤ 4시간 이상

tip

2023년 법령개정. 문제 및 해답은 개정된 내용 적용.

01

재해발생에 관련된 이론 중 하인리히의 재해 연쇄성 이론과 버드의 연쇄성 이론, 아담스의 연쇄성 이론을 각각 구분하여 쓰시오.

해답

단계	하인리히 이론	버드 이론	아담스 이론
제1단계	사회적 환경 및 유전적 요인	제어(통제)의 부족(관리)	관리구조
제2단계	개인적 결함	기본 원인(기원)	작전적 에러
제3단계	불안전한 행동 및 불안정한 상태	직접 원인(징후)	전술적 에러
제4단계	사고	사고(접촉)	사고
제5단계	재해	상해(손실)	상해·손해

02

산업안전보건법에서 사업주가 해야 할 다음의 사항에서 괄호에 알맞은 내용을 쓰시오.

> 사업주는 (①) · (②) · (③) 및 (④) 등에 부속되는 키·핀 등의 기계요소는 묻힘형으로 하거나 해당 부위에 덮개를 설치하여야 한다.

해답

① 회전축   ② 기어   ③ 풀리   ④ 플라이 휠

tip

원동기·회전축 등의 위험 방지

기계의 원동기·회전축·기어·풀리·플라이 휠·벨트 및 체인 등의 위험 부위	① 덮개 ② 울 ③ 슬리브개 ④ 건널다리
회전축·기어·풀리 및 플라이 휠 등에 부속되는 키·핀 등의 기계요소	① 묻힘형 ② 해당 부위 덮개

03

추락 및 감전 위험방지용 안전모의 종류 및 사용구분에 관하여 간단히 설명하시오.

해답 안전모의 종류

종류(기호)	사용구분
AB	물체의 낙하 또는 비래 및 추락에 의한 위험을 방지 또는 경감시키기 위한 것
AE	물체의 낙하 또는 비래에 의한 위험을 방지 또는 경감하고, 머리부위 감전에 의한 위험을 방지하기 위한 것
ABE	물체의 낙하 또는 비래 및 추락에 의한 위험을 방지 또는 경감하고, 머리부위 감전에 의한 위험을 방지하기 위한 것

04

조종장치를 촉각적으로 정확하게 식별하기 위한 암호화 방법 3가지를 쓰시오.

해답 조종장치의 촉각적 암호화

① 형상을 이용한 암호화
② 표면촉감을 이용한 암호화
③ 크기를 이용한 암호화

05

산업안전보건법에서 정하고 있는 가설통로 설치 시 준수해야 할 사항을 2가지 쓰시오. (단, 견고한 구조, 안전난간에 관한 규정은 제외)

해답

① 경사는 30도 이하로 할 것(계단을 설치하거나 높이 2m 미만의 가설통로로서 튼튼한 손잡이를 설치한 때에는 그렇지 않다.)
② 경사가 15도를 초과하는 때에는 미끄러지지 아니하는 구조로 할 것.
③ 수직갱에 가설된 통로의 길이가 15m 이상인 때에는 10m 이내마다 계단참을 설치할 것.
④ 건설공사에 사용하는 높이 8m 이상인 비계다리에는 7m 이내마다 계단참을 설치할 것.

06

로봇을 운전하는 경우 당해 로봇에 접촉함으로 근로자에게 위험이 발생할 우려가 있는 때에 사업주가 취해야 할 안전조치 사항을 2가지 쓰시오.

해답

① 높이 1.8미터 이상의 울타리 설치
② 컨베이어 시스템의 설치 등으로 울타리를 설치할 수 없는 일부 구간
 – 안전매트 또는 광전자식 방호장치 등 감응형(感應形) 방호장치 설치

07

스웨인(A.D.Swain)의 휴먼에러를 심리적인 측면에서 분류한 종류 4가지를 쓰시오.

① 생략에러(Omission error)
② 착각수행에러(Commission error)
③ 순서에러(Sequential error)
④ 시간적 에러(Time error)
⑤ 과잉행동에러(Extraneous error)

08

산업안전보건법상 위험물의 종류에 관한 사항이다. 괄호에 알맞은 내용을 쓰시오.

(1) 인화성 액체 : 노르말헥산, 아세톤, 메틸에틸케톤, 메틸알코올, 에틸알코올, 이황화탄소, 그 밖에 인화점이 섭씨 (①)도 미만이고, 초기 끓는점이 섭씨 35도를 초과하는 물질
(2) 부식성 산류 : 농도가 (②)퍼센트 이상인 염산, 황산, 질산, 그 밖에 이와 같은 정도 이상의 부식성을 가지는 물질
(3) 부식성 염기류 : 농도가 (③)퍼센트 이상인 수산화나트륨, 수산화칼륨, 그 밖에 이와 같은 정도 이상의 부식성을 가지는 염기류

① 23 ② 20 ③ 40

09

잠함 또는 우물통의 내부에서 굴착작업 시 급격한 침하로 인한 위험을 방지하기 위하여 준수해야 할 사항을 2가지 쓰시오.

① 침하 관계도에 따라 굴착방법 및 재하량 등을 정할 것
② 바닥으로부터 천장 또는 보까지의 높이는 1.8m 이상으로 할 것

10

인간공학에서 인간기준의 유형 4가지를 쓰시오.

해답

① 인간성능 척도
② 생리학적 지표
③ 주관적 반응
④ 사고빈도

11

산업안전보건법상 도급사업에 있어서 안전보건총괄책임자를 선임하여야 할 사업을 2가지 쓰시오.(단, 선박 및 보트 건조업, 1차 금속제조업 및 토사석 광업의 경우는 제외)

해답

① 관계수급인에게 고용된 근로자를 포함한 상시 근로자가 100명 이상인 사업
② 관계수급인의 공사금액을 포함한 해당 공사의 총 공사금액이 20억원 이상인 건설업

12

자동전격방지기에 관한 다음의 설명 중 ( )에 맞는 내용을 쓰시오.

(①) : 용접봉을 모재로부터 분리시킨 후 주접점이 개로되어 용접기 2차 측 (②)을 25V 이하로 감압시킬 때까지의 시간

해답

① 지동시간   ② 무부하 전압

13

수소 28[vol%], 메탄 45[vol%], 에탄 27[vol%]의 조성을 가진 혼합 가스의 폭발 상한계 값[vol%]과 메탄의 위험도를 계산하시오

물질명	폭발 하한계	폭발 상한계
수소	4.0[vol%]	75[vol%]
메탄	5.0[vol%]	15[vol%]
에탄	3.0[vol%]	12.4[vol%]

해답

① 폭발 상한계

$$\frac{100}{U} = \frac{V_1}{U_1} + \frac{V_2}{U_2} + \frac{V_3}{U_3} = \frac{28}{75} + \frac{45}{15} + \frac{27}{12.4} = 5.55$$

그러므로 $U = 18.02[\text{vol\%}]$

② 위험도$(H) = \frac{UFL - LFL}{LFL} = \frac{15 - 5}{5} = 2$

01

작업발판 일체형 거푸집의 종류를 4가지 쓰시오.

해답

① 갱 폼(gang form)　② 슬립 폼(slip form
③ 클라이밍 폼(climbing form)　④ 터널 라이닝 폼(tunnel lining form)
⑤ 그 밖에 거푸집과 작업발판이 일체로 제작된 거푸집 등

02

밀폐공간에서 작업 시에는 밀폐 공간 작업 프로그램을 수립하여 시행하여야 한다. 밀폐 공간 작업 프로그램에 포함되어야 할 사항을 4가지 쓰시오.

해답

① 사업장 내 밀폐공간의 위치 파악 및 관리방안
② 밀폐 공간 내 질식·중독 등을 일으킬 수 있는 유해·위험 요인의 파악 및 관리 방안
③ ②항에 따라 밀폐공간 작업 시 사전 확인이 필요한 사항에 대한 확인 절차
④ 안전보건 교육 및 훈련
⑤ 그 밖에 밀폐공간 작업근로자의 건강장해 예방에 관한 사항

03

공칭지름이 10mm인 와이어로프의 지름을 측정해 보니 9.2mm였다. 이 와이어로프는 양중기에 사용 가능한지 여부를 판단하시오.

해답

① 양중기에 사용할 수 없는 와이어로프의 기준에서, 지름의 감소는 공칭지름의 7%를 초과하는 것.
② 공칭지름 10mm에 대한 7%는 0.7mm이므로 9.3mm까지 사용 가능하다.
③ 그러므로 지름 9.2mm의 와이어로프는 양중기에 사용할 수 없다(사용 불가).

tip

지름 9.2mm는 공칭지름에 대하여 0.8mm 감소한 것으로 8%의 지름 감소가 발생했으므로 사용 불가

04

구축물 또는 이와 유사한 시설물에 대하여 안전진단 등 안전성 평가를 하여 근로자에게 미칠 위험성을 미리 제거하여야 하는 경우를 3가지 쓰시오. (단, 그 밖의 잠재 위험이 예상될 경우 제외)

해답 안전성 평가를 하여야 하는 경우

① 구축물등의 인근에서 굴착·항타작업 등으로 침하·균열 등이 발생하여 붕괴의 위험이 예상될 경우
② 구축물등에 지진, 동해, 부동침하 등으로 균열·비틀림 등이 발생했을 경우
③ 구축물등이 그 자체의 무게·적설·풍압 또는 그 밖에 부가되는 하중 등으로 붕괴 등의 위험이 있을 경우
④ 화재 등으로 구축물등의 내력이 심하게 저하됐을 경우
⑤ 오랜 기간 사용하지 않던 구축물등을 재사용하게 되어 안전성을 검토해야 하는 경우
⑥ 구축물등의 주요구조부에 대한 설계 및 시공 방법의 전부 또는 일부를 변경하는 경우
⑦ 그 밖의 잠재위험이 예상될 경우

05

근로자가 1시간 동안 1분당 6kcal의 에너지를 소모하는 작업을 수행하는 경우 휴식시간 및 작업시간을 각각 구하시오.(단, 작업에 대한 권장 평균 에너지 소비량은 분당 5kcal이다.)

해답

① 휴식시간 산출

$$R = \frac{\text{총 작업시간}(E - \text{작업에 대한 평균 에너지 소비량})}{E - \text{휴식시간 중의 에너지 소비량}}$$

여기서, R : 휴식시간(분), E : 작업시 평균 에너지 소비량(kcal/분)

$$\text{휴식시간}(R) : \frac{60(6-5)}{6-1.5} = 13.33 \text{ (분)}$$

② 작업시간 $= 60 - 13.33 = 46.67$ (분)

06

산업안전보건법상 안전보건개선계획을 수립해야 하는 대상사업장을 2곳 쓰시오.

해답 안전보건개선계획 수립 대상사업장

① 산업 재해율이 같은 업종의 규모별 평균 산업 재해율보다 높은 사업장
② 사업주가 필요한 안전조치 또는 보건조치를 이행하지 아니하여 중대재해가 발생한 사업장
③ 직업성 질병자가 연간 2명 이상 발생한 사업장
④ 유해인자의 노출기준을 초과한 사업장

tip

2020년 법령개정으로 개정된 내용 적용.

07

산업현장에서 활용할 수 있는 컬러 테라피에 관한 다음 내용을 보고 알맞은 색채를 쓰시오.

색채	심리
①	열정, 위험, 애정, 따뜻함
②	주의, 희망, 조심, 밝음
③	안전, 평화, 안정, 안식
④	진정, 차분, 차가움
⑤	우울, 불안, 초조

해답

① 빨간색(적색)   ② 노란색(황색)   ③ 녹색   ④ 파란색(청색)   ⑤ 보라색

08

산업안전보건법상 가설 통로 설치 시 준수해야 할 사항이다. 괄호에 알맞은 내용을 쓰시오.

(1) 경사는 (①)도 이하로 할 것.
(2) 경사가 (②)도를 초과하는 때에는 미끄러지지 아니하는 구조로 할 것.
(3) 추락의 위험이 있는 장소에는 (③)을 설치할 것.
(4) 수직갱에 가설된 통로의 길이가 (④)m 이상인 때에는 (⑤)m 이내마다 계단참을 설치할 것.
(5) 건설공사에 사용하는 높이 (⑥)m 이상인 비계다리에는 (⑦)m 이내마다 계단참을 설치할 것.

해답

① 30   ② 15   ③ 안전 난간   ④ 15   ⑤ 10   ⑥ 8   ⑦ 7

09

재해예방의 기본 4원칙을 쓰시오.

① 손실우연의 원칙
② 예방가능의 원칙
③ 원인계기의 원칙
④ 대책선정의 원칙

10

산업안전보건법상 작업장의 조도기준에 관한 다음 사항에서 ( )에 알맞은 내용을 쓰시오.

초정밀작업	정밀작업	보통 작업	그 밖의 작업
(①)Lux 이상	(②)Lux 이상	(③)Lux 이상	(④)Lux 이상

① 750   ② 300   ③ 150   ④ 75

11

다음에 해당하는 충전전로에 대한 접근한계 거리를 쓰시오.

---

(1) 충전전로 220V일 때 (①)

(2) 충전전로 1kV일 때 (②)

(3) 충전전로 22kV일 때 (③)

(4) 충전전로 154kV일 때 (④)

해답

① 접촉금지   ② 45센티미터   ③ 90센티미터   ④ 170센티미터

tip

충전전로의 접근한계거리

충전전로의 선간전압 (단위:킬로볼트)	충전전로에 대한 접근한계거리 (단위:센티미터)
0.3 이하	접촉금지
0.3 초과 0.75 이하	30
0.75 초과 2 이하	45
2 초과 15 이하	60
15 초과 37 이하	90
37 초과 88 이하	110
88 초과 121 이하	130
121 초과 145 이하	150
145 초과 169 이하	170
…	…

12

방진 마스크의 등급 및 해당사항에 알맞은 내용을 쓰시오.

> (1) 석면 취급장소의 등급 (①)
> (2) 금속흄 등과 같이 열적으로 생기는 분진 등 발생장소의 등급 (②)
> (3) 베릴륨 등과 같이 독성이 강한 물질들을 함유한 분진 등 발생장소의 등급 (③)
> (4) 산소농도 (④) 미만인 장소에서는 방진마스크 착용을 금지한다.
> (5) 안면부 내부의 이산화탄소 농도가 부피분율 (⑤) 이하이어야 한다.

해답

① 특급 ② 1급 ③ 특급 ④ 18% ⑤ 1%

13

공기 압축기의 불안정한 운전에 해당하는 서징(Surging)현상의 방지대책을 4가지 쓰시오.

해답

① 풍량을 감소시킨다.
② 배관의 경사를 완만하게 한다.
③ 교축밸브를 기계에 근접 설치한다.
④ 토출가스를 흡입 측에 바이패스 시키거나 방출 밸브에 의해 대기로 방출시킨다.
⑤ 회전수를 변화시킨다.

01

비계의 조립간격에 관한 다음의 표에서 (   ) 안에 알맞은 내용을 쓰시오.

강관비계의 종류	조립간격(단위:m)	
	수직방향	수평방향
단관 비계	(①)	5
틀 비계(높이가 5m 미만의 것 제외)	(②)	(③)

해답

① 5   ② 6   ③ 8

02

다음은 적응의 기제에 관한 설명이다. 해당되는 적응의 기제를 쓰시오.

적응의 기제	설명
①	자신이 무의식적으로 저지른 일관성 있는 행동에 대해 그럴듯한 이유를 붙여 설명하는 일종의 자기변명으로, 자신의 행동을 정당화하여 자신이 받을 수 있는 상처를 완화시킴.
②	받아들일 수 없는 충동이나 욕망 또는 실패 등을 타인의 탓으로 돌리는 행위
③	욕구가 좌절되었을 때 욕구 충족을 위해 보다 가치 있는 방향으로 전환하는 것.
④	자신의 결함으로 욕구 충족에 방해를 받을 때 그 결함을 다른 것으로 대치하여 욕구를 충족하고, 자신의 열등감에서 벗어나려는 행위

해답

① 합리화   ② 투사   ③ 승화   ④ 보상

03

산업안전보건법상 건설업 유해위험방지계획서 제출대상 사업장이다. 괄호에 알맞은 내용을 쓰시오.

(1) 지상 높이가 (①)미터 이상인 건축물 또는 인공구조물
(2) 연면적 (②)제곱미터 이상의 냉동·냉장창고시설의 설비공사 및 단열공사
(3) 다목적 댐·발전용 댐 및 저수용량 (③)톤 이상의 용수전용 댐·지방상수도 전용 댐 건설 등의 공사
(4) 깊이 (④)미터 이상인 굴착공사

해답

① 31 ② 5천 ③ 2천만 ④ 10

04

산업안전보건법상 다음에 해당하는 안전보건표지의 명칭을 쓰시오.

①   ②   ③   ④   ⑤

해답

① 화기 금지 ② 산화성 물질 경고 ③ 고압전기 경고 ④ 고온 경고 ⑤ 들것

05

산업안전보건법상 안전보건관리 책임자의 업무를 4가지 쓰시오.

해답

① 사업장의 산업재해예방계획의 수립에 관한 사항
② 안전보건관리규정의 작성 및 변경에 관한 사항
③ 근로자에 대한 안전·보건교육에 관한 사항
④ 작업환경 측정 등 작업환경의 점검 및 개선에 관한 사항
⑤ 근로자의 건강진단 등 건강관리에 관한 사항
⑥ 산업재해의 원인조사 및 재발방지대책 수립에 관한 사항
⑦ 산업재해에 관한 통계의 기록 및 유지에 관한 사항
⑧ 안전장치 및 보호구 구입시 적격품 여부 확인에 관한 사항
⑨ 그 밖에 근로자의 유해·위험방지조치에 관한 사항으로서 고용노동부령이 정하는 사항

06

자율안전확인 대상 기계 등에 해당하는 방호장치의 종류를 4가지 쓰시오.

해답 **자율안전확인 대상 방호장치**

① 아세틸렌 용접장치용 또는 가스 집합 용접장치용 안전기
② 교류 아크용접기용 자동전격방지기
③ 롤러기 급정지장치
④ 연삭기 덮개
⑤ 목재 가공용 둥근톱 반발 예방장치와 날 접촉 예방장치
⑥ 동력식 수동 대패용 칼날 접촉 방지장치
⑦ 추락·낙하 및 붕괴 등의 위험방지 및 보호에 필요한 가설기자재로서 고용노동부장관이 정하여 고시하는 것

tip

2020년 법령개정으로 개정된 내용 적용.

07

기계의 원동기·회전축·기어·풀리·플라이 휠·벨트 및 체인 등 근로자에게 위험을 미칠 우려가 있는 부위에 설치해야 하는 방호장치를 쓰시오.

① 덮개
② 울
③ 슬리브
④ 건널다리

08

근로자가 노출된 충전부 또는 그 부근에서 작업함으로써 감전될 우려가 있는 경우에는 작업에 들어가기 전에 해당 전로를 차단하여야 한다. 전로 차단절차에 해당하는 다음 내용의 괄호에 알맞은 내용을 쓰시오.

(1) 차단장치나 단로기 등에 (①) 및 꼬리표를 부착할 것.
(2) 개로된 전로에서 유도전압 또는 전기 에너지가 축적되어 근로자에게 전기 위험을 끼칠 수 있는 전기기기 등은 접촉하기 전에 (②)를 완전히 방전시킬 것.
(3) 전기기기 등이 다른 노출 충전부와 접촉, 유도 또는 예비 동력원의 역송전 등으로 전압이 발생할 우려가 있는 경우에는 충분한 용량을 가진 단락 (③)를 이용하여 접지할 것.

① 잠금장치
② 잔류전하
③ 접지기구

09

작업자가 벽돌을 운반하기 위해 벽돌을 들고 비계 위를 걷다가 몸의 중심을 잃으면서 벽돌을 떨어뜨려 발가락의 뼈가 부러졌다. 다음 물음에 답하시오.

> ① 재해형태   ② 가해물   ③ 기인물

해답

① 재해형태 : 낙하(맞음)

② 가해물 : 벽돌

③ 기인물 : 비계

10

다음 FT도에서 시스템의 신뢰도는 약 얼마인가? (단, 발생확률은 ①, ④는 0.05, ②, ③은 0.1)

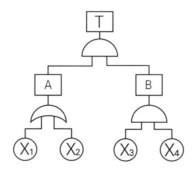

해답 시스템의 신뢰도

(1) T의 발생확률 : T = A × B

　① A = 1 − (1 − 0.05)(1 − 0.1) = 0.145

　② B = 0.05 × 0.1 = 0.005

　③ T = 0.145 × 0.005 = 0.000725

(2) 시스템의 신뢰도는 1 − 0.000725 = 0.999275 ≒ 1.00

11

안전보건 진단을 받아 안전보건개선계획을 수립해야 하는 대상 사업장을 4곳 쓰시오.

① 산업재해율이 같은 업종 평균 산업재해율의 2배 이상인 사업장

② 사업주가 필요한 안전조치 또는 보건조치를 이행하지 아니하여 중대재해가 발생한 사업장

③ 직업성 질병자가 연간 2명 이상(상시근로자 1천명 이상 사업장의 경우 3명 이상) 발생한 사업장

④ 그 밖에 작업환경 불량, 화재·폭발 또는 누출사고 등으로 사업장 주변까지 피해가 확산된 사업장으로서 고용노동부령으로 정하는 사업장

tip

2020년 법령개정으로 개정된 내용 적용.

12

소음원으로부터 4m 떨어진 곳에서의 음압 수준이 100dB이라면 동일한 기계에서 30m 떨어진 곳에서의 음압 수준은 얼마인가?

① $dB_2 = dB_1 - 20\log\left(\dfrac{d_2}{d_1}\right)$

② $dB_2 = 100 - 20\log\left(\dfrac{30}{4}\right) = 82.50[dB]$

01

착화 에너지가 0.25[mJ]인 가스가 있는 사업장의 전기설비의 정전용량이 12[pF]일 때 방전 시 착화 가능한 최소 대전 전위를 구하시오.

해답 최소 착화 에너지

① $E = \frac{1}{2}CV^2$ 식에서 $V = \sqrt{\frac{2E}{C}}$ 이므로

② $V = \sqrt{\frac{2 \times (0.25 \times 10^{-3})}{12 \times 10^{-12}}} = 6,454.97V$

02

차광보안경에 관한 용어의 정의에서 괄호에 알맞은 내용을 쓰시오.

(①) : 착용자의 시야를 확보하는 보안경의 일부로서 렌즈 및 플레이트 등을 말한다.

(②) : 필터와 플레이트의 유해광선을 차단할 수 있는 능력을 말한다.

(③) : 필터 입사에 대한 투과 광속의 비를 말하며, 분광투과율을 측정한다.

해답

① 접안경   ② 차광도 번호   ③ 시감투과율

03

와이어로프의 구성표시 방법에서 해당되는 명칭을 쓰시오.(3점)

① 6 :
② Fi :
③ (29) :

6×Fi(29)

해답

① 6 : 스트랜드(Strand) 수   ② Fi : 필러형(core)   ③ (29) : 소선(wire) 수

04

고용노동부장관이 필요하다고 인정할 경우 안전·보건진단을 받아 안전보건개선계획을 수립·제출할 것을 명할 수 있는 대상 사업장을 4곳 쓰시오.

해답

① 산업재해율이 같은 업종 평균 산업재해율의 2배 이상인 사업장

② 사업주가 필요한 안전조치 또는 보건조치를 이행하지 아니하여 중대재해가 발생한 사업장

③ 직업성 질병자가 연간 2명 이상(상시근로자 1천명 이상 사업장의 경우 3명 이상) 발생한 사업장

④ 그 밖에 작업환경 불량, 화재·폭발 또는 누출사고 등으로 사업장 주변까지 피해가 확산된 사업장으로서 고용노동부령으로 정하는 사업장

tip

2020년 법령개정으로 개정된 내용 적용.

05

달비계에 사용해서는 안 되는 와이어로프의 기준을 2가지 쓰시오.

해답

와이어로프의 사용금지 기준
① 이음매가 있는 것
② 와이어로프의 한 꼬임(스트랜드(strand)에서 끊어진 소선의 수가 10[%] 이상인 것
③ 지름의 감소가 공칭지름의 7[%]를 초과하는 것
④ 꼬인 것
⑤ 심하게 변형되거나 부식된 것
⑥ 열과 전기충격에 의해 손상된 것

tip

2024년 법령개정으로 개정된 내용 적용.

06

유한 사면의 붕괴유형을 3가지 쓰시오.

해답

① 사면 내 붕괴
② 사면선단 붕괴
③ 사면저부 붕괴

07

아래에서 설명하는 위험물 저장 취급 화학설비의 안전거리를 쓰시오.

---

① 사무실·연구실·실험실·정비실 또는 식당으로부터 단위공정시설 및 설비, 위험물질의 저장탱크, 위험물질 하역설비, 보일러 또는 가열로의 사이

② 위험물질 저장탱크로부터 단위공정 시설 및 설비, 보일러 또는 가열로의 사이

해답 안전거리

① 사무실 등의 외면으로 부터 20[m]이상
② 저장 탱크의 외면으로 부터 20[m] 이상

08

대상 화학물질을 취급하는 근로자의 안전·보건을 위하여 작업장에서 취급하는 대상 화학물질의 물질안전보건자료에 해당되는 내용을 근로자에게 교육하여야 한다. 해당되는 교육내용을 4가지 쓰시오.(4점)

해답 물질안전보건자료에 관한 교육내용

① 대상 화학물질의 명칭(또는 제품명)
② 물리적 위험성 및 건강 유해성
③ 취급상의 주의사항
④ 적절한 보호구
⑤ 응급조치 요령 및 사고 시 대처방법
⑥ 물질안전보건자료 및 경고표지를 이해하는 방법

09

산업안전보건법상 다음의 특수건강진단 대상 유해인자에 해당하는 배치 후 첫 번째 특수건강진단 시기를 쓰시오.

① 벤젠 　　② 소음 및 충격소음 　　③ 석면, 면분진

해답

① 벤젠 : 2개월 이내

② 소음 및 충격소음 : 12개월 이내

③ 석면, 면 분진 : 12개월 이내

10

직렬로 접속되어 있는 A, B, C 의 발생 확률이 각각 0.15일 경우, 고장사상을 정상사상으로 하는 FT도를 그리고, 발생 확률을 구하시오.

해답

① FT도

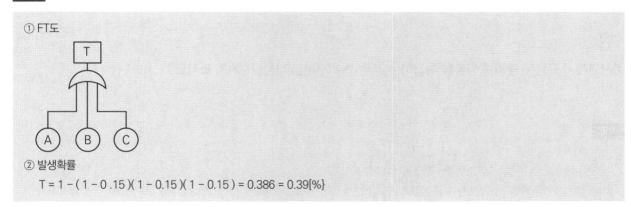

② 발생확률

$T = 1 - (1 - 0.15)(1 - 0.15)(1 - 0.15) = 0.386 = 0.39[\%]$

11

1,000[kg]의 화물을 두 줄 걸이 로프로 상부각도 60°로 들어 올릴 때 한 쪽 와이어로프에 걸리는 하중을 계산하시오.

해답 슬링 와이어로프의 한 가닥에 걸리는 하중

$$하중 = \frac{화물의\ 무게(W_1)}{2} \div \cos\frac{\theta}{2} = \frac{1,000}{2} \div \cos\frac{60}{2} = 577.35[kg]$$

12

누적외상성 질환 등 근골격계 질환의 주요원인을 4가지 쓰시오.

해답

① 부적절한 작업 자세   ② 무리한 반복 작업
③ 과도한 힘   ④ 부족한 휴식시간
⑤ 신체적 압박   ⑥ 차가운 온도나 무더운 온도의 작업환경

13

경사면에서 드럼통 등의 중량물을 취급하는 경우 준수해야 할 사항을 2가지 쓰시오.

해답

① 구름 멈춤대, 쐐기 등을 이용하여 중량물의 동요나 이동을 조절할 것
② 중량물이 구를 위험이 있는 방향 앞의 일정거리 이내로는 근로자의 출입을 제한할 것. 다만, 중량물을 보관하거나 작업 중인 장소가
　경사면인 경우에는 경사면 아래로는 근로자의 출입을 제한해야 한다.

tip

2023년 법령개정. 문제 및 해답은 개정된 내용 적용.

01

다음 안전표지판의 명칭을 쓰시오.

①   ②   ③   ④

해답

① 낙하물 경고
② 폭발성 물질 경고
③ 보안면 착용
④ 세안장치

02

크레인을 사용하여 작업할 때 작업시작 전 점검해야 할 사항을 3가지 쓰시오.

해답

① 권과 방지장치·브레이크·클러치 및 운전 장치의 기능
② 주행로의 상측 및 트롤리가 횡행하는 레일의 상태
③ 와이어로프가 통하고 있는 곳의 상태

03

근로자가 노출된 충전부 또는 그 부근에서 작업함으로써 감전될 우려가 있는 경우에는 작업에 들어가기 전에 해당 전로를 차단하여야 한다. 차단 절차에 해당하는 내용을 4가지 쓰시오.

해답

① 전기기기 등에 공급되는 모든 전원을 관련 도면, 배선도 등으로 확인할 것

② 전원을 차단한 후 각 단로기 등을 개방하고 확인할 것

③ 차단장치나 단로기 등에 잠금장치 및 꼬리표를 부착할 것

④ 개로된 전로에서 유도전압 또는 전기에너지가 축적되어 근로자에게 전기위험을 끼칠 수 있는 전기기기 등은 접촉하기 전에 잔류전하를 완전히 방전시킬 것

⑤ 검전기를 이용하여 작업 대상 기기가 충전되었는지를 확인할 것

⑥ 전기기기 등이 다른 노출 충전부와의 접촉, 유도 또는 예비동력원의 역 송전 등으로 전압이 발생할 우려가 있는 경우에는 충분한 용량을 가진 단락 접지 기구를 이용하여 접지할 것

04

화학설비의 안전성평가 6단계를 순서대로 쓰시오.

해답

① 제1단계 : 관계 자료의 정비 검토

② 제2단계 : 정성적 평가

③ 제3단계 : 정량적 평가

④ 제4단계 : 안전대책

⑤ 제5단계 : 재해정보에 의한 재평가

⑥ 제6단계 : FTA에 의한 재평가

05

아세틸렌 용접장치를 사용하여 금속의 용접·용단 또는 가열작업을 하는 경우 사업주가 준수해야 할 사항을 4가지 쓰시오.

해답

① 발생기의 종류, 형식, 제작업체명, 매시 평균 가스발생량 및 1회의 카바이드 공급량을 발생기 실내의 보기 쉬운 장소에 게시할 것
② 발생기실에는 관계근로자가 아닌 사람이 출입하는 것을 금지할 것
③ 발생기에서 5미터 이내 또는 발생기실에서 3미터 이내의 장소에서는 흡연, 화기의 사용 또는 불꽃이 발생할 위험한 행위를 금지시킬 것
④ 도관에는 산소용과 아세틸렌용의 혼동을 방지하기 위한 조치를 할 것
⑤ 아세틸렌 용접장치의 설치장소에는 소화기 한 대 이상을 갖출 것
⑥ 이동식 아세틸렌 용접장치의 발생기는 고온의 장소, 통풍이나 환기가 불충분한 장소 또는 진동이 많은 장소 등에 설치하지 않도록 할 것

tip

2024년 법령개정 내용 적용

06

근로자가 밀폐공간에서 안전한 상태에서 작업하도록 하기 위하여 작업을 시작하기 전에 사업주가 확인하여야 할 사항을 4가지 쓰시오.

해답

① 작업 일시, 기간, 장소 및 내용 등 작업 정보
② 관리감독자, 근로자, 감시인 등 작업자 정보
③ 산소 및 유해가스 농도의 측정결과 및 후속조치 사항
④ 작업 중 불활성가스 또는 유해가스의 누출·유입·발생 가능성 검토 및 후속조치 사항
⑤ 작업 시 착용하여야 할 보호구의 종류
⑥ 비상연락체계

07

안전밸브 또는 파열판을 설치하여야 하는 화학설비 및 그 부속설비 중 파열판을 설치해야 하는 경우를 3가지 쓰시오.

해답

① 반응 폭주 등 급격한 압력상승의 우려가 있는 경우
② 급성독성물질의 누출로 인하여 주위의 작업환경을 오염시킬 우려가 있는 경우
③ 운전 중 안전밸브에 이상 물질이 누적되어 안전밸브가 작동되지 아니할 우려가 있는 경우

08

동바리로 사용하는 파이프서포트에 대해서는 다음의 사항을 따라야 한다. 괄호에 알맞은 내용을 쓰시오.

1. 파이프서포트를 (①) 이상 이어서 사용하지 않도록 할 것
2. 파이프서포트를 이어서 사용하는 경우에는 (②) 이상의 볼트 또는 전용철물을 사용하여 이을 것
3. 높이가 (③)를 초과하는 경우에는 높이 2[m] 이내마다 수평 연결재를 2개 방향으로 만들고 수평연결재의 변위를 방지할 것

해답

① 3개 ② 4개 ③ 3.5[m]

09

기업 내 정형교육인 TWI의 교육 내용을 4가지 쓰시오.

해답 TWI의 교육 내용

① J. M. T(Job Method Training) : 작업방법훈련(작업개선법)
② J. I. T(Job Instruction Training) : 작업지도훈련(작업지도법)
③ J. R. T(Job Relations Training) : 인간관계훈련(부하통솔법)
④ J. S. T(Job Safety Training) : 작업안전훈련(안전관리법)

10

산업안전보건법상 자율안전 확인 대상 기계 또는 설비 4가지를 쓰시오.

해답

① 연삭기 또는 연마기(휴대형은 제외)

② 산업용 로봇

③ 혼합기

④ 파쇄기 또는 분쇄기

⑤ 식품가공용 기계(파쇄·절단·혼합·제면기만 해당)

⑥ 컨베이어

⑦ 자동차 정비용 리프트

⑧ 공작기계(선반, 드릴기, 평삭·형삭기, 밀링만 해당)

⑨ 고정형 목재 가공용 기계(둥근톱, 대패, 루타기, 띠톱, 모 떼기 기계만 해당)

⑩ 인쇄기

tip

2020년 법령개정으로 개정된 내용 적용.

11

산업현장에서 사용되는 출입금지 표지판의 배경반사율이 80[%]이고, 관련 그림의 반사율이 20[%]일 경우 표지판의 대비를 구하시오.

해답

① 공식 : 대비(%)$=\dfrac{\text{배경의 광도}(L_b)-\text{표적의 광도}(L_t)}{\text{배경의 광도}(L_b)}\times100$

② 계산식 : $\dfrac{80-20}{80}\times100=75[\%]$

12

흙막이 지보공을 설치하였을 경우 정기적으로 점검하여야 할 사항을 3가지 쓰시오.

해답

① 부재의 손상·변형·부식·변위 및 탈락의 유무와 상태
② 버팀대의 긴압의 정도
③ 부재의 접속부·부착부 및 교차부의 상태
④ 침하의 정도

13

대상 화학물질을 취급하는 근로자의 안전·보건을 위하여 작업장에서 취급하는 대상 화학물질의 물질안전보건자료에 해당하는 내용을 근로자에게 교육하여야 한다. 해당하는 교육내용을 4가지 쓰시오.

해답 물질안전보건자료에 관한 교육 내용

① 대상 화학물질의 명칭(또는 제품명)
② 물리적 위험성 및 건강 유해성
③ 취급상의 주의사항
④ 적절한 보호구
⑤ 응급조치 요령 및 사고 시 대처방법
⑥ 물질안전보건자료 및 경고표지를 이해하는 방법

01

FTA에 사용되는 논리기호 및 사상기호의 명칭을 쓰시오.

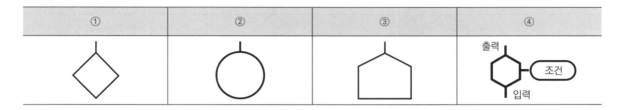

①	②	③	④

해답

① 생략사상　② 기본사상　③ 통상사상　④ 제약(억제) 게이트

02

산업안전보건법상 산업재해가 발생한 경우 사업주가 기록 보존하여야 하는 사항을 4가지 쓰시오.

해답

① 사업장의 개요 및 근로자의 인적사항
② 재해 발생의 일시 및 장소
③ 재해 발생의 원인 및 과정
④ 재해 재발방지 계획

03

산업안전보건법령상 사업주가 실시해야 하는 관리감독자 안전보건교육의 교육시간에 관한 다음 사항에서 (   )에 알맞은 내용을 쓰시오.

교육과정	교육시간
정기교육	(①)
채용 시 교육	(②)
작업내용 변경 시 교육	(③)

해답

① 연간 16시간 이상   ② 8시간 이상   ③ 2시간 이상

tip

2023년 법령개정. 문제 및 해답은 개정된 내용 적용.

04

공정안전보고서에 포함되어야 할 사항을 4가지 쓰시오.

해답

① 공정안전자료   ② 공정위험성평가서   ③ 안전운전계획   ④ 비상조치계획
⑤ 그 밖에 공정상의 안전과 관련하여 고용노동부장관이 필요하다고 인정하여 고시하는 사항

05

안전보건개선계획에 포함되어야 할 내용 4가지를 쓰시오.

해답

① 시설   ② 안전·보건관리체제   ③ 안전·보건교육
④ 산업재해 예방 및 작업환경 개선을 위하여 필요한 사항

06

양중기에 사용하는 달기 체인의 사용금지 기준을 2가지 쓰시오.

해답

① 달기 체인의 길이가 달기 체인이 제조된 때의 길이의 5[%]를 초과한 것
② 링의 단면 지름이 달기체인이 제조된 때의 해당 링의 지름의 10[%]를 초과하여 감소한 것
③ 균열이 있거나 심하게 변형된 것

07

반사경 없이 모든 방향으로 빛을 발하는 점 광원에서 2[m] 떨어진 곳의 조도가 120[lux]라면 3[m] 떨어진 곳의 조도는 얼마인가?

해답

$$조도 = \frac{광도}{(거리)^2}$$

① $120[\text{lux}] = \dfrac{광도}{2^2}$ 따라서, 광도 $= 480(\text{cd})$

② 3[m]일 때의 조도$[\text{lux}] = \dfrac{480}{3^2} = 53.33\text{lux}$

08

폭발방지를 위한 불활성화방법 중 퍼지의 종류를 3가지 쓰시오.

해답

① 진공 퍼지(Vacuum purging)
② 압력 퍼지(Pressure purging)
③ 스위프 퍼지(Sweep-Through Purging)
④ 사이폰 치환(Siphon purging)

09

공기 압축기의 작업시작 전 점검해야 할 사항을 4가지 쓰시오.

해답

① 공기저장 압력용기의 외관 상태
② 드레인 밸브의 조작 및 배수
③ 압력방출장치의 기능
④ 언로드 밸브의 기능
⑤ 윤활유의 상태
⑥ 회전부의 덮개 또는 울
⑦ 그 밖의 연결 부위의 이상 유무

10

산업안전보건법상 경고 표지 중 바탕은 무색, 기본 모형은 빨간색(검은색도 가능)에 해당하는 표시 종류를 4가지 쓰시오.

해답

① 인화성 물질 경고
② 산화성 물질 경고
③ 폭발성 물질 경고
④ 급성 독성 물질 경고
⑤ 부식성 물질 경고
⑥ 발암성 물질 경고

11

산안안전보건법상 절연용 보호구, 절연용 방호구, 활선작업용 기구, 활선작업용 장치에 대하여 각각의 사용목적에 적합한 종별·재질 및 치수의 것을 사용하여야 하나 적용을 제외하는 기준이 있다. 대지전압이 어느 정도면 제외 기준이 되는지 쓰시오.

해답

대지 전압 30[V] 이하

12

강풍에 대한 주행 크레인, 양중기, 승강기의 안전 기준이다. 다음 ( )에 답을 쓰시오.

---

1. 폭풍에 의한 주행 크레인의 이탈방지 장치 작동 : 순간풍속 (①)[m/s] 초과
2. 폭풍에 의한 건설용 리프트에 대하여 받침의 수를 증가시키는 등 그 붕괴 등을 방지하기 위한 조치 : 순간풍속 (②)[m/s] 초과
3. 폭풍에 의한 옥외용 승강기의 받침의 수 증가 등 무너지는 것을 방지하기 위한 조치 : 순간풍속 (③)[m/s] 초과

해답

① 30　② 35　③ 35

13

수인식 방호장치의 수인끈, 수인끈의 안내통, 손목밴드의 구비조건 3가지를 쓰시오

해답　수인식 방호장치의 구비조건

① 수인끈은 작업자와 작업공정에 따라 그 길이를 조정할 수 있어야 한다.
② 수인끈의 안내통은 끈의 마모와 손상을 방지할 수 있는 조치를 해야 한다.
③ 손목밴드는 착용감이 좋으며 쉽게 착용할 수 있는 구조이어야 한다.
④ 손목밴드(wrist band)의 재료는 유연한 내유성 피혁 또는 이와 동등한 재료를 사용해야 한다.
⑤ 수인끈의 재료는 합성섬유로 직경이 4[mm] 이상이어야 한다.

01

공기압축기의 작업시작 전 점검해야 할 사항을 4가지 쓰시오.

해답

① 공기저장 압력용기의 외관상태
② 드레인 밸브의 조작 및 배수
③ 압력방출장치의 기능
④ 언로드 밸브의 기능
⑤ 윤활유의 상태
⑥ 회전부의 덮개 또는 울
⑦ 그 밖의 연결부위의 이상 유무

02

산업안전보건법상 안전관리자의 업무내용을 4가지 쓰시오.

해답 안전관리자의 업무

① 산업안전보건위원회 또는 안전·보건에 관한 노사협의체에서 심의·의결한 업무와 해당 사업장의 안전보건관리규정 및 취업규칙에서 정한 업무
② 안전인증대상 기계 등과 자율안전확인대상 기계 등 구입 시 적격품의 선정에 관한 보좌 및 지도·조언
③ 위험성평가에 관한 보좌 및 지도·조언
④ 해당 사업장 안전교육계획의 수립 및 안전교육 실시에 관한 보좌 및 지도·조언
⑤ 사업장 순회점검·지도 및 조치의 건의
⑥ 산업재해 발생의 원인 조사·분석 및 재발 방지를 위한 기술적 보좌 및 지도·조언
⑦ 산업재해에 관한 통계의 유지·관리·분석을 위한 보좌 및 지도·조언
⑧ 법 또는 법에 따른 명령으로 정한 안전에 관한 사항의 이행에 관한 보좌 및 지도·조언
⑨ 업무수행 내용의 기록·유지
⑩ 그 밖에 안전에 관한 사항으로서 고용노동부장관이 정하는 사항

03

휴먼에러(Human Error)의 분류방법 중 심리적(독립행동에 관한) 분류(A.D. Swain)의 종류를 4가지 쓰시오.

해답 스웨인(A.D. Swain)의 심리적 분류(독립행동에 관한 분류)

① 생략 에러(Omission error)
② 착각수행 에러(Commission error)
③ 순서 에러(Sequential error)
④ 시간적 에러(Time error)
⑤ 과잉 행동(불필요한 수행) 에러(Extraneous error)

04

유해 위험한 기계 기구의 방호조치 중 롤러기의 방호장치를 쓰고 (   )안에 알맞은 내용을 쓰시오.

방호장치	(①)
손으로 조작하는 것	밑면으로부터 (②)m 이내
복부로 조작하는 것	밑면으로부터 (③)m 이상 (④)m 이내
무릎으로 조작하는 것	밑면으로부터 (⑤)m 이상 (⑥)m 이내

해답

① 급정지 장치
② 1.8
③ 0.8
④ 1.1
⑤ 0.4
⑥ 0.6

05

산업안전보건법상 다음과 같은 경고표지의 색채 기준을 쓰시오.

해답 **위험장소 경고표지의 색채기준**

> 바탕은 노란색, 기본모형·관련부호 및 그림은 검은색

06

비, 눈, 그 밖의 기상상태의 악화로 작업을 중지시킨 후 또는 비계를 조립, 해체하거나 변경한 후에 그 비계에서 작업을 하는 경우 해당 작업을 시작하기 전에 점검해야 할 사항을 4가지 쓰시오.

해답

> ① 발판재료의 손상여부 및 부착 또는 걸림상태
> ② 당해 비계의 연결부 또는 접속부의 풀림상태
> ③ 연결재료 및 연결철물의 손상 또는 부식상태
> ④ 손잡이의 탈락 여부
> ⑤ 기둥의 침하·변형·변위 또는 흔들림 상태
> ⑥ 로프의 부착상태 및 매단장치의 흔들림 상태

07

대상화학물질을 양도하거나 제공하는 자는 물질안전보건자료의 기재 내용을 변경할 필요가 생긴 때에는 이를 물질안전보건자료에 반영하여 대상화학물질을 양도받거나 제공받은 자에게 신속하게 제공하여야 한다. 기재내용을 변경할 필요가 있는 사항 중 상대방에게 제공하여야 할 내용을 4가지 쓰시오.

해답

① 화학제품과 회사에 관한 정보 ② 유해성·위험성 ③ 구성성분의 명칭 및 함유량
④ 응급조치 요령 ⑤ 폭발·화재 시 대처방법 ⑥ 누출사고 시 대처방법
⑦ 취급 및 저장방법 ⑧ 노출방지 및 개인보호구 ⑨ 법적 규제 현황

08

인간이 기계를 조종하는 인간-기계 체계에서 인간의 신뢰도가 0.8일 때 체계의 전체 신뢰도가 0.7 이상이 되려면 기계의 신뢰도는 얼마 이상이어야 하는가?

해답

$R_S = R_E \cdot R_H$

기계의 신뢰도$(R_E) = \dfrac{0.7}{0.8} = 0.875 = 0.88$

09

다음 보기에 해당하는 작업에서 안전을 위해 착용해야 할 보호구를 각각 쓰시오.

[보기]
① 높이 또는 깊이 2m 이상의 추락할 위험이 있는 장소에서 하는 작업
② 물체의 낙하·충격, 물체에의 끼임, 감전 또는 정전기의 대전에 의한 위험이 있는 작업
③ 고열에 의한 화상 등의 위험이 있는 작업

해답

① 안전대 ② 안전화 ③ 방열복

10

동력을 사용하는 항타기 또는 항발기에 대하여 무너짐을 방지하기 위하여 준수해야 할 사항을 4가지 쓰시오.

해답

① 연약한 지반에 설치하는 경우에는 아웃트리거·받침 등 지지구조물의 침하를 방지하기 위하여 깔판·받침목 등을 사용할 것
② 시설 또는 가설물 등에 설치하는 경우에는 그 내력을 확인하고 내력이 부족하면 그 내력을 보강할 것
③ 아웃트리거·받침 등 지지구조물이 미끄러질 우려가 있는 경우에는 말뚝 또는 쐐기 등을 사용하여 해당 지지구조물을 고정시킬 것
④ 궤도 또는 차로 이동하는 항타기 또는 항발기에 대해서는 불시에 이동하는 것을 방지하기 위하여 레일 클램프(rail clamp) 및 쐐기 등으로 고정시킬 것
⑤ 상단 부분은 버팀대·버팀줄로 고정하여 안정시키고, 그 하단 부분은 견고한 버팀·말뚝 또는 철골 등으로 고정시킬 것

11

누전차단기 접속 시 준수해야 할 다음의 사항에서 ( )에 알맞은 내용을 쓰시오.

(1) 전기기계·기구에 접속되어 있는 누전차단기는 정격감도전류가 (①)밀리암페어 이하이고 작동시간은 (②)초 이내일 것
(2) 정격전부하전류가 50암페어 이상인 전기기계·기구에 접속되는 누전차단기는 오작동을 방지하기 위하여 정격감도전류는 (③) 밀리암페어 이하로, 작동시간은 (④)초 이내로 할 수 있다.

해답

① 30   ② 0.03   ③ 200   ④ 0.1

12

산업안전보건법상 화학설비의 탱크 내 작업 시 특별안전보건교육 내용 3가지를 쓰시오.

해답

① 차단장치·정지장치 및 밸브개폐장치의 점검에 관한 사항   ② 탱크 내의 산소농도 측정 및 작업환경에 관한 사항
③ 안전보호구 및 이상발생시 응급조치에 관한 사항   ④ 작업절차·방법 및 유해·위험에 관한 사항
⑤ 그 밖에 안전·보건관리에 필요한 사항

13

산업안전보건법상 위험기계·기구에 설치한 방호조치에 대하여 근로자가 지켜야 할 준수사항을 3가지 쓰시오.

해답

① 방호조치를 해체하고자 할 경우에는 사업주의 허가를 받아 해체할 것

② 방호조치를 해체한 후 그 사유가 소멸된 때에는 지체 없이 원상으로 회복시킬 것

③ 방호조치의 기능이 상실된 것을 발견한 때에는 지체 없이 사업주에게 신고할 것

01

사업주는 동력을 사용하는 항타기 또는 항발기에 대하여 무너짐을 방지하기 위하여 준수해야 할 사항 중 빈칸에 알맞은 내용을 쓰시오.

> (가) 연약한 지반에 설치하는 경우에는 아웃트리거·받침 등 지지구조물의 침하를 방지하기 위하여 (①) 등을 사용할 것
>
> (나) 아웃트리거·받침 등 지지구조물이 미끄러질 우려가 있는 경우에는 (②) 등을 사용하여 각부나 가대를 고정시킬 것
>
> (다) 궤도 또는 차로 이동하는 항타기 또는 항발기에 대해서는 불시에 이동하는 것을 방지하기 위하여 (③) 등으로 고정시킬 것

해답

① 깔판·받침목
② 말뚝 또는 쐐기
③ 레일 클램프 및 쐐기

02

다음은 롤러기 방호장치의 종류에 관한 사항이다. 빈칸에 알맞은 내용을 쓰시오.

손으로 조작하는 것	밑면으로부터 (①)m 이내
(②)로 조작하는 것	밑면으로부터 0.8m 이상 1.1m 이내
무릎으로 조작하는 것	밑면으로부터 0.4m 이상 (③)m 이내

해답

① 1.8
② 복부
③ 0.6

03

다음 작업장에 대한 산업안전보건법상의 조도기준을 쓰시오.

> (가) 보통 작업(①)Lux 이상
> (나) 정밀 작업(②)Lux 이상
> (다) 초정밀 작업(③)Lux 이상

해답

① 150
② 300
③ 750

04

산업안전보건법상 위험물의 종류에 관한 사항이다. 괄호에 알맞은 내용을 쓰시오.

> (가) 인화성액체 : 에틸에테르, 가솔린, 아세트알데히드, 산화프로필렌, 그 밖에 인화점이 섭씨 (①) 미만이고 초기 끓는점이 섭씨 35도 이하인 물질
> (나) 크렌실, 아세트산아밀, 등유, 경유, 테레핀유, 이소아밀알코올, 아세트산, 하이드라진, 그 밖에 인화점이 섭씨 (②) 이상 섭씨 60도 이하인 물질
> (다) 부식성산류 : 농도가 (③)퍼센트 이상인 염산, 황산, 질산, 그 밖에 이와 같은 정도 이상의 부식성을 가지는 물질
> (라) 부식성산류 : 농도가 (④)퍼센트 이상인 인산, 아세트산, 불산, 그 밖에 이와 같은 정도 이상의 부식성을 가지는 물질

해답

① 23도
② 23도
③ 20
④ 60

05

프레스 및 전단기에 설치해야 할 방호장치의 종류를 3가지 쓰시오.

해답

① 양수조작식 방호장치 ② 수인식 방호장치
③ 손쳐내기식 방호장치 ④ 가드식 방호장치
⑤ 광전자식(감응형) 방호장치

06

구내운반차를 사용하여 작업을 하는 때의 작업시작 전 점검사항을 4가지 쓰시오.

해답

① 제동장치 및 조종장치 기능의 이상 유무
② 하역장치 및 유압장치 기능의 이상 유무
③ 바퀴의 이상 유무
④ 전조등·후미등·방향지시기 및 경음기 기능의 이상 유무
⑤ 충전장치를 포함한 홀더 등의 결합상태의 이상 유무

07

전압을 구분하는 다음의 기준에서 알맞은 내용을 쓰시오.

전원의 종류	저압	고압	특별 고압
직류 [DC]	(①)V 이하	(②)V 초과 (③)V 이하	(④)V 초과
교류 [AC]	(⑤)V 이하	(⑥)V 초과 (⑦)V 이하	(⑧)V 초과

해답

① 1,500 ② 1,500 ③ 7,000 ④ 7,000
⑤ 1,000 ⑥ 1,000 ⑦ 7,000 ⑧ 7,000

08

밀폐공간에서 작업할 경우 실시해야 하는 특별안전보건교육의 내용을 4가지 쓰시오. (단, 그 밖에 안전보건관리에 필요한 사항은 제외)

해답

① 산소농도 측정 및 작업환경에 관한 사항
② 사고시의 응급처치 및 비상시 구출에 관한 사항
③ 보호구 착용 및 보호 장비 사용에 관한 사항
④ 작업내용·안전작업 방법 및 절차에 관한 사항
⑤ 장비·설비 및 시설 등의 안전점검에 관한 사항

tip

2021년 법령개정으로 개정된 내용 적용.

09

소음 작업의 기준에서 작업장 소음이 다음과 같을 경우 허용되는 시간을 쓰시오.

① 90dB ② 100dB ③ 110dB ④ 115dB

해답

① 8시간 ② 2시간 ③ 0.5시간 ④ 0.25시간

10

산업안전기준에서 정하는 사다리식 통로의 설치 시 준수사항 중 빈칸에 알맞은 내용을 쓰시오.

(가) 사다리의 상단은 걸쳐놓은 지점으로부터 (①) 이상 올라가도록 할 것
(나) 사다리식 통로의 길이가 10미터 이상인 경우에는 (②)을 설치할 것

해답

① 60센티미터
② 5미터 이내마다 계단참

11

산업안전보건법상 말비계를 조립하여 사용할 경우 준수해야 할 사항이다. 빈칸에 알맞은 내용을 쓰시오.

(가) 지주부재와 수평면의 기울기를 (①) 이하로 하고, 지주부재와 지주부재 사이를 고정시키는 (②)를 설치할 것
(나) 말비계의 높이가 2m를 초과하는 경우에는 작업발판의 폭을 (③) 이상으로 할 것

해답

① 75도
② 보조부재
③ 40cm

12

고용노동부장관이 필요하다고 인정할 경우 안전·보건진단을 받아 안전보건개선계획을 수립·제출할 것을 명할 수 있는 대상 사업장을 3곳 쓰시오

해답

① 산업재해율이 같은 업종 평균 산업재해율의 2배 이상인 사업장

② 사업주가 필요한 안전조치 또는 보건조치를 이행하지 아니하여 중대재해가 발생한 사업장

③ 직업성 질병자가 연간 2명 이상(상시근로자 1천명 이상 사업장의 경우 3명 이상) 발생한 사업장

④ 그 밖에 작업환경 불량, 화재·폭발 또는 누출사고 등으로 사업장 주변까지 피해가 확산된 사업장으로서 고용노동부령으로 정하는 사업장

tip

2020년 법령개정으로 개정된 내용 적용.

13

산업안전표지 중 다음의 금지표지에 해당하는 명칭을 쓰시오.

①   ②   ③   ④

해답

① 보행금지 ② 탑승금지 ③ 사용금지 ④ 물체이동금지

01

산업안전보건법에서 정하는 목재가공용 둥근톱기계의 방호조치를 2가지 쓰시오.

해답 목재 가공용 둥근톱 기계의 방호장치

① 분할날 등 반발 예방장치
② 톱날접촉 예방장치

02

산업안전보건법상 유해·위험한 기계·기구·설비 등이 안전기준에 적합한지를 확인하기 위하여 안전인증기관이 심사하는 심사의 종류 3가지와 심사기간을 쓰시오. 제품심사에 관한 사항은 제외)

해답 안전인증 심사의 종류 및 심사기간

① 예비심사 : 7일
② 서면심사 : 15일(외국에서 제조한 경우는 30일)
③ 기술능력 및 생산체계 심사 : 30일(외국에서 제조한 경우는 45일)
④ 제품심사
㉠ 개별 제품심사 : 15일
㉡ 형식별 제품심사 : 30일(방폭구조전기기계기구 및 부품 과 일부 보호구는 60일)

03

자동전격방지기에 관한 다음의 설명 중 (   )에 맞는 내용을 쓰시오.

(①) : 용접봉을 모재로부터 분리시킨 후 주접점이 개로되어 용접기 2차 측 (②)을 (③)V 이하로 감압시킬 때까지의 시간

해답

① 지동시간
② 무부하 전압
③ 25

04

터널 등의 건설작업을 하는 경우에 낙반 등에 의하여 근로자가 위험해질 우려가 있는 경우 조치해야 할 사항을 2가지 쓰시오.

해답   갱 내에서의 낙반 방지

① 터널 지보공 및 록볼트의 설치
② 부석 제거

05

추락 등에 의한 위험을 방지하기 위하여 설치하는 안전난간의 주요구성 요소를 4가지 쓰시오.

해답

① 상부난간대
② 중간난간대
③ 발끝막이판
④ 난간기둥

06

산업안전보건법상 산업재해가 발생한 경우 사업주가 기록 보존하여야 하는 사항을 4가지 쓰시오.

해답 재해 발생 시 기록보존 해야 할 사항

① 사업장의 개요 및 근로자의 인적사항
② 재해 발생의 일시 및 장소
③ 재해 발생의 원인 및 과정
④ 재해 재발방지 계획

07

공기 압축기의 작업시작 전 점검해야 할 사항을 3가지 쓰시오.(그 밖의 연결 부위의 이상 유무는 제외)

해답 공기 압축기의 작업시작 전 점검사항

① 공기저장 압력용기의 외관 상태
② 드레인 밸브의 조작 및 배수
③ 압력방출장치의 기능
④ 언로드 밸브의 기능
⑤ 윤활유의 상태
⑥ 회전부의 덮개 또는 울
⑦ 그 밖의 연결 부위의 이상 유무

08

산업안전보건법상 차량계 건설기계를 사용하여 작업할 경우 작업계획작성 시 포함해야 할 사항을 3가지 쓰시오.

해답 차량계 건설기계 작업계획작성 시 포함사항

① 사용하는 차량계 건설기계의 종류 및 성능
② 차량계 건설기계의 운행경로
③ 차량계 건설기계에 의한 작업방법

09

산업안전보건법상 작업장의 조도기준에 관하여 쓰시오.(그 밖의 작업은 제외)

해답 조도기준

① 초정밀 작업 : 750럭스 이상
② 정밀작업 : 300럭스 이상
③ 보통작업 : 150럭스 이상
④ 그 밖의 작업 : 75럭스 이상

10

프레스 등의 금형을 부착·해체 또는 조정하는 작업을 할 때에 해당 작업에 종사하는 근로자의 신체가 위험한계 내에 있는 경우 슬라이드가 갑자기 작동함으로써 근로자에게 발생할 우려가 있는 위험을 방지하기 위하여 사용 해야하는 장치를 쓰시오.

해답

안전블록

11

보일러의 안전한 가동을 위하여 보일러 규격에 맞는 압력방출장치를 1개 또는 2개 이상 설치하고 (①) 이하에 서 작동되도록 한다. 다만 압력방출장치가 2개 이상 설치된 경우 (①) 이하에서 1개가 작동되고 다른 압력방출 장치는 (①)의 (②) 이하에서 작동되도록 부착 한다. 괄호 안에 알맞은 것을 답하시오.

해답

① 최고사용압력
② 1.05배

12

안전보건표지 중 금지표지의 형태별 색채 기준을 쓰시오.

해답

바탕은 흰색, 기본모형은 빨간색, 관련부호 및 그림은 검정색

13

근로자수가 800명인 어느 회사에서 연간 5건의 재해가 발생하였다. 도수율(빈도율)을 구하시오.(단, 하루 8시간, 년간 300일 근로함)

해답 도수율(빈도율)

$$도수율 = \frac{재해건수}{연간총근로시간수} \times 1{,}000{,}000 = \frac{5}{800 \times 8 \times 300} \times 10^6 = 2.604$$

01

크레인을 사용하여 작업할 때 작업시작 전 점검해야 할 사항을 3가지 쓰시오.

해답 크레인 작업시작전 점검사항

① 권과방지장치·브레이크·클러치 및 운전장치의 기능
② 주행로의 상측 및 트롤리가 횡행하는 레일의 상태
③ 와이어로프가 통하고 있는 곳의 상태

02

반응폭주 등 급격한 압력상승의 우려가 있거나, 독성물질의 누출로 인하여 작업환경을 오염시킬 우려가 있는 경우 이를 예방하기 위한방법으로 안전밸브 설치외에 가능한 방호장치를 쓰시오.

해답

파열판 설치

03

교류아크 용접기의 감전사고를 방지하기 위한 방호장치를 쓰시오.

해답

자동전격 방지기

tip

자동전격방지기의 성능기준 : 아크발생을 중지하였을 때 지동시간이 1.0초 이내에 2차 무부하 전압을 25V 이하로 감압시켜 안전을 유지할 수 있어야 한다.

04

유해·위험 방지를 위한 방호조치를 하지 아니하고는 양도·대여·설치·사용하거나, 양도·대여를 목적으로 진열해서는 아니 되는 기계·기구와 해당 방호장치를 4가지 쓰시오.

해답

① 예초기 : 날접촉예방장치
② 원심기 : 회전체 접촉 예방장치
③ 공기압축기 : 압력방출장치
④ 금속절단기 : 날접촉예방장치
⑤ 지게차 : 헤드가드, 백레스트, 전조등, 후미등, 안전벨트
⑥ 포장기계(진공포장기, 랩핑기로 한정) : 구동부 방호 연동장치

05

재해예방의 기본 4원칙을 쓰시오.

해답

① 손실우연의 원칙   ② 예방가능의 원칙   ③ 원인계기의 원칙   ④ 대책선정의 원칙

06

근로자수가 500명인 어느 회사에서 연간 10건의 재해가 발생하여 6명의 사상자가 발생하였다. 도수율(빈도율)과 연천인율을 구하시오.(단, 하루 9시간, 년간 250일 근로함)

해답 도수율과 연천인율

① 도수율 $= \dfrac{\text{요양재해건수}}{\text{연근로시간수}} \times 1,000,000 = \dfrac{10}{500 \times 9 \times 250} \times 10^6 = 8.888 = 8.89$

② 연천인율 $= \dfrac{\text{연간재해자수}}{\text{연평균근로자수}} \times 1,000 = \dfrac{6}{500} \times 1,000 = 12$

07

건설업에 선임해야하는 안전관리자의 수에 다음 사항에서 ( )에 알맞은 금액과 인원을 쓰시오. (다만, 전체 공사기간을 100으로 할 때 공사 시작에서 15에 해당하는 기간과 공사 종료 전의 15에 해당하는 기간은 제외)

(가) 공사금액 800억원 이상 (①)원 미만 : 2명이상

(나) 공사금액 2,200억원 이상 3천억원 미만 : (②)명 이상

해답

① 1,500억   ② 4

tip

2020년 법령개정으로 개정된 내용 적용.

08

근로자가 소음작업, 강렬한 소음작업 또는 충격소음작업에 종사하는 경우 사업주가 근로자에게 알려야 할 사항을 3가지 쓰시오.

해답 소음작업의 근로자 주지사항

① 해당 작업장소의 소음 수준
② 인체에 미치는 영향과 증상
③ 보호구의 선정과 착용방법
④ 그 밖에 소음으로 인한 건강장해 방지에 필요한 사항

09

다음 FT도에서 정상사상(Top event)이 발생하는 최소컷셋의 고장발생확률을 구하시오. (단, 원 안의 수치는 각 사상의 발생확률이다)

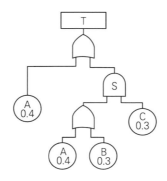

해답 T의 발생확률

① 최소컷셋을 구하면 (A) (AC) (BC) 이므로, 중복되는 (AC)를 제거하면, 진정한 최소컷셋은 (A) (BC)가 된다.

② 발생확률 : $1 - (1 - A) \times (1 - B \times C) = 1 - (1 - 0.4) \times (1 - 0.3 \times 0.3) = 0.454$

10

안전관리에 적용될 수 있는 조직의 종류를 3가지 쓰시오.

해답 안전관리 조직의 종류

① 라인형(Line, 직계식)

② 스탭형(Staff, 참모식)

③ 라인스탭형(Line-Staff, 직계참모식)

11

산업안전보건법령상 사업주가 근로자에게 실시해야 하는 근로자 안전보건교육의 교육시간에 관한 다음 사항에서 (　)에 알맞은 내용을 쓰시오.

교육과정	교육대상		교육시간
정기교육	사무직 종사 근로자		매반기 6시간 이상
	그 밖의 근로자	판매업무에 직접 종사하는 근로자	①
		판매업무에 직접 종사하는 근로자 외의 근로자	②
채용 시 교육	일용근로자 및 근로계약기간이 1주일 이하인 기간제근로자		③
작업내용 변경 시 교육	그 밖의 근로자		④
건설업기초 안전·보건 교육	건설 일용근로자		⑤

해답

① 매반기 6시간 이상
② 매반기 12시간 이상
③ 1시간 이상
④ 2시간 이상
⑤ 4시간 이상

tip

2023년 법령개정. 문제 및 해답은 개정된 내용 적용.

12

관리대상 유해물질을 취급하는 작업장에 게시해야 할 사항을 4가지 쓰시오.

해답

① 관리대상 유해물질의 명칭
② 인체에 미치는 영향
③ 취급상 주의사항
④ 착용하여야 할 보호구
⑤ 응급조치와 긴급 방재 요령

13

전기화재에 해당하는 급수와 적응소화기를 3가지 쓰시오.

해답 전기화재

① 급수 : C급화재
② 적응소화기 : 분말 소화기, 탄산가스 소화기, 할로겐화합물 소화기

01

승강기의 설치·조립·수리·점검 또는 해체 작업을 하는 경우 안전조치 사항 3가지를 쓰시오.

해답 조립 등의 작업시 안전조치 사항

① 작업을 지휘하는 사람을 선임하여 그 사람의 지휘하에 작업을 실시할 것
② 작업을 할 구역에 관계 근로자가 아닌 사람의 출입을 금지하고 그 취지를 보기 쉬운 장소에 표시할 것
③ 비, 눈, 그 밖에 기상상태의 불안정으로 날씨가 몹시 나쁜 경우에는 그 작업을 중지시킬 것

02

기계설비에 의해 형성되는 위험점의 종류를 5가지 쓰시오.

해답

① 협착점 ② 끼임점 ③ 절단점 ④ 물림점 ⑤ 접선 물림점 ⑥ 회전 말림점

03

25℃, 1기압에서 공기 중 일산화탄소(CO)의 허용농도가 10ppm일 때 이를 mg/m³의 단위로 환산하면 약 얼마인가? (단, CO의 분자량은 28Mw)

해답 단위 환산

$$\mathrm{mg/m^3} = \frac{\mathrm{ppm} \times 분자량(g)}{24.45(25℃·1기압)} = \frac{10 \times 28}{24.45} = 11.45(\mathrm{mg/m^3})$$

04

콘크리트 구조물로 옹벽을 축조할 경우, 필요한 안정조건을 3가지 쓰시오.

해답

① 전도(over turning)에 대한 안정
② 활동(sliding)에 대한 안정
③ 지반지지력[침하(settlement)]에 대한 안정

05

인간이 기계보다 우수한 기능을 5가지 쓰시오.

해답

① 복잡 다양한 자극 형태 식별
② 예기치 못한 사건 감지
③ 많은 양의 정보를 오래 보관
④ 귀납적 추리
⑤ 과부하 상태에서는 중요한 일에만 전념

06

산업안전보건법상 보호구의 안전인증 제품에 안전인증의 표시외에 표시하여야 하는 사항을 5가지 쓰시오.

해답 보호구의 안전인증 제품에 표시해야 할 사항

① 형식 또는 모델명
② 규격 또는 등급 등
③ 제조자명
④ 제조번호 및 제조연월
⑤ 안전인증 번호

07

산업안전보건법상 크레인의 방호장치 4가지를 쓰시오.

해답

① 과부하방지장치 ② 권과방지장치 ③ 비상정지장치 ④ 제동장치

08

산업안전보건법에 따른 건설업의 도급사업에서 안전, 보건에 관한 노사협의체의 구성에 있어 근로자 위원과, 사용자 위원의 자격을 각각 2가지씩 쓰시오.

해답 노사 협의체 구성 위원

(1) 사용자 위원
  ① 도급 또는 하도급 사업을 포함한 전체 사업의 대표자
  ② 안전관리자 1명
  ③ 공사금액이 20억원 이상인 공사의 관계 수급인의 각 대표자
  ④ 보건관리자 1명(선임대상건설업에 한정)
(2) 근로자 위원
  ① 도급 또는 하도급 사업을 포함한 전체 사업의 근로자 대표
  ② 근로자 대표가 지명하는 명예 산업안전감독관 1명, 다만 위촉되어 있지 않은 경우 근로자 대표가 지명하는 해당 사업장 근로자 1명
  ③ 공사금액이 20억원 이상인 공사의 관계수급인의 각 근로자 대표

09

동작경제의 3원칙을 쓰시오.

해답 바안스(Barnes)의 동작경제의 원칙

① 신체의 사용에 관한 원칙(Use of the human body)
② 작업장의 배치에 관한 원칙(Arrangement of the workplace)
③ 공구 및 설비 디자인에 관한 원칙(Design of tools and equipments)

10

압력용기의 안전검사 주기에 관한 내용이다. 내용에 맞는 주기를 쓰시오.

(1) 사업장에 설치가 끝난 날부터 (①)년 이내에 최초 안전검사를 실시한다.
(2) 최초안전검사 이후 매(②)년마다 안전검사를 실시한다.
(3) 공정안전보고서를 제출하여 확인을 받은 압력용기는 (③)년마다 안전검사를 실시한다.

해답

① 3 ② 2 ③ 4

11

목재가공용 둥근톱에서 분할날이 갖추어야 할 사항 중 톱두께와 치진폭과의 관계식을 쓰시오.

해답

① $1.1t_1 \leq t_2 < b$ (t_1 : 톱두께, t_2 : 분할날두께, b : 치진폭)
② 분할 날의 두께는 둥근톱 두께의 1.1배 이상이어야 한다.

12

가스폭발 위험장소에 설치하여 사용할 수 있는 방폭구조의 종류에 따른 기호를 쓰시오.

방폭구조의 종류	표시기호
내압 방폭구조	①
유입 방폭구조	②
안전증 방폭구조	③
본질안전 방폭구조	④
몰드 방폭구조	⑤

해답

① 내압방폭구조 : d   ② 유입방폭구조 : o   ③ 안전증방폭구조 : e

④ 본질안전방폭구조 : i(ia, ib)   ⑤ 몰드방폭구조 : m

13

근로자가 1시간동안 1분당 7.5kcal의 에너지를 소모하는 작업을 수행하는 경우 휴식시간을 구하시오. (단, 작업에 대한 권장 평균에너지 소비량은 분당 4kcal이다.)

해답 휴식시간 산출

① $R = \dfrac{60(E-5)}{E-1.5}$

여기서, R : 휴식시간(분),

       E : 작업시 평균 에너지 소비량(kcal/분)

       60분 : 총작업 시간

       1.5kcal/분 : 휴식시간 중의 에너지 소비량

② 휴식시간(R) : $\dfrac{60(7.5-4)}{7.5-1.5} = 35$ (분)

01

평균근로자 100명이 작업하는 사업장에서 한 해 동안 사망 1명, 14급장해 2명, 기타 휴업일수가 37일 발생한 경우 강도율을 계산하시오.

해답

$$강도율(S.R) = \frac{근로손실일수}{연간총근로시간수} \times 1,000$$

$$\therefore \; 강도율 = \frac{7,500 + (2 \times 50) + \left(37 \times \frac{300}{365}\right)}{100 \times 8 \times 300} \times 1,000 = 31.793 = 31.79$$

02

TLV-TWA에 관하여 간략히 설명하시오.

해답 TLV-TWA(시간가중 평균 노출기준)

1일 8시간 작업기준으로 유해 요인의 측정치에 발생시간을 곱하여 8시간으로 나눈 값으로 1일 8시간, 주 40시간을 기준으로 유해물질에 매일 노출되어도 거의 모든 근로자에게 건강상의 장해가 없을 것으로 생각되는 농도.

03

작업장 내에서 관계근로자외에 출입을 금지하기 위해 설치하는 "관계자외 출입금지"표지의 종류를 3가지 쓰시오.

해답 관계자외 출입금지 표지

① 허가대상물질 작업장
② 석면취급/해체 작업장
③ 금지대상물질의 취급 실험실 등

04

공정흐름도에 포함되어야 할 사항 3가지를 쓰시오.

해답

① 주요동력기계　② 장치 및 설비의 표시 및 명칭　③ 주요 계장설비 및 제어설비
④ 물질 및 열 수지　⑤ 운전온도 및 운전압력 등

05

가설구조물에 해당하는 비계의 구비요건을 3가지 쓰고 간단히 설명하시오.

해답

① 안전성 : 파괴 및 도괴 등에 대한 충분한 강도를 가질 것
② 작업성(시공성) : 넓은 작업발판 및 공간확보. 안전한 작업자세 유지
③ 경제성 : 가설, 철거비 및 가공비 등

06

방폭구조의 종류를 5가지 쓰시오.

해답

① 내압방폭구조(d)　② 압력방폭구조(p)　③ 유입방폭구조(o)　④ 안전증방폭구조(e)
⑤ 특수방폭구조(s)　⑥ 본질안전방폭구조(i)　⑦ 몰드방폭구조(m)　⑧ 충전방폭구조(q)
⑨ 비점화방폭구조(n)

07

로봇의 작동범위 내에서 그 로봇에 관하여 교시 등의 작업을 하는 경우 작업시작전 점검사항을 3가지 쓰시오.

해답

① 외부전선의 피복 또는 외장의 손상유무   ② 매니퓰레이터(manipulator)작동의 이상유무
③ 제동장치 및 비상정지장치의 기능

08

히빙이 발생하기 쉬운 지반형태와 발생원인을 2가지 쓰시오.

해답

(1) 지반형태 : 연약성 점토지반
(2) 발생원인
   ① 유동성이 큰 연약한 점토지반에서 굴착 중 흙막이 근입 깊이가 충분하지 못하여 흙막이 바깥쪽 지반의 활동력이 안쪽 지반의 저항력보다 큰 경우
   ② 유동성이 큰 연약한 점토지반에서 굴착 중 흙막이 지보공의 강성이 부족하여 흙막이 외부의 유동성이 큰 토사의 토압으로 인해 터파기 면으로 연약지반이 밀려 올라오는 경우
   ③ 유동성이 큰 연약한 점토지반에서 굴착 중 지표면(원지반)의 하중이 증가하거나 굴착면의 하중이 감소하여 흙막이 바깥쪽 지반의 활동력이 안쪽 지반의 저항력보다 큰 경우

09

부주의 현상 중 걱정, 고뇌, 욕구불만 등으로 의식의 흐름이 업무에서 벗어나 주의력이 약화되는 상태에 해당하는 현상을 쓰시오.

해답

의식의 우회

10

비파괴 검사의 종류를 4가지 쓰시오.

해답

① 방사선 투과 검사   ② 초음파 탐상검사   ③ 액체침투 탐상시험
④ 자분탐상시험   ⑤ 누설검사 등

11

정량적 표시장치에서 지침설계시 고려해야 할 사항을 4가지 쓰시오.

해답 지침의 설계

① 뾰족한 지침 사용(선각이 20°정도)   ② 지침의 끝은 작은 눈금과 맞닿게 하되 겹치지는 않도록
③ 원형 눈금일 경우 지침은 선단에서 눈금의 중심까지 색칠   ④ 시차를 없애기 위해 지침을 눈금면과 밀착

12

시스템 위험분석기법 중에서 THERP 분석기법을 간단히 설명하시오.

해답

시스템에 있어서 인간의 과오를 정량적으로 평가하기 위해 개발된 기법(Swain 등에 의해 개발된 인간실수 예측기법)

13

작업장에서 재해가 발생할 경우 긴급처리후 재해조사를 실시한다. 재해조사의 목적을 쓰시오.

해답

재해의 원인과 결함을 규명하여 동종재해 및 유사재해의 재발을 방지하고 예방대책을 수립(예방자료 수집도 포함)

01

물질안전보건자료의 작성항목 16가지중 5가지만 쓰시오. (단, 그 밖의 참고사항은 제외한다)

해답

① 화학제품과 회사에 관한 정보　② 유해·위험성　③ 구성성분의 명칭 및 함유량
④ 응급조치요령　⑤ 폭발·화재시 대처방법　⑥ 누출사고시 대처방법
⑦ 취급 및 저장방법　⑧ 노출방지 및 개인보호구　⑨ 물리화학적 특성
⑩ 안정성 및 반응성　⑪ 독성에 관한 정보　⑫ 환경에 미치는 영향
⑬ 폐기 시 주의사항　⑭ 운송에 필요한 정보　⑮ 법적규제 현황

02

산업안전보건법상 작업장의 조도기준에 관한 다음 사항에서 (　)에 알맞은 내용을 쓰시오.

초정밀작업	정밀작업	보통 작업	그 밖의 작업
(①)Lux 이상	(②)Lux 이상	(③)Lux 이상	(④)Lux 이상

해답

① 750　② 300　③ 150　④ 75

03

Fool proof를 간단히 설명하시오.

바보같은 행동(인간의 착오 및 미스 등 포함)을 방지한다는 뜻으로 사용자가 비록 잘못된 조작을 하더라도 이로 인해 전체의 고장이 발생하지 아니하도록 하는 설계방법(작업자의 오조작이 있어도 위험이나 실수가 발생하지 않도록 설계된 구조를 말하며 본질적인 안전화를 의미한다)

tip

Fool proof의 대표적인 기구
① 가드(Guard)
② 록기구(Lock기구)
③ 오버런기구(Overun기구)
④ 트립 기구(Trip 기구)
⑤ 밀어내기기구(Push&Pull 기구)
⑥ 기동방지 기구

04

고용노동부장관이 필요하다고 인정할 경우 안전·보건진단을 받아 안전보건개선계획을 수립·제출할 것을 명할 수 있는 대상 사업장을 4곳 쓰시오.

① 산업재해율이 같은 업종 평균 산업재해율의 2배 이상인 사업장
② 사업주가 필요한 안전조치 또는 보건조치를 이행하지 아니하여 중대재해가 발생한 사업장
③ 직업성 질병자가 연간 2명 이상(상시근로자 1천명 이상 사업장의 경우 3명 이상) 발생한 사업장
④ 그 밖에 작업환경 불량, 화재·폭발 또는 누출사고 등으로 사업장 주변까지 피해가 확산된 사업장으로서 고용노동부령으로 정하는 사업장

05

피뢰기가 갖추어야 할 구비성능을 4가지 쓰시오.

피뢰기의 구비성능

① 충격방전 개시전압과 제한전압이 낮을 것
② 반복동작이 가능할 것
③ 뇌전류의 방전능력이 크고 속류차단이 확실할 것
④ 점검, 보수가 간단할 것
⑤ 구조가 견고하며 특성이 변화하지 않을 것

06

다음은 계단과 계단참에 관한 안전기준이다. ( )에 맞는 내용을 쓰시오.

사업주는 계단 및 계단참을 설치할 때에는 매제곱미터당 (①)kg 이상의 하중에 견딜수 있는 강도를 가진 구조로 설치하여야 하며, 안전율은 (②) 이상으로 하여야 한다. 높이가 3m를 초과하는 계단에는 높이(③)m 이내마다 진행방향으로 길이 (④)m 이상의 계단참을 설치하여야 한다.

① 500 ② 4 ③ 3 ④ 1.2

07

다음과 같은 안전표지의 색채에 따른 색도 기준 및 용도에서 (   )안에 알맞은 내용을 쓰시오.

색채	색도 기준	용도
빨간색	(①)	금지표지
(②)	5Y 8.5/12	경고표지
파란색	2.5PB 4/10	(③)
녹색	2.5G 4/10	(④)
(⑤)	N9.5	

해답

① 7.5R 4/14 ② 노란색 ③ 지시표지 ④ 안내표지 ⑤ 흰색

08

공정안전보고서 제출 대상 사업장을 4가지 쓰시오.

해답

① 원유정제 처리업
② 기타 석유정제물 재처리업
③ 석유화학계 기초화학물질 제조업 또는 합성수지 및 기타 플라스틱물질 제조업
④ 질소 화합물, 질소 인산 및 칼리질 화학비료 제조업 중 질소질 비료 제조
⑤ 복합비료 및 기타 화학비료 제조업 중 복합비료 제조(단순혼합 또는 배합에 의한 경우는 제외)
⑥ 화학살균 살충제 및 농업용 약제 제조업(농약 원제 제조만 해당)
⑦ 화약 및 불꽃제품 제조업

09

자율안전확인대상 방호장치의 종류를 4가지 쓰시오.

해답 자율안전확인 대상 방호장치

① 아세틸렌 용접장치용 또는 가스집합 용접장치용 안전기
② 교류 아크용접기용 자동전격방지기
③ 롤러기 급정지장치
④ 연삭기 덮개
⑤ 목재 가공용 둥근톱 반발 예방장치와 날 접촉 예방장치
⑥ 동력식 수동대패용 칼날 접촉 방지장치
⑦ 추락·낙하 및 붕괴 등의 위험 방지 및 보호에 필요한 가설기자재로서 고용노동부장관이 정하여 고시하는 것

10

산업안전보건법상 차량계 건설기계를 사용하여 작업할 경우 작업계획작성 시 포함해야 할 사항을 3가지 쓰시오.

해답 차량계 건설기계 작업계획작성 시 포함사항

① 사용하는 차량계 건설기계의 종류 및 성능
② 차량계 건설기계의 운행경로
③ 차량계 건설기계에 의한 작업방법

11

기계설비에 의해 형성되는 위험점의 종류를 5가지 쓰시오.

해답

① 협착점 ② 끼임점 ③ 절단점 ④ 물림점 ⑤ 접선 물림점 ⑥ 회전 말림점

12

어느 사업장에서 근로자의 수가 350명이고, 주당 48시간씩 연간 50주 작업하는 동안 30건의 재해가 발생하였다. 도수율(빈도율)을 구하시오.

해답

$$빈도율(F.R) = \frac{재해건수}{연간총근로시간수} \times 1,000,000$$

$$\therefore \frac{30}{350 \times 48 \times 50} \times 10^6 = 35.71$$

13

무재해 운동의 위험예지 훈련에서 실시하는 문제해결 4라운드 진행법을 순서대로 쓰시오.

해답

① 제1단계 : 현상파악
② 제2단계 : 본질추구
③ 제3단계 : 대책수립
④ 제4단계 : 목표설정

01

수인식 방호장치의 수인끈, 수인끈의 안내통, 손목밴드의 구비조건 3가지를 쓰시오 .

해답 수인식 방호장치의 구비조건

① 수인끈은 작업자와 작업공정에 따라 그 길이를 조정할 수 있어야 한다.
② 수인끈의 안내통은 끈의 마모와 손상을 방지할 수 있는 조치를 해야 한다.
③ 손목밴드는 착용감이 좋으며 쉽게 착용할 수 있는 구조이어야 한다.
④ 손목밴드(wrist band)의 재료는 유연한 내유성 피혁 또는 이와 동등한 재료를 사용해야 한다.
⑤ 수인끈의 재료는 합성섬유로 직경이 4mm 이상이어야 한다.

02

재해사례 연구순서를 5단계로 쓰시오.

해답

① 제1단계 : 재해상황의 파악
② 제2단계 : 사실의 확인
③ 제3단계 : 문제점의 발견
④ 제4단계 : 근본적 문제점 결정
⑤ 제5단계 : 대책수립

03

연삭기로 작업자가 연마작업을 하던중 연삭숫돌과 덮개 사이에 재료가 끼면서 파손된 파편이 작업자에게 튀어 사망하는 사고가 발생하였다. 다음의 내용으로 재해를 분석하시오.

---

① 재해형태   ② 기인물   ③ 가해물

해답

① 맞음(비래)   ② 연삭기   ③ 파편

04

안전보건개선계획에 관한 다음 사항에서 빈칸에 알맞은 내용을 쓰시오.

- 안전보건개선계획서를 제출해야 하는 사업주는 안전보건개선계획서 수립·시행 명령을 받은 날부터 (①)일 이내에 관할 지방고용노동관서의 장에게 해당 계획서를 제출(전자문서로 제출하는 것을 포함한다)해야 한다.
- 지방고용노동관서의 장이 안전보건개선계획서를 접수한 경우에는 접수일부터 (②)일 이내에 심사하여 사업주에게 그 결과를 알려야 한다.

해답

① 60   ② 15

05

화학설비의 안전성평가 6단계를 순서대로 쓰시오.

해답

① 제1단계 : 관계 자료의 정비 검토	② 제2단계 : 정성적 평가	③ 제3단계 : 정량적 평가
④ 제4단계 : 안전대책	⑤ 제5단계 : 재해정보에 의한 재평가	⑥ 제6단계 : FTA에 의한 재평가

06

밀폐공간에서 작업 시에는 밀폐 공간 작업 프로그램을 수립하여 시행하여야 한다. 밀폐공간 작업 프로그램에 포함되어야 할 사항을 4가지 쓰시오.

해답

① 사업장 내 밀폐공간의 위치 파악 및 관리 방안

② 밀폐 공간 내 질식·중독 등을 일으킬 수 있는 유해·위험요인의 파악 및 관리 방안

③ ②항에 따라 밀폐공간 작업 시 사전 확인이 필요한 사항에 대한 확인 절차

④ 안전보건 교육 및 훈련

⑤ 그 밖에 밀폐공간 작업근로자의 건강장해 예방에 관한 사항

07

다음 FT도에서 시스템의 신뢰도는 약 얼마인가? (단, 발생확률은 ①, ④는 0.05, ②, ③은 0.1)

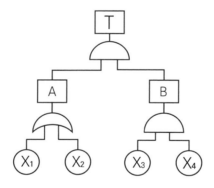

해답 시스템의 신뢰도

(1) T의 발생확률 : T = A × B

　① A = 1 - (1 - 0.05)(1 - 0.1) = 0.145

　② B = 0.05 × 0.1 = 0.005

　③ T = 0.145 × 0.005 = 0.000725

(2) 시스템의 신뢰도는 1 - 0.000725 = 0.999275 ≒ 1.00

08

누전에 의한 감전위험을 방지하기 위하여 해당 전로의 정격에 적합하고 감도가 양호하며 확실하게 작동하는 감전방지용 누전차단기를 설치하여야 하는 다음의 내용 중 빈칸에 알맞은 내용을 쓰시오.

- 대지전압이 (①)볼트를 초과하는 이동형 또는 휴대형 전기기계·기구
- 물 등 도전성이 높은 액체가 있는 습윤장소에서 사용하는 저압[(②)볼트 이하 직류전압이나 (③)볼트 이하의 교류전압을 말한다]용 전기기계·기구
- 철판·철골 위 등 도전성이 높은 장소에서 사용하는 이동형 또는 휴대형 전기기계·기구
- 임시배선의 전로가 설치되는 장소에서 사용하는 이동형 또는 휴대형 전기기계·기구

해답

① 150   ② 1500   ③ 1000

tip

2021년 법령개정으로 개정된 내용 적용.

09

양중기에 사용하는 달기체인의 사용금지 기준에 해당하는 다음 내용 중 빈칸에 알맞은 내용을 쓰시오.

- 달기체인의 길이가 달기체인이 제조된 때의 길이의 (①)퍼센트를 초과한 것
- 링의 단면지름이 달기체인이 제조된 때의 해당 링의 지름의 (②)퍼센트를 초과하여 감소한 것

해답

① 5
② 10

10

작업발판 일체형 거푸집의 종류를 4가지 쓰시오.

해답

① 갱 폼(gang form)　　　　　　　② 슬립 폼(slip form)
③ 클라이밍 폼(climbing form)　　　④ 터널 라이닝 폼(tunnel lining form)
⑤ 그 밖에 거푸집과 작업발판이 일체로 제작된 거푸집 등

11

산업안전보건법상 다음에 해당하는 안전보건표지의 명칭을 쓰시오.

①	②	③

해답

① 화기 금지　　② 산화성 물질 경고　　③ 고온 경고

12

산업안전보건법에서 정하고 있는 사업주가 근로자에게 시행해야 할 산업안전보건관련 교육과정을 4가지 쓰시오.

해답

① 정기교육
② 채용 시 교육
③ 작업내용 변경 시 교육
④ 특별교육
⑤ 건설업 기초안전보건교육

13

4200kN의 화물을 두 줄 걸이 로프로 상부각도 60°로 들어 올릴 때 와이어로프 1가닥에 걸리는 하중을 계산하시오.

해답 슬링 와이어로프의 한 가닥에 걸리는 하중

$$하중 = \frac{화물의\ 무게(W_1)}{2} \div \cos\frac{\theta}{2} = \frac{4200}{2} \div \cos\frac{60}{2} = 2424.871\,[\mathrm{kN}]$$

01

MTTR과 MTTF를 간단히 설명하시오.

해답

① 평균 수리시간(Mean Time to Repair : MTTR)
기기 또는 시스템의 고장이 발생한 시점부터 시스템을 운영 가능한 상태로 회복시킬 때 까지 수리하는데 소요된 평균시간(수리시간의 평균치)을 MTTR이라 한다.
② 평균 고장수명(Mean Time to Failure : MTTF)
수리하지 않는(수리 불가능한) 기기 또는 시스템의 사용시작으로부터 고장날 때까지의 동작시간의 평균치를 MTTF라 한다.

tip

수리할 수 있는 기기 또는 시스템의 고장에서부터 다음 고장까지의 동작시간의 평균치는 MTBF(Mean Time Between Failure 평균 고장간격)라 한다.

02

작업장 바닥에 기름이 있는 통로를 지나가다가 작업자가 기름에 미끄러져 넘어져 기계에 부딪히는 사고가 발생했다. 다음과 같은 내용으로 재해를 분석하시오.

---
① 재해 발생 형태
② 기인물
③ 가해물

해답

① 재해 발생 형태 : 넘어짐(전도)
② 기인물 : 기름
③ 가해물 : 기계

03

Fool proof의 대표적인 기구인 가드에 해당하는 고정가드와 인터록 가드에 대하여 간단히 설명하시오.

해답

① 고정 가드(Fixed Guard) : 움직일 수 없는 가드로서 견고하게 고정되어 공구를 사용치 않고는 제거 또는 개방할 수 없는 가드이며, 개구 부로부터 가공물과 공구 등을 넣어도 손은 위험영역에 머무르지 않도록 고정되어 있는 형태의 가드를 말한다.
② 인터록 가드(Interlock Guard) : 기계가 작동중에 개폐되는 경우 정지하도록 연동되어 있는 형태로, 가동식 가드가 연동장치와 조합된 가드를 말한다.

04

다음 안전표지판의 명칭을 쓰시오.

①	②	③

해답

① 낙하물경고
② 폭발성물질경고
③ 보안면착용

05

60rpm으로 회전하는 롤러기의 앞면 롤러의 지름이 120mm인 경우 앞면 롤러의 표면속도와 관련 규정에 따른 급정지거리[mm]를 구하시오.

해답

① 표면속도$(V) = \dfrac{\pi DN}{1,000} = \dfrac{\pi \times 120 \times 60}{1,000} = 22.62[\text{m/min}]$

② 급정지거리 기준

앞면 롤러의 표면 속도(m/분)	급정지 거리
30 미만	앞면 롤러 원주의 1/3 이내
30 이상	앞면 롤러 원주의 1/2.5 이내

③ 급정지 거리 $= \pi D \times \dfrac{1}{3} = \pi \times 120 \times \dfrac{1}{3} = 125.66[\text{mm}]$ 이내

06

고용노동부장관이 산업재해 예방을 위하여 종합적인 개선조치를 할 필요가 있다고 인정되는 사업장의 사업주에게 고용노동부령으로 정하는 바에 따라 그 사업장, 시설, 그 밖의 사항에 관한 안전 및 보건에 관한 개선계획(안전보건 개선계획)을 수립하여 시행할 것을 명할 수 있는 대상 사업장을 3가지 쓰시오.

해답

① 산업재해율이 같은 업종의 규모별 평균 산업재해율보다 높은 사업장
② 사업주가 필요한 안전조치 또는 보건조치를 이행하지 아니하여 중대재해가 발생한 사업장
③ 직업성 질병자가 연간 2명 이상 발생한 사업장
④ 유해인자의 노출기준을 초과한 사업장

07

유한 사면의 붕괴유형을 3가지 쓰시오.

해답

① 사면 내 붕괴
② 사면선단 붕괴
③ 사면저부 붕괴

08

변전설비에 사용하는 MOF의 역할 2가지를 쓰시오.

해답 MOF(Metering Out Fit)는 계기용 변성기로

① 고전압을 저전압으로 변성
② 대전류를 소전류로 변성

09

산업안전보건법에서 정하고 있는 사업주가 근로자에게 시행해야 할 산업안전보건관련 교육과정을 4가지 쓰시오.

해답

① 정기교육
② 채용 시 교육
③ 작업내용 변경 시 교육
④ 특별교육
⑤ 건설업 기초안전보건교육

10

사업주는 근로자가 지붕위에서 작업시 추락하거나 넘어질 위험의 우려가 있는 경우 위험을 방지하기 위하여 해야
하는 필요한 조치를 2가지 쓰시오.

해답 지붕위에서 작업시 추락하거나 넘어질 위험이 있는 경우 조치 사항

① 지붕의 가장자리에 안전난간을 설치할 것
  – 안전난간 설치가 곤란한 경우 추락방호망 설치
  – 추락방호망 설치가 곤란한 경우 안전대 착용 등의 추락 위험 방지조치
② 채광창(skylight)에는 견고한 구조의 덮개를 설치할 것
③ 슬레이트 등 강도가 약한 재료로 덮은 지붕에는 폭 30센티미터 이상의 발판을 설치할 것

tip
2021년 법령개정으로 개정된 내용 적용.

11

욕조곡선에서 고장을 시기별로 3가지 분류하고 고장률 계산공식을 쓰시오.

해답 고장의 분류

1) 분류 : ① 초기고장   ② 우발고장   ③ 마모고장

2) 고장률$(\lambda) = \dfrac{r(\text{그 기간중의 총고장수})}{T(\text{총동작시간})}$

12

산업안전보건법상 유해·위험 방지를 위한 방호조치를 해야만 하는 다음 보기의 기계·기구에 설치해야 할 방호장치를 쓰시오.

───────────── [보기] ─────────────

① 예초기 ② 원심기 ③ 공기압축기 ④ 금속절단기 ⑤ 지게차

해답

① 예초기 : 날접촉예방장치
② 원심기 : 회전체 접촉 예방장치
③ 공기압축기 : 압력방출장치
④ 금속절단기 : 날접촉예방장치
⑤ 지게차 : 헤드가드, 백레스트, 전조등, 후미등, 안전밸트

13

이황화탄소의 폭발상한계가 44.0(vol%)이고, 폭발하한계가 1.2(vol%)라면, 이황화탄소의 위험도를 계산하시오.

해답

위험도 $H = \dfrac{UFL - LFL}{LFL}$

여기서) UFL : 연소 상한값, LFL : 연소 하한값, H : 위험도

$\therefore H = \dfrac{44.0 - 1.2}{1.2} = 35.666 = 35.67$

01

근로자 400명이 1일 8시간, 연간 300일 작업(잔업은 1인당 년 50시간)하는 어떤 작업장에 연간20건의 재해가 발생하여 근로손실일수 150일과 휴업일수 73일이 발생하였다. 강도율, 도수율을 구하시오.

해답 재해율

① 강도율$(S.R) = \dfrac{\text{근로손실일수}}{\text{연간총근로시간수}} \times 1,000$

$\quad = \dfrac{150 + \left(73 \times \dfrac{300}{365}\right)}{(400 \times 8 \times 300) + (400 \times 50)} \times 1,000 = 0.21$

② 빈도율$(F.R) = \dfrac{\text{재해건수}}{\text{연간총근로시간수}} \times 10^6$

$\quad = \dfrac{20}{(400 \times 8 \times 300) + (400 \times 50)} \times 10^6 = 20.41$

02

동력식 수동대패기의 방호장치와 그 방호장치와 송급테이블의 간격을 쓰시오.

해답

① 방호장치 : 칼날접촉 방지장치
② 송급 테이블면과의 간격 : 8mm 이하

03

산업안전보건법상 안전보건총괄책임자 지정 대상사업에 관한 다음사항에서 (   )에 알맞은 내용을 넣으시오.

안전보건총괄책임자를 지정해야 하는 사업의 종류 및 사업장의 상시근로자 수는 관계수급인에게 고용된 근로자를 포함한 상시근로자가 (①)명 이상인 사업이나 관계수급인의 공사금액을 포함한 해당 공사의 총공사금액이 (②)억원 이상인 건설업으로 한다. (단, 선박 및 보트 건조업, 1차 금속 제조업 및 토사석 광업의 경우는 제외)

해답

① 100   ② 20

04

FTA에 있어서 cut set와 path set를 간략히 설명하시오.

해답

① 컷셋(cut set) : 정상사상을 발생시키는 기본사상의 집합으로 그 안에 포함되는 모든 기본사상이 발생할 때 정상사상을 발생시킬 수 있는 기본사상의 집합
② 패스셋(path set) : 그 안에 포함되는 모든 기본사상이 일어나지 않을 때 처음으로 정상사상이 일어나지 않는 기본사상의 집합

05

지반의 이상현상중 보일링 현상이 일어나기 쉬운 지반의 조건을 쓰시오.

해답

투수성이 좋은 사질지반(지하수위가 높은 사질토)

06

교류아크용접기에 자동전격방지기를 설치하여야 하는 장소를 3가지 쓰시오.

① 선박의 이중 선체 내부, 밸러스트 탱크(ballast tank, 평형수 탱크), 보일러 내부 등 도전체에 둘러싸인 장소
② 추락할 위험이 있는 높이 2미터 이상의 장소로 철골 등 도전성이 높은 물체에 근로자가 접촉할 우려가 있는 장소
③ 근로자가 물·땀 등으로 인하여 도전성이 높은 습윤 상태에서 작업하는 장소

07

화물자동차의 짐걸이로 사용해서는 안되는 섬유로프를 2가지 쓰시오.

① 꼬임이 끊어진 것   ② 심하게 손상되거나 부식된 것

08

안전인증 파열판에 안전인증 외에 추가로 표시하여야 할 사항 5가지를 쓰시오.

① 호칭지름   ② 용도(요구성능)
③ 설정파열압력(MPa) 및 설정온도(℃)   ④ 분출용량(kg/h) 또는 공칭분출계수
⑤ 파열판의 재질   ⑥ 유체의 흐름방향 지시

09

연소의 형태에서 고체의 연소형태를 4가지 쓰시오.

① 분해연소 ② 증발연소 ③ 표면연소 ④ 자기연소

10

비, 눈, 그 밖의 기상상태의 악화로 작업을 중지시킨 후 또는 비계를 조립·해체하거나 변경한 후에 그 비계에서 작업을 하는 경우 해당 작업을 시작하기 전에 점검하고 이상을 발견하면 즉시 보수하여야 하는 사항을 3가지 쓰시오.

해답 비계의 점검 보수

① 발판재료의 손상여부 및 부착 또는 걸림 상태 ② 당해 비계의 연결부 또는 접속부의 풀림 상태
③ 연결재료 및 연결철물의 손상 또는 부식 상태 ④ 손잡이의 탈락여부
⑤ 기둥의 침하·변형·변위 또는 흔들림 상태 ⑥ 로프의 부착상태 및 매단장치의 흔들림 상태

11

휴먼에러(Human Error)의 분류방법 중 심리적(독립행동에 관한) 분류를 4가지 쓰시오.

해답 스웨인(A.D. Swain)의 심리적 분류(독립행동에 관한 분류)

① 생략 에러(Omission error), 부작위에러 ② 착각(불확실한)수행 에러(Commission error), 작위에러
③ 순서 에러(Sequential error) ④ 시간적 에러(Time error)
⑤ 과잉 행동(불필요한 수행) 에러(Extraneous error)

12

정보전달에 있어 청각적 장치보다 시각적 장치를 사용하는 것이 더 좋은 경우를 3가지 쓰시오.

해답

① 전언이 복잡하다. ② 전언이 길다.
③ 전언이 후에 재참조된다. ④ 전언이 공간적인 위치를 다룬다.
⑤ 전언이 즉각적인 행동을 요구하지 않는다. ⑥ 수신장소가 너무 시끄러울 때
⑦ 수신자의 청각 계통이 과부하상태일 때

13

다음 그림에 해당하는 안전화 성능시험의 종류를 쓰시오.

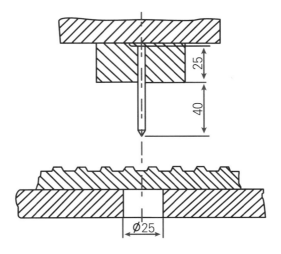

해답

내답발성 시험

01

교류아크용접기에 자동전격방지기를 설치하여야 하는 장소를 3가지 쓰시오.

해답

① 선박의 이중 선체 내부, 밸러스트 탱크(ballast tank, 평형수 탱크), 보일러 내부 등 도전체에 둘러싸인 장소
② 추락할 위험이 있는 높이 2미터 이상의 장소로 철골 등 도전성이 높은 물체에 근로자가 접촉할 우려가 있는 장소
③ 근로자가 물·땀 등으로 인하여 도전성이 높은 습윤 상태에서 작업하는 장소

02

Fool proof를 간단히 설명하시오.

해답

바보같은 행동(인간의 착오 및 미스 등 포함)을 방지한다는 뜻으로 사용자가 비록 잘못된 조작을 하더라도 이로 인해 전체의 고장이 발생하지 아니하도록 하는 설계방법(작업자의 오조작이 있어도 위험이나 실수가 발생하지 않도록 설계된 구조를 말하며 본질적인 안전화를 의미한다)

tip

Fool proof의 대표적인 기구

① 가드(Guard)　　　　　　② 록기구(Lock기구)
③ 오버런기구(Overun기구)　　④ 트립 기구(Trip 기구)
⑤ 밀어내기기구(Push&Pull 기구)　⑥ 기동방지 기구

03

산업안전보건기준에 관한 규칙에서 정하는 양중기의 와이어로프 안전계수에 관한 내용 중 (   )에 알맞은 내용을 쓰시오.

근로자가 탑승하는 운반구를 지지하는 달기와이어로프 또는 달기체인의 경우	(①) 이상
화물의 하중을 직접 지지하는 경우 달기와이어로프 또는 달기체인의 경우	(②) 이상
훅, 샤클, 클램프, 리프팅 빔의 경우	(③) 이상

해답

① 10   ② 5   ③ 3

tip

와이어로프의 안전계수는 그 절단하중의 값을 와이어로프에 걸리는 하중의 최대값으로 나눈 값이다.

04

산업안전보건법상 화학설비의 탱크내 작업시 특별안전보건교육 내용 3가지를 쓰시오.

해답

① 차단장치·정지장치 및 밸브개폐장치의 점검에 관한 사항
② 탱크내의 산소농도 측정 및 작업환경에 관한사항
③ 안전보호구 및 이상발생시 응급조치에 관한 사항
④ 작업절차·방법 및 유해·위험에 관한 사항
⑤ 그 밖에 안전·보건관리에 필요한 사항

05

산업안전보건법상 안전관리자의 업무내용을 4가지 쓰시오.

해답 안전관리자의 업무

① 산업안전보건위원회 또는 안전·보건에 관한 노사협의체에서 심의·의결한 업무와 해당 사업장의 안전보건관리규정 및 취업규칙에서 정한 업무

② 안전인증대상 기계 등과 자율안전확인대상 기계 등 구입 시 적격품의 선정에 관한 보좌 및 지도·조언

③ 위험성평가에 관한 보좌 및 지도·조언

④ 해당 사업장 안전교육계획의 수립 및 안전교육 실시에 관한 보좌 및 지도·조언

⑤ 사업장 순회점검·지도 및 조치의 건의

⑥ 산업재해 발생의 원인 조사·분석 및 재발 방지를 위한 기술적 보좌 및 지도·조언

⑦ 산업재해에 관한 통계의 유지·관리·분석을 위한 보좌 및 지도·조언

⑧ 법 또는 법에 따른 명령으로 정한 안전에 관한 사항의 이행에 관한 보좌 및 지도·조언

⑨ 업무수행 내용의 기록·유지

⑩ 그 밖에 안전에 관한 사항으로서 고용노동부장관이 정하는 사항

06

소음원으로부터 4m 떨어진 곳에서의 음압수준이 100dB이라면 동일한 기계에서 30m 떨어진 곳에서의 음압수준은 얼마인가?

해답

d_1에서 I_1의 단위면적당 출력을 갖는 음은 거리 d_2에서는

$$dB_2 = dB_1 - 20\log\left(\frac{d_2}{d_1}\right)$$

$$\therefore \ dB_2 = 100 - 20\log\left(\frac{30}{4}\right) = 82.50(\text{dB})$$

07

산업안전보건법상 산업재해가 발생한 경우 사업주가 기록 보존하여야 하는 사항을 4가지 쓰시오.(다만, 산업재해조사표의 사본을 보존하거나 요양신청서의 사본에 재해 재발방지 계획을 첨부하여 보존한 경우에는 그렇지 않다)

해답

① 사업장의 개요 및 근로자의 인적사항   ② 재해 발생의 일시 및 장소
③ 재해 발생의 원인 및 과정   ④ 재해 재발방지 계획

08

산업안전보건법상 양중기의 종류를 4가지 쓰시오.

해답 양중기의 종류

① 크레인(호이스트 포함)   ② 이동식 크레인
③ 리프트(이삿짐운반용 리프트의 경우 적재하중 0.1톤 이상인 것)   ④ 곤돌라
⑤ 승강기

09

자율안전확인대상 연삭기 덮개에 자율안전확인표시 외에 추가로 표시해야 할 사항 2가지를 쓰시오.

해답 연삭기 표시사항

① 숫돌사용 주속도   ② 숫돌회전방향

10

조종장치를 촉각적으로 정확하게 식별하기 위한 암호화 방법 3가지를 쓰시오.

해답 조종장치의 촉각적 암호화

① 형상을 이용한 암호화   ② 표면촉감을 이용한 암호화   ③ 크기를 이용한 암호화

11

가스 장치실을 설치하는 경우 갖추어야 할 구조에 대하여 3가지 쓰시오.

해답

① 가스가 누출된 경우에는 그 가스가 정체되지 않도록 할 것   ② 지붕과 천장에는 가벼운 불연성 재료를 사용할 것
③ 벽에는 불연성 재료를 사용할 것

12

근로자가 착용하는 보호구 중 가죽제안전화의 성능시험 종류를 4가지 쓰시오.

해답

① 내압박성시험   ② 내충격성시험   ③ 박리저항시험   ④ 내답발성시험
⑤ 은면결렬시험   ⑥ 인열강도시험   ⑦ 6가크롬함량   ⑧ 내부식성시험
⑨ 인장강도시험   ⑩ 내유성시험 등

13

강제환기의 개념에 대하여 쓰시오.

해답

① 강제환기는 송풍기, 환기팬 등(동력)과 같은 기계적인 힘을 이용하여 강제적으로 신선한 공기를 도입하거나 오염된 공기를 배기하는 환기 방식
② 동력이용에 따른 에너지 비용이 발생할 수 있으며, 외부조건에 관계없이 작업환경을 일정하게 유지시킬 수 있다.

01

산업안전보건법령상 근로자 안전보건교육 중 특별교육 대상 작업별 교육에서 밀폐공간에서 작업할 경우 실시해야 하는 교육내용을 4가지 쓰시오. (단, 그 밖에 안전·보건관리에 필요한 사항은 제외)

해답 밀폐공간에서의 작업 교육내용

① 산소농도 측정 및 작업환경에 관한 사항
② 사고 시의 응급처치 및 비상 시 구출에 관한 사항
③ 보호구 착용 및 보호 장비 사용에 관한 사항
④ 작업내용·안전작업방법 및 절차에 관한 사항
⑤ 장비·설비 및 시설 등의 안전점검에 관한 사항
⑥ 그 밖에 안전·보건관리에 필요한 사항

tip

2021년 법령개정으로 개정된 내용 적용.

02

안전모의 시험성능기준에 관한 다음 사항에서 ( )에 알맞은 내용을 쓰시오.

가. AE, ABE종 안전모는 관통거리가 (①)mm 이하이고, AB종 안전모는 관통거리가(②)mm 이하여야 한다.
나. 최고전달충격력이(③)N 을 초과해서는 안되며, 모체와 착장체의 기능이 상실되지 않아야 한다.
다. AE, ABE종 안전모는 교류 20kW에서 1분간 절연파괴 없이 견뎌야 하고, 이때 누설되는 충전전류는 (④)mA 이하여야 한다.

해답

① 9.5   ② 11.1   ③ 4,450   ④ 10

03

연평균근로자수가 350명인 사업장의 연천인율이 3.5일 경우 도수율을 구하시오.

해답

$$도수율 = \frac{연천인율}{2.4} = \frac{3.5}{2.4} = 1.458$$

04

고장발생 확률이 0.0004인 기계를 1,000시간 가동하였을 경우 이 기계의 신뢰도를 계산하시오.

2021년 기출

해답

$$신뢰도 \ R(t) = e^{-\lambda t} = e^{-(0.0004 \times 1000)} = 0.67$$

05

[보기]를 참고하여 다음 이론에 해당하는 번호를 고르시오.(단, 보기는 중복사용 가능함)

━━━━━━━━━━━━━ [보기] ━━━━━━━━━━━━━

① 사회적 환경 및 유전적 요소(유전과 환경)　　② 기본적 원인　　③ 불안전한 행동 및 불안전한 상태(직접원인)
④ 작전적 에러　　　　　　　　　　　　　　　⑤ 사고　　　　　　⑥ 재해
⑦ 관리(통제)의 부족　　　　　　　　　　　　⑧ 개인적 결함　　　⑨ 관리적 결함
⑩ 전술적 에러

가. 하인리히　　　　나. 버드　　　　　다. 아담스

해답　재해 발생에 관한 이론

가. 하인리히 : ① ⑧ ③ ⑤ ⑥
나. 버드 : ⑦ ② ③ ⑤ ⑥
다. 아담스 : ⑨ ④ ⑩ ⑤ ⑥

06

누전에 의한 감전위험을 방지하기 위하여 해당 전로의 정격에 적합하고 감도가 양호하며 확실하게 작동하는 감전방지용 누전차단기를 설치하여 접속할 경우 준수해야 할 사항에서 (   )에 알맞은 내용을 쓰시오.

> 가. 전기기계·기구에 접속되어 있는 누전차단기는 정격감도전류가 (①)밀리암페어 이하이고 작동시간은 (②)초 이내일 것
>
> 나. 정격전부하전류가 50암페어 이상인 전기기계·기구에 접속되는 누전차단기는 오작동을 방지하기 위하여 정격감도전류는 (③)밀리암페어 이하로, 작동시간은 (④)초 이내로 할 수 있다.

해답

① 30 ② 0.03 ③ 200 ④ 0.1

07

산업안전보건법령에서 정하는 중대재해의 정의에 해당하는 범위를 3가지 쓰시오.

해답 중대재해

① 사망자가 1명 이상 발생한 재해
② 3개월 이상의 요양이 필요한 부상자가 동시에 2명 이상 발생한 재해
③ 부상자 또는 직업성 질병자가 동시에 10명 이상 발생한 재해

08

300rpm으로 회전하는 롤러의 앞면 롤러의 지름이 30cm인 경우 앞면 롤러의 표면속도와 관련 규정에 따른 급정지거리[mm]를 구하시오.

해답

① 표면속도(V) $= \dfrac{\pi DN}{1,000} = \dfrac{\pi \times 300 \times 300}{1,000} = 282.74[\text{m/min}]$

② 급정지거리 기준

앞면 롤러의 표면 속도(m/분)	급정지 거리
30 미만	앞면 롤러 원주의 1/3 이내
30 이상	앞면 롤러 원주의 1/2.5 이내

③ 30 [m/min] 이상에 해당되므로, 급정지 거리 $= \pi D \times \dfrac{1}{2.5} = \pi \times 300 \times \dfrac{1}{2.5} = 376.99[\text{mm}]$ 이내

09

산업안전보건법에서 정변위압축기에서와 같이 이상 화학반응이나 밸브의 막힘 등 과압에 따른 폭발을 방지하기 위하여 폭발 방지 성능과 규격을 갖춘 안전밸브 또는 파열판을 설치해야 하는 대상설비에 파열판을 설치해야 하는 경우를 3가지 쓰시오.

해답

① 반응폭주등 급격한 압력상승의 우려가 있는 경우
② 급성 독성물질의 누출로 인하여 주위의 작업환경을 오염시킬 우려가 있는 경우
③ 운전중 안전밸브에 이상물질이 누적되어 안전밸브가 작동되지 아니할 우려가 있는 경우

10

산업안전보건기준에 관한 규칙에서 흙막이 지보공을 설치하였을 경우 정기적으로 점검하여야 할 사항을 4가지 쓰시오.

해답

① 부재의 손상·변형·부식·변위 및 탈락의 유무와 상태 ② 버팀대의 긴압의 정도
③ 부재의 접속부·부착부 및 교차부의 상태 ④ 침하의 정도

11

보기의 설명에 해당하는 용어를 쓰시오.

――――――――― [보기] ―――――――――
① 전완과 상완을 모두 곧게 펴서 작업할 수 있는 범위
② 상완을 자연스럽게 수직으로 늘어뜨리고, 전완만으로 편하게 뻗어 작업할 수 있는 범위

해답

① 최대작업역 ② 정상작업역

12

산업안전보건기준에 관한 규칙에서 정하는 사다리식 통로의 설치 시 준수사항 4가지를 쓰시오.

해답 사다리식통로 설치 시 준수사항

① 견고한 구조로 할 것

② 심한 손상·부식 등이 없는 재료를 사용할 것

③ 발판의 간격은 일정하게 할 것

④ 발판과 벽과의 사이는 15센티미터 이상의 간격을 유지할 것

⑤ 폭은 30센티미터 이상으로 할 것

⑥ 사다리가 넘어지거나 미끄러지는 것을 방지하기 위한 조치를 할 것

⑦ 사다리의 상단은 걸쳐놓은 지점으로부터 60센티미터 이상 올라가도록 할 것

⑧ 사다리식 통로의 길이가 10미터 이상인 경우에는 5미터 이내마다 계단참을 설치할 것

⑨ 사다리식 통로의 기울기는 75도 이하로 할 것. 다만, 고정식 사다리식 통로의 기울기는 90도 이하로 하고, 그 높이가 7미터 이상인 경우에는 다음 각 목의 구분에 따른 조치를 할 것

　가. 등받이울이 있어도 근로자 이동에 지장이 없는 경우: 바닥으로부터 높이가 2.5미터 되는 지점부터 등받이울을 설치할 것

　나. 등받이울이 있으면 근로자가 이동이 곤란한 경우: 한국산업표준에서 정하는 기준에 적합한 개인용 추락 방지 시스템을 설치하고 근로자로 하여금 한국산업표준에서 정하는 기준에 적합한 전신안전대를 사용하도록 할 것

⑩ 접이식 사다리 기둥은 사용 시 접혀지거나 펼쳐지지 않도록 철물 등을 사용하여 견고하게 조치할 것

tip

2024년 개정된 법령 적용

13

유해·위험 방지를 위한 방호조치를 하지 아니하고는 양도·대여·설치·사용하거나, 양도·대여를 목적으로 진열해서는 아니 되는 기계·기구를 5가지 쓰시오.

해답

① 예초기	② 원심기	③ 공기압축기
④ 금속절단기	⑤ 지게차	⑥ 포장기계(진공포장기, 래핑기로 한정)

01

시스템안전에서 기계의 고장률을 나타내는 그래프를 그리고 3등분하여 명칭 또는 내용을 쓰시오.

해답 기계의 고장률(욕조곡선)

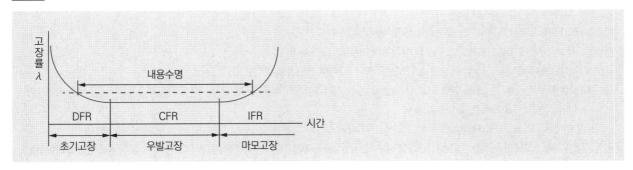

tip

고장 예방방법

초기고장	품질관리의 미비로 발생할 수 있는 고장으로 작업시작전 점검, 시운전 등으로 사전예방이 가능한 고장 ① debugging기간 : 초기고장의 결함을 찾아서 고장률을 안정시키는 기간 ② burn in기간 : 제품을 실제로 장시간 사용해보고 결함의 원인을 찾아내는 방법
우발고장	예측할 수 없을 경우 발생하는 고장으로 시운전이나 점검으로 예방불가(낮은 안전계수, 사용자의 과오 등이 없도록 안전교육 및 작업전 무재해 운동 등)
마모고장	장치의 일부분이 수명을 다하여 발생하는 고장(부품 고장시 수리 및 철저한 정비 등)

02

각 부품고장확률이 0.12인 A, B, C 3개의 부품이 병렬결합모델로 만들어진 시스템이 있다. 시스템작동 안됨을 정상사상(Top event)으로 하고, A고장, B고장, C고장을 기본사상으로 한 FT도를 작성하고, 정상사상 발생할 확률을 구하시오. (단, 소수 다섯째자리에서 반올림하고, 소수 넷째자리까지 표기할 것)

해답 정상사상 발생 확률

① FT도 작성

② $T = 0.12 \times 0.12 \times 0.12 = 0.001728$

③ 발생확률 = 0.0017

03

다음과 같은 조건일 경우 근로손실일수를 구하시오.

- 강도율 : 0.8
- 근로자수 : 250명
- 연간 총 근로시간 : 2400시간
- 연간 재해건수 : 5건

해답

① 강도율$(S.R) = \dfrac{\text{근로손실일수}}{\text{연간총근로시간수}} \times 1{,}000$

② 근로손실일수 $= \dfrac{0.8 \times 250 \times 2{,}400}{1{,}000} = 480(\text{일})$

04

다음 안전표지판의 명칭을 쓰시오.

①	②	③	④

① 사용금지   ② 산화성물질 경고   ③ 낙하물 경고   ④ 방진마스크 착용

05

사업주는 위험물을 산업안전보건법령에서 정한 기준량 이상으로 제조하거나 취급하는 화학설비를 설치하는 경우 내부의 이상 상태를 조기에 파악하기 위한 온도계·유량계·압력계 등의 계측장치를 설치하여야 한다. 해당하는 화학설비를 3가지 쓰시오.

① 발열반응이 일어나는 반응장치
② 증류·정류·증발·추출 등 분리를 하는 장치
③ 가열시켜 주는 물질의 온도가 가열되는 위험물질의 분해온도 또는 발화점보다 높은 상태에서 운전되는 설비
④ 반응폭주 등 이상 화학반응에 의하여 위험물질이 발생할 우려가 있는 설비
⑤ 온도가 섭씨 350도 이상이거나 게이지 압력이 980킬로파스칼 이상인 상태에서 운전되는 설비
⑥ 가열로 또는 가열기

06

사업주는 사업장에 산업안전보건법령에 정하는 유해하거나 위험한 설비가 있는 경우 위험물질의 누출, 화재 및 폭발 등으로 인하여 사업장 내의 근로자에게 즉시 피해를 주거나 사업장 인근 지역에 피해를 줄 수 있는 사고를 예방하기 위하여 공정안전보고서를 작성하여야 한다. 공정안전보고서에 포함되어야 할 사항을 4가지 쓰시오.

해답

① 공정안전자료
② 공정위험성평가서
③ 안전운전계획
④ 비상조치계획
⑤ 그 밖에 공정상의 안전과 관련하여 고용노동부장관이 필요하다고 인정하여 고시하는 사항

07

인간의 주의에 대한 다음 특성에 대하여 설명하시오.

① 선택성   ② 변동성   ③ 방향성

해답 주의의 특성

선택성	동시에 두개 이상의 방향에 집중하지 못하고 소수의 특정한 것에 한하여 선택한다.
변동성	고도의 주의는 장시간 지속할 수 없고 주기적으로 부주의 리듬이 존재한다.
방향성	한 지점에 주의를 집중하면 주변 다른 곳의 주의는 약해진다(주시점만 인지)

08

산업안전보건법령상 차량계 하역 운반기계 운전자가 운전위치를 이탈하는 경우 준수해야 할 사항 2가지를 쓰시오. (단, 운전석에 잠금장치를 하는등 운전자가 아닌 사람이 운전하지 못하도록 조치한 경우는 제외)

해답

① 포크, 버킷, 디퍼 등의 장치를 가장 낮은 위치 또는 지면에 내려 둘 것.
② 원동기를 정지시키고 브레이크를 확실히 거는 등 차량계 하역운반기계등, 차량계 건설기계의 갑작스러운 이동을 방지하기 위한 조치를 할 것

tip ①

운전석을 이탈하는 경우에는 시동키를 운전대에서 분리시킬 것. 다만, 운전석에 잠금장치를 하는 등 운전자가 아닌 사람이 운전하지 못하도록 조치한 경우는 그렇지 않다.

tip ②

2024년 개정된 법령 적용

09

건물등의 해체작업 시 작성해야 하는 작업계획서의 내용을 3가지 쓰시오.

해답

① 해체의 방법 및 해체순서도면
② 가설설비·방호설비·환기설비 및 살수·방화설비 등의 방법
③ 사업장 내 연락방법
④ 해체물의 처분계획
⑤ 해체작업용 기계·기구 등의 작업계획서
⑥ 해체작업용 화약류 등의 사용계획서
⑦ 그 밖에 안전·보건에 관련된 사항

10

산업안전보건법령상 로봇의 작동 범위에서 그 로봇에 관하여 교시 등(로봇의 동력원을 차단하고 하는 것은 제외)의 작업을 할 때 작업시작전 점검사항을 3가지 쓰시오.

해답

① 외부전선의 피복 또는 외장의 손상유무
② 매니퓰레이터(manipulator)작동의 이상유무
③ 제동장치 및 비상정지장치의 기능

11

산업안전보건법령상 누전에 의한 감전위험을 방지하기 위하여 해당 전로의 정격에 적합하고 감도가 양호하며 확실하게 작동하는 감전방지용 누전차단기를 설치하여야 하는 전기 기계·기구를 3가지 쓰시오.

해답

① 대지전압이 150볼트를 초과하는 이동형 또는 휴대형 전기기계·기구

② 철판·철골 위 등 도전성이 높은 장소에서 사용하는 이동형 또는 휴대형 전기기계·기구

③ 임시배선의 전로가 설치되는 장소에서 사용하는 이동형 또는 휴대형 전기기계·기구

④ 물 등 도전성이 높은 액체가 있는 습윤장소에서 사용하는 저압(1.5천볼트 이하 직류전압이나 1천볼트 이하의 교류전압)용 전기기계·기구

12

다음의 설명에 해당하는 통계적 재해분석방법의 명칭을 쓰시오.

① 특성과 요인관계를 어골상으로 세분하여 연쇄관계를 나타내는 방법

② 사고의 유형 또는 기인물 등의 분류항목을 큰 값에서 작은 값의 순서로 도표화 하는 방법

해답

① 특성요인도   ② 파레토도

13

다음 조건에 해당하는 와이어로프는 달비계에 사용가능한지 불가능한지 여부를 판단하고, 그 이유를 쓰시오.

– 공칭 지름 : 10mm   – 현재 지름 : 9.2mm

해답

① 사용가능여부 : 불가능

② 이유 : 지름의 감소가 공칭지름의 7%를 초과하는 경우 사용할 수 없는데 9.2mm는 공칭지름의 8%에 해당하는 지름감소가 발생했으므로 사용할 수 없다.

01

산업안전보건법령상 보일러의 방호장치에 관한 다음 사항에서 (   )에 알맞은 내용을 쓰시오.(4점)

> 1. 사업주는 보일러의 안전한 가동을 위하여 보일러 규격에 맞는 (①)를 1개 또는 2개 이상 설치하고 최고사용압력이하에서 작동되
>   도록 하여야 한다.
> 2. 사업주는 보일러의 과열을 방지하기 위하여 최고사용압력과 상용압력 사이에서 보일러의 버너 연소를 차단할 수 있도록 (②)를 부착
>   하여 사용하여야 한다.

해답

① 압력방출장치   ② 압력제한스위치

02

다음과 같은 시스템의 신뢰도를 구하시오.(4점)

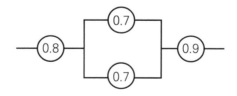

해답

$Rs = 0.8 \times \{1-(1-0.7)(1-0.7)\} \times 0.9 = 0.6552$

03

산업안전보건법령상 근로자 안전보건교육 시간에 관한 사항이다. (   )에 알맞은 내용을 쓰시오.(4점)

교육과정	교육대상		교육시간
정기교육	사무직 종사 근로자		①
	그 밖의 근로자	판매업무에 직접 종사하는 근로자	②
		판매업무에 직접 종사하는 근로자 외의 근로자	③
채용 시 교육	일용근로자 및 근로계약기간이 1주일 이하인 기간제근로자		④

해답

① 매반기 6시간 이상
② 매반기 6시간 이상
③ 매반기 12시간 이상
④ 1시간 이상

tip

2023년 법령개정. 문제 및 해답은 개정된 내용 적용.

04

사업장에 승강기의 설치·조립·수리·점검 또는 해체 작업을 하는 경우 사업주의 조치사항을 3가지 쓰시오.(3점)

해답

① 작업을 지휘하는 사람을 선임하여 그 사람의 지휘하에 작업을 실할 것
② 작업을 할 구역에 관계 근로자가 아닌 사람의 출입을 금지하고 그 취지를 보기 쉬운 장소에 표시할 것
③ 비, 눈, 그 밖에 기상상태의 불안정으로 날씨가 몹시 나쁜 경우에는 그 작업을 중지시킬 것

05

사업주는 과압에 따른 폭발을 방지하기 위하여 폭발 방지 성능과 규격을 갖춘 안전밸브 또는 파열판을 설치하여야 한다. 산업안전보건법령상 파열판을 설치하여야 하는 경우 3가지를 쓰시오.(6점)

해답

① 반응 폭주 등 급격한 압력 상승 우려가 있는 경우

②. 급성 독성물질의 누출로 인하여 주위의 작업환경을 오염시킬 우려가 있는 경우

③ 운전 중 안전밸브에 이상 물질이 누적되어 안전밸브가 작동되지 아니할 우려가 있는 경우

06

산업안전표지중 다음의 금지표지에 해당하는 명칭을 쓰시오.(4점)

①

②

③

④

해답 금지표지

① 보행금지   ② 탑승금지

③ 사용금지   ④ 물체이동금지

07

콘크리트 타설작업을 하기 위하여 콘크리트 플레이싱 붐(placing boom), 콘크리트 분배기, 콘크리트 펌프카 등 콘크리트 타설장비를 사용하는 경우 사업주가 준수해야 할 사항을 3가지 쓰시오.(6점)

해답

① 작업을 시작하기 전에 콘크리트타설장비를 점검하고 이상을 발견하였으면 즉시 보수할 것
② 건축물의 난간 등에서 작업하는 근로자가 호스의 요동·선회로 인하여 추락하는 위험을 방지하기 위하여 안전난간 설치 등 필요한 조치를 할 것
③ 콘크리트타설장비의 붐을 조정하는 경우에는 주변의 전선 등에 의한 위험을 예방하기 위한 적절한 조치를 할 것
④ 작업 중에 지반의 침하나 아웃트리거 등 콘크리트타설장비 지지구조물의 손상 등에 의하여 콘크리트타설장비가 넘어질 우려가 있는 경우에는 이를 방지하기 위한 적절한 조치를 할 것

tip

2023년 법령개정. 문제 및 해답은 개정된 내용 적용.

08

산업안전보건법령에 따른 산업안전보건위원회의 심의 의결사항을 4가지 쓰시오. (단, 그 밖에 해당 사업장 근로자의 안전 및 보건을 유지·증진시키기 위하여 필요한 사항은 제외)(4점)

해답

① 사업장의 산업재해 예방계획의 수립에 관한 사항
② 안전보건관리규정의 작성 및 변경에 관한 사항
③ 근로자에 대한 안전보건교육에 관한 사항
④ 작업환경측정 등 작업환경의 점검 및 개선에 관한 사항
⑤ 근로자의 건강진단 등 건강관리에 관한 사항
⑥ 산업재해의 원인 조사 및 재발 방지대책 수립에 관한 사항중 중대재해에 관한 사항
⑦ 산업재해에 관한 통계의 기록 및 유지에 관한 사항
⑧ 유해하거나 위험한 기계·기구·설비를 도입한 경우 안전 및 보건 관련 조치에 관한 사항

09

산업안전보건기준에 관한 규칙에서 정하는 교량의 설치·해체 또는 변경 작업을 하는 경우 근로자의 위험을 방지하기 위하여 사업주가 해야 할 작업계획서 작성 내용을 5가지 쓰시오.(단, 그 밖에 안전·보건에 관련된 사항 제외) (5점)

해답 작업계획서 내용

① 작업 방법 및 순서
② 부재의 낙하·전도 또는 붕괴를 방지하기 위한 방법
③ 작업에 종사하는 근로자의 추락 위험을 방지하기 위한 안전조치 방법
④ 공사에 사용되는 가설 철구조물 등의 설치·사용·해체 시 안전성 검토 방법
⑤ 사용하는 기계 등의 종류 및 성능, 작업방법
⑥ 작업지휘자 배치계획

10

산업안전보건법에서 정하고 있는 중대재해의 범위를 3가지 쓰시오. (3점)

해답 중대재해

① 사망자가 1명 이상 발생한 재해
② 3개월 이상의 요양이 필요한 부상자가 동시에 2명 이상 발생한 재해
③ 부상자 또는 직업성 질병자가 동시에 10명 이상 발생한 재해

11

산업안전보건기준에 관한 규칙에서 정하는 근로자가 충전전로를 취급하거나 그 인근에서 작업하는 경우 사업주가 조치해야 할 사항 중 (   )에 알맞은 내용을 쓰시오. (5점)

---

1. 충전전로를 취급하는 근로자에게 그 작업에 적합한 (①)를 착용시킬 것
2. 충전전로에 근접한 장소에서 전기작업을 하는 경우에는 해당 전압에 적합한 (②)를 설치할 것. 다만, 저압인 경우에는 해당 전기
   작업자가 절연용 보호구를 착용하되, 충전전로에 접촉할 우려가 없는 경우에는 절연용 방호구를 설치하지 아니할 수 있다.
3. 유자격자가 아닌 근로자가 충전전로 인근의 높은 곳에서 작업할 때에 근로자의 몸 또는 긴 도전성 물체가 방호되지 않은 충전전로
   에서 대지전압이 50킬로볼트 이하인 경우에는 (③)센티미터 이내로, 대지전압이 50킬로볼트를 넘는 경우에는 (④)킬로볼트당
   (⑤)센티미터씩 더한 거리 이내로 각각 접근할 수 없도록 할 것

해답

① 절연용 보호구   ② 절연용 방호구   ③ 300   ④ 10   ⑤ 10

12

산업안전보건기준에 관한 규칙에서 정하는 근로자가 상시 작업하는 장소의 작업면 조도기준에 관한 (   )에 알맞은 내용을 쓰시오. (3점)

• 초정밀작업 : (①)럭스 이상   • 정밀작업 : (②)럭스 이상   • 보통작업 : (③)럭스 이상

해답

① 750   ② 300   ③ 150

13

목재가공용 둥근톱에서 둥근톱의 두께가 0.8mm일 경우 분할날의 두께는 몇 mm 이상으로 해야하는지 쓰시오. (4점)

해답

① 분할 날의 두께는 둥근톱 두께의 1.1배 이상이어야 한다.
② 따라서, 0.8 × 1.1 = 0.88mm 이상

01

산업안전보건법에 따른 건설업의 도급사업에서 안전, 보건에 관한 노사협의체의 구성에 있어 근로자 위원과, 사용자위원의 자격을 각각 2가지씩 쓰시오. (4점)

해답 노사협의체 구성위원

(1) 사용자 위원
  ① 도급 또는 하도급 사업을 포함한 전체 사업의 대표자
  ② 안전관리자 1명
  ③ 공사금액이 20억원 이상인 공사의 관계 수급인의 각 대표자
  ④ 보건관리자 1명(선임대상건설업에 한정)

(2) 근로자 위원
  ① 도급 또는 하도급 사업을 포함한 전체 사업의 근로자 대표
  ② 근로자 대표가 지명하는 명예 산업안전감독관 1명, 다만 위촉되어 있지 않은 경우 근로자 대표가 지명하는 해당 사업장 근로자 1명
  ③ 공사금액이 20억원 이상인 공사의 관계수급인의 각 근로자 대표

02

공기 압축기를 가동할때 작업시작 전 점검해야 할 사항을 4가지 쓰시오.(그 밖의 연결 부위의 이상 유무는 제외) (4점)

해답 공기 압축기의 작업시작 전 점검사항

① 공기저장 압력용기의 외관 상태
② 드레인 밸브의 조작 및 배수
③ 압력방출장치의 기능
④ 언로드 밸브의 기능
⑤ 윤활유의 상태
⑥ 회전부의 덮개 또는 울
⑦ 그 밖의 연결 부위의 이상 유무

03

근로자가 노출된 충전부 또는 그 부근에서 작업함으로써 감전될 우려가 있는 경우에는 작업에 들어가기 전에 해당 전로를 차단하여야 한다. 차단 절차에 해당하는 내용을 쓰시오. (5점)

해답

① 전기기기 등에 공급되는 모든 전원을 관련 도면, 배선도 등으로 확인할 것
② 전원을 차단한 후 각 단로기 등을 개방하고 확인할 것
③ 차단장치나 단로기 등에 잠금장치 및 꼬리표를 부착할 것
④ 개로된 전로에서 유도전압 또는 전기에너지가 축적되어 근로자에게 전기위험을 끼칠 수 있는 전기기기 등은 접촉하기 전에 잔류전하를 완전히 방전시킬 것
⑤ 검전기를 이용하여 작업 대상 기기가 충전되었는지를 확인할 것
⑥ 전기기기 등이 다른 노출 충전부와의 접촉, 유도 또는 예비동력원의 역 송전 등으로 전압이 발생할 우려가 있는 경우에는 충분한 용량을 가진 단락 접지 기구를 이용하여 접지할 것

04

산업안전보건법상 안전인증 대상 방호장치의 종류를 3가지 쓰시오. (3점)

해답

① 프레스 및 전단기 방호장치
② 양중기용 과부하방지장치
③ 보일러 압력방출용 안전밸브
④ 압력용기 압력방출용 안전밸브
⑤ 압력용기 압력방출용 파열판
⑥ 절연용 방호구 및 활선작업용 기구
⑦ 방폭구조 전기기계·기구 및 부품
⑧ 추락·낙하 및 붕괴 등의 위험 방지 및 보호에 필요한 가설기자재로서 고용노동부장관이 정하여 고시하는 것
⑨ 충돌·협착 등의 위험방지에 필요한 산업용 로봇 방호장치로서 고용노동부장관이 정하여 고시하는 것

05

평균근로자 100명이 하루 8시간, 연간 300일 작업하는 사업장에서 한 해 동안 사망 1명, 14급장해 2명, 기타 휴업일수가 37일 발생한 경우 강도율을 계산하시오. (5점)

해답

① 강도율$(S.R) = \dfrac{근로손실일수}{연간총근로시간수} \times 1,000$

② 강도율 $= \dfrac{7,500 + (50 \times 2) + \left(37 \times \dfrac{300}{365}\right)}{100 \times 8 \times 300} \times 1,000 = 31.793 = 31.79$

06

다음 그림을 보고 시스템고장(전등 켜지지 않음)을 정상사상으로 하는 FT도를 그리시오. 단, 기본사상을 각각 SW A OFF, SW B OFF 로 한다. (4점)

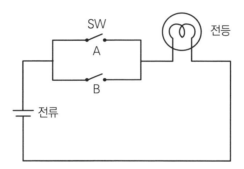

해답 FT도

07

곤돌라형 달비계를 설치하는 경우 사용해서는 안되는 달기체인에 관한 다음 내용의 ( )에 알맞은 내용을 쓰시오.(4점)

1) 링의 단면지름이 달기 체인이 제조된 때의 해당 링의 지름의 (①)를 초과하여 감소한 것
2) 달기 체인의 길이가 달기 체인이 제조된 때의 길이의 (②)를 초과한 것
3) 균열이 있거나 심하게 변형된 것

해답

① 10퍼센트   ② 5퍼센트

08

롤러기의 방호장치인 급정지장치 조작부 설치위치에 관한 다음 사항에서 (   )안에 알맞은 내용을 쓰시오.(6점)

손 조작식	밑면으로부터 (①)
복부 조작식	밑면으로부터 (②)
무릎 조작식	밑면으로부터 (③)

해답

① 1.8미터 이내
② 0.8미터 이상 1.1미터 이내
③ 0.6미터 이내

09

산업안전보건법령상 근로자 안전보건교육의 교육시간에 관한 다음 내용에 알맞은 답을 쓰시오.(4점)

교육과정	교육대상		교육시간
정기교육	사무직 종사 근로자		①
	그 밖의 근로자	판매업무에 직접 종사하는 근로자	②
채용 시 교육	근로계약기간이 1주일 초과 1개월 이하인 기간제근로자		③
작업내용 변경 시 교육	일용근로자 및 근로계약기간이 1주일 이하인 기간제근로자		④

해답

① 매반기 6시간 이상   ② 매반기 6시간 이상
③ 4시간 이상   ④ 1시간 이상

tip

2023년 법령개정. 문제 및 해답은 개정된 내용 적용.

10

사업주는 근로자가 상시 작업하는 장소의 작업면 조도를 산업안전보건법에서 정하는 기준에 맞도록 하여야 한다. 다음 작업에 해당하는 조도기준을 쓰시오.(4점)

초정밀 작업	정밀 작업	보통 작업	그 밖의 작업
(①)Lux 이상	(②)Lux 이상	(③)Lux 이상	(④)Lux 이상

해답

① 750   ② 300   ③ 150   ④ 75

11

산업현장에서 사용되고 있는 출입금지 표지판의 배경반사율이 80%이고 관련 그림의 반사율이 20%일 경우 표지판의 대비를 구하시오.(4점)

해답

① 공식 : 대비(%) $= \dfrac{\text{배경의 반사율}(L_b) - \text{표적의 반사율}(L_t)}{\text{배경의 반사율}(L_b)} \times 100$

② 계산식 : $\dfrac{80-20}{80} \times 100 = 75\%$

12

산업안전보건법상 보호구의 안전인증 제품에 안전인증의 표시외에 표시하여야 하는 사항을 5가지 쓰시오.(5점)

해답 보호구의 안전인증 제품에 표시해야 할 사항

① 형식 또는 모델명 　　② 규격 또는 등급 등 　　③ 제조자명

④ 제조번호 및 제조연월 　　⑤ 안전인증 번호

13

산업안전보건법에서 정하는 중대재해의 종류를 3가지 쓰시오.(3점)

해답 중대재해의 종류

① 사망자가 1명 이상 발생한 재해

② 3개월 이상의 요양이 필요한 부상자가 동시에 2명 이상 발생한 재해

③ 부상자 또는 직업성 질병자가 동시에 10명 이상 발생한 재해

01

산업안전보건법상 산업재해가 발생한 경우 사업주가 기록 보존해야 하는 사항을 4가지 쓰시오. (다만, 산업재해조사표의 사본을 보존하거나 요양신청서의 사본에 재해 재발방지 계획을 첨부하여 보존한 경우에는 그렇지 않다.)(4점)

해답

① 사업장의 개요 및 근로자의 인적사항
② 재해 발생의 일시 및 장소
③ 재해 발생의 원인 및 과정
④ 재해 재발방지 계획

02

교류아크용접기에 자동전격방지기를 설치해야 하는 장소를 3가지 쓰시오.(4점)

해답

① 선박의 이중 선체 내부, 밸러스트 탱크(ballast tank, 평형수 탱크), 보일러 내부 등 도전체에 둘러싸인 장소
② 추락할 위험이 있는 높이 2미터 이상의 장소로 철골 등 도전성이 높은 물체에 근로자가 접촉할 우려가 있는 장소
③ 근로자가 물·땀 등으로 인하여 도전성이 높은 습윤 상태에서 작업하는 장소

03

하인리히의 재해구성 비율 법칙을 쓰고 간단히 설명하시오.(4점)

해답 하인리히의 재해구성 비율

① 1 : 29 : 300의 법칙
② 330건의 사고가 발생 된다면 그 중에 중상 또는 사망이 1건, 경상이 29건, 무상해 사고가 300건 발생한다는 뜻

04

산업안전보건법령상 안전관리자의 업무내용을 5가지 쓰시오.(5점)

해답

① 산업안전보건위원회 또는 안전·보건에 관한 노사협의체에서 심의·의결한 업무와 해당 사업장의 안전보건관리규정 및 취업규칙에서 정한 업무
② 안전인증대상 기계 등과 자율안전확인대상 기계 등 구입 시 적격품의 선정에 관한 보좌 및 지도·조언
③ 위험성평가에 관한 보좌 및 지도·조언
④ 해당 사업장 안전교육계획의 수립 및 안전교육 실시에 관한 보좌 및 지도·조언
⑤ 사업장 순회점검·지도 및 조치의 건의
⑥ 산업재해 발생의 원인 조사·분석 및 재발 방지를 위한 기술적 보좌 및 지도·조언
⑦ 산업재해에 관한 통계의 유지·관리·분석을 위한 보좌 및 지도·조언
⑧ 법 또는 법에 따른 명령으로 정한 안전에 관한 사항의 이행에 관한 보좌 및 지도·조언
⑨ 업무수행 내용의 기록·유지
⑩ 그 밖에 안전에 관한 사항으로서 고용노동부장관이 정하는 사항

05

무재해 운동의 위험예지 훈련 4라운드 진행법을 순서대로 쓰시오.(5점)

해답

① 제1단계 : 현상파악   ② 제2단계 : 본질추구
③ 제3단계 : 대책수립   ④ 제4단계 : 목표설정

06

인간실수확률에 대한 추정기법을 4가지 쓰시오.(4점)

해답

① 위급 사건 기법(critical incident technique : CIT)   ② 직무위급도 분석 (pickrel, et al.의 실수효과 심각성의 4등급)
③ THERP(Technique for Human Error Rate Prediction)   ④ 조작자 행동나무(operator action tree : OAT)
⑤ 간헐적 사건의 결함나무 분석(fault tree analysis : FTA)

07

프레스 양수조작식 방호장치의 일반구조에 관한 다음 내용 중 (   )에 알맞은 것을 쓰시오. (4점)

가. 정상동작표시등은 (①), 위험표시등은 (②)으로 하며, 쉽게 근로자가 볼 수 있는 곳에 설치해야 한다.

나. 누름버튼을 양손으로 동시에 조작하지 않으면 작동시킬 수 없는 구조이어야 하며, 양쪽버튼의 작동시간 차이는 최대 (③)초 이내일 때 프레스가 동작되도록 해야 한다.

다. 누름버튼의 상호간 내측거리는 (④)mm 이상이어야 한다.

해답

① 녹색   ② 붉은색   ③ 0.5   ④ 300

08

최초의 완만한 연소에서 폭굉까지 발달하는데 유도되는 거리인 폭굉 유도거리(DID)가 짧아지는 조건을 4가지 쓰시오.(4점)

해답

① 정상의 연소속도가 큰 혼합가스일 경우   ② 관속에 방해물이 있거나 관경이 가늘수록

③ 압력이 높을수록   ④ 점화원의 에너지가 강할수록

09

다음과 같은 조건일 경우 시스템의 신뢰도(%)를 각각 구하시오.(6점)

〈조건〉
• 인간 신뢰도 : 0.8   • 기계 신뢰도 : 0.95

① 인간 기계 직렬구조   ② 인간 기계 병렬구조

해답

① 직렬 : 0.8×0.95 = 0.76 = 76%
② 병렬 : 1-(1-0.8)(1-0.95) = 0.99 = 99%

10

보호구안전인증고시에서 다음에 해당하는 방진마스크의 명칭을 쓰시오. (4점)

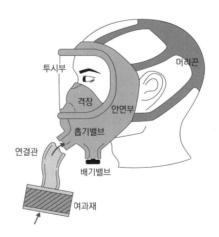

해답

격리식 전면형

11

고용노동부장관이 산업재해 예방을 위해 종합적인 개선조치를 할 필요가 있다고 인정되는 사업장의 사업주에게 안전보건진단을 받아 안전보건개선계획을 수립하여 시행할 것을 명할 수 있는 대상 사업장을 2가지 쓰시오.(4점)

해답

① 산업재해율이 같은 업종 평균 산업재해율의 2배 이상인 사업장

② 사업주가 필요한 안전조치 또는 보건조치를 이행하지 아니하여 중대재해가 발생한 사업장

③ 직업성 질병자가 연간 2명 이상(상시근로자 1천명 이상 사업장의 경우 3명 이상) 발생한 사업장

④ 그 밖에 작업환경 불량, 화재·폭발 또는 누출사고 등으로 사업장 주변까지 피해가 확산된 사업장으로서 고용노동부령으로 정하는 사업장

12

터널공사 등의 건설작업을 할 때 인화성 가스가 발생할 위험이 있는 경우 폭발이나 화재를 예방하기 위해 설치해야 하는 자동경보장치의 당일 작업 시작 전 점검 사항을 3가지 쓰시오.(3점)

해답

① 계기의 이상유무   ② 검지부의 이상유무   ③ 경보장치의 작동상태

13

방호장치 자율안전기준 고시에서 교류아크용접기 방호장치에 관한 다음 내용에서 ( )에 알맞은 것을 쓰시오.(4점)

가. (①)란 대상으로 하는 용접기의 주회로를 제어하는 장치를 가지고 있어, 용접봉의 조작에 따라 용접할 때에만 용접기의 주회로를 형성하고, 그 외에는 용접기의 출력측의 무부하전압을 25볼트 이하로 저하시키도록 동작하는 장치를 말한다.

나. (②)이란 용접봉을 피용접물에 접촉시켜서 전격방지기의 주접점이 폐로될(닫힐) 때까지의 시간을 말한다.

다. (③)이란 용접봉 홀더에 용접기 출력측의 무부하전압이 발생한 후 주접점이 개방될 때까지의 시간을 말한다.

라. (④)란 정격전원전압(전원을 용접기의 출력측에서 취하는 경우는 무부하전압의 하한값을 포함한다)에 있어서 전격방지기를 시동시킬 수 있는 출력회로의 시동감도로서 명판에 표시된 것을 말한다.

해답

① 교류아크용접기용 자동전격방지기   ② 시동시간   ③ 지동시간   ④ 표준시동감도

01

산업안전보건법령상 위험물을 저장·취급하는 화학설비 및 그 부속설비를 설치하는 경우, 폭발이나 화재에 따른 피해를 줄일 수 있도록 설비 및 시설 간에 유지해야 할 충분한 안전거리에 관한 다음 [보기]에서 (   )에 알맞은 내용을 쓰시오.(4점)

[보기]

구분	안전거리
1. 위험물질 저장탱크로부터 단위공정시설 및 설비, 보일러 또는 가열로의 사이	저장탱크의 바깥 면으로부터 (①)미터 이상. 다만, 저장탱크의 방호벽, 원격조종 화설비 또는 살수설비를 설치한 경우에는 적용하지 않음.
2. 사무실·연구실·실험실·정비실 또는 식당으로부터 단위공정시설 및 설비, 위험물질 저장탱크, 위험물질 하역설비, 보일러 또는 가열로의 사이	사무실 등의 바깥 면으로부터 (②)미터 이상. 다만, 난방용 보일러인 경우 또는 사무실 등의 벽을 방호구조로 설치한 경우에는 적용하지 않음

해답

① 20   ② 20

02

산업안전보건법령상 사업주가 사업장의 안전 및 보건을 유지하기 위하여 [보기]의 사항을 포함하여 작성해야 하는 서류의 명칭을 쓰시오.(5점)

[보기]

① 안전 및 보건에 관한 관리조직과 그 직무에 관한 사항   ② 안전보건교육에 관한 사항

③ 작업장의 안전 및 보건관리에 관한 사항   ④ 사고조사 및 대책수립에 관한 사항

해답

안전보건관리규정

03

산업안전보건법령상 사업주가 유해하거나 위험한 설비로 부터의 위험물질 누출, 화재 및 폭발 등으로 인한 중대 산업사고를 예방하기 위해 공정안전보고서를 작성해야 하는 대상 사업장을 5가지 쓰시오.

해답

① 원유 정제처리업
② 기타 석유정제물 재처리업
③ 화약 및 불꽃제품 제조업
④ 질소 화합물, 질소 인산 및 칼리질 화학비료 제조업 중 질소질 비료 제조
⑤ 복합비료 및 기타 화학비료 제조업 중 복합비료 제조(단순혼합 또는 배합에 의한 경우는 제외)
⑥ 화학살균 살충제 및 농업용 약제 제조업(농약 원제 제조만 해당)
⑦ 석유화학계 기초화학물질 제조업 또는 합성수지 및 기타 플라스틱물질 제조업

04

고장발생 확률이 0.0004 건/시간인 기계를 1,000시간 가동하였을 경우 이 기계의 신뢰도를 계산하시오.(단, 퍼센트로 구할 것)(3점)

해답 신뢰도

$$R(t) = e^{-\lambda t} = e^{-(0.0004 \times 1,000)} = 0.67032 = 67.03\%$$

05

보호구 안전인증 고시상 추락 및 감전 위험방지용 안전모의 시험성능기준 항목을 5가지 쓰시오.(5점)

해답

① 내관통성   ② 충격흡수성   ③ 내전압성
④ 내수성   ⑤ 난연성   ⑥ 턱끈풀림

06

산업안전보건법령상 고용노동부장관이 산업재해 예방을 위해 종합적인 개선조치를 할 필요가 있다고 인정되는 사업장의 사업주에게 안전보건진단을 받아 안전보건개선계획을 수립하여 시행할 것을 명할 수 있는 대상 사업장에 관한 [보기]의 내용에서 (   )에 알맞은 내용을 쓰시오. (3점)

--- [보기] ---

1. 산업재해율이 같은 업종 평균 산업재해율의 (①)배 이상인 사업장
2. 사업주가 필요한 안전조치 또는 보건조치를 이행하지 아니하여 중대재해가 발생한 사업장
3. 직업성 질병자가 연간 (②)명 이상[상시근로자 1천명 이상 사업장의 경우 (③)명 이상] 발생한 사업장
4. 그 밖에 작업환경 불량, 화재·폭발 또는 누출사고 등으로 사업장 주변까지 피해가 확산된 사업장으로서 고용노동부령으로 정하는 사업장

해답

① 2 ② 2 ③ 3

07

60rpm으로 회전하는 롤러기의 앞면 롤러의 지름이 120mm인 경우 앞면 롤러의 표면속도와 관련 규정에 따른 급정지거리[mm]를 구하시오.(4점)

해답

① 표면속도$(V) = \dfrac{\pi DN}{1,000} = \dfrac{\pi \times 120 \times 60}{1,000} = 22.62[\text{m/min}]$

② 급정지거리 기준

앞면 롤러의 표면 속도(m/분)	급정지 거리
30 미만	앞면 롤러 원주의 1/3 이내
30 이상	앞면 롤러 원주의 1/2.5 이내

③ 급정지 거리 $= \pi D \times \dfrac{1}{3} = \pi \times 120 \times \dfrac{1}{3} = 125.66[\text{mm}]$ 이내

08

산업안전보건법령상 비계(달비계, 달대비계 및 말비계는 제외)의 높이가 2미터 이상인 작업장소에 설치하여야 하는 작업발판의 기준에 관한 [보기]에서 ( )에 알맞은 내용을 쓰시오.(5점)

─────── [보기] ───────

1. 발판재료는 작업시의 하중을 견딜 수 있도록 견고한 것으로 할 것
2. 작업발판의 폭은 (①)cm 이상으로 하고, 발판재료 간의 틈은 (②)cm 이하로 할 것. 다만, 외줄비계의 경우에는 고용노동부장관이 별도로 정하는 기준에 따른다.
3. 추락의 위험성이 있는 장소에는 (③)을 설치할 것. 다만, 작업의 성질상 (③)을 설치하는 것이 곤란한 경우, 작업의 필요상 임시로 (③)을 해체할 때에 (④)을 설치하거나 근로자로 하여금 (⑤)를 사용하도록 하는 등 추락위험 방지조치를 한 경우에는 그러하지 아니하다.

해답

① 40　　② 3　　③ 안전난간　　④ 추락방호망　　⑤ 안전대

09

산업안전보건법령상 사업장을 실질적으로 총괄관리하는 안전보건관리책임자의 업무내용을 4가지 쓰시오.(단, 그 밖에 근로자의 유해·위험방지조치에 관한 사항으로서 고용노동부령이 정하는 사항은 제외) (4점)

해답

① 사업장의 산업재해 예방계획의 수립에 관한 사항
② 안전보건관리규정의 작성 및 변경에 관한 사항
③ 근로자에 대한 안전보건교육에 관한 사항
④ 작업환경 측정 등 작업환경의 점검 및 개선에 관한 사항
⑤ 근로자의 건강진단 등 건강관리에 관한 사항
⑥ 산업재해의 원인조사 및 재발방지대책 수립에 관한 사항
⑦ 산업재해에 관한 통계의 기록 및 유지에 관한 사항
⑧ 안전장치 및 보호구 구입시 적격품 여부 확인에 관한 사항

10

교류아크용접기에 자동전격방지기를 설치해야 하는 장소를 3가지 쓰시오.(4점)

해답

① 선박의 이중 선체 내부, 밸러스트 탱크(ballast tank, 평형수 탱크), 보일러 내부 등 도전체에 둘러싸인 장소
② 추락할 위험이 있는 높이 2미터 이상의 장소로 철골 등 도전성이 높은 물체에 근로자가 접촉할 우려가 있는 장소
③ 근로자가 물·땀 등으로 인하여 도전성이 높은 습윤 상태에서 작업하는 장소

11

초기사건으로 알려진 특정한 장치의 이상 또는 운전자의 실수에 의해 발생되는 잠재적인 사고의 결과를 귀납적인 방법으로 분석하는 정량적 위험성평가 기법의 명칭을 쓰시오. (4점)

해답

ETA(Event Tree Analysis. 사건수 분석)

12

산업안전보건법령상 근로자의 안전 및 보건에 위해를 미칠 수 있다고 인정되어 고용노동부장관이 실시하는 안전인증을 받아야 하는 안전인증대상기계등에 해당하는 항목 중 방호장치의 종류를 5가지 쓰시오.(5점)

해답

① 프레스 및 전단기 방호장치
② 양중기용 과부하 방지장치
③ 보일러 압력방출용 안절밸브
④ 압력용기 압력방출용 안전밸브
⑤ 압력용기 압력방출용 파열판
⑥ 절연용 방호구 및 활선작업용 기구
⑦ 방폭구조 전기기계·기구 및 부품
⑧ 추락·낙하 및 붕괴 등의 위험 방지 및 보호에 필요한 가설기자재로서 고용노동부장관이 정하여 고시하는 것
⑨ 충돌·협착 등의 위험 방지에 필요한 산업용 로봇 방호장치로서 고용노동부장관이 정하여 고시하는 것

13

산업안전보건법에서 정하고 있는 사업주가 근로자에게 시행해야 할 산업안전보건관련 교육과정을 4가지 쓰시오.(4점)

해답

① 정기교육   ② 채용 시의 교육   ③ 작업내용 변경 시의 교육
④ 특별교육   ⑤ 건설업 기초안전보건교육

01

산업안전보건법령상 가연물이 있는 장소에서 하는 화재위험 작업시 사업주가 근로자에게 실시해야 하는 특별안전보건교육의 내용을 4가지 쓰시오.(4점)

해답

① 작업준비 및 작업절차에 관한 사항
② 작업장 내 위험물, 가연물의 사용·보관·설치 현황에 관한 사항
③ 화재위험작업에 따른 인근 인화성 액체에 대한 방호조치에 관한 사항
④ 화재위험작업으로 인한 불꽃, 불티 등의 흩날림 방지 조치에 관한 사항
⑤ 인화성 액체의 증기가 남아 있지 않도록 환기 등의 조치에 관한 사항
⑥ 화재감시자의 직무 및 피난교육 등 비상조치에 관한 사항
⑦ 그 밖에 안전·보건관리에 필요한 사항

02

산업안전보건법령상 사업주가 관리감독자로 하여금 유해위험방지를 위하여 점검하게 하는 작업시작전 점검사항 중에서 구내운반차를 사용하여 작업을 할 때 점검사항을 5가지 쓰시오.(5점)

해답 구내운반차의 작업시작전 점검사항

① 제동장치 및 조종장치 기능의 이상유무
② 하역장치 및 유압장치 기능의 이상유무
③ 바퀴의 이상유무
④ 전조등·후미등·방향지시기 및 경음기 기능의 이상유무
⑤ 충전장치를 포함한 홀더 등의 결합상태의 이상유무

03

A사업장의 도수율(빈도율)은 40이고, 연간 5건의 재해와 요양근로손실일수가 350일 발생하였다. A사업장의 강도율을 구하시오. (4점)

해답

① 빈도율$(F.R) = \dfrac{\text{재해건수}}{\text{연근로시간수}} \times 1,000,000$

연근로시간수 $= \dfrac{5 \times 10^6}{4} = 1,250,000$

② 강도율 $= \dfrac{\text{요양근로손실일수}}{\text{연근로시간수}} \times 1,000 = \dfrac{350}{1,250,000} \times 1,000 = 0.28$

04

산업안전보건법령상 다음에 해당하는 안전보건표지의 명칭을 쓰시오. (4점)

①	②	③	④

해답

① 화기 금지   ② 산화성 물질 경고   ③ 고압전기 경고   ④ 고온 경고

05

산업안전보건법령상 자율안전확인대상 기계 또는 설비 5가지를 쓰시오. (5점)

① 연삭기 또는 연마기(휴대형은 제외)

② 산업용 로봇

③ 혼합기

④ 파쇄기 또는 분쇄기

⑤ 식품가공용기계(파쇄·절단·혼합·제면기만 해당)

⑥ 컨베이어

⑦ 자동차 정비용 리프트

⑧ 공작기계(선반, 드릴기, 평삭·형삭기, 밀링만 해당)

⑨ 고정형 목재가공용 기계(둥근톱, 대패, 루타기, 띠톱, 모떼기 기계만 해당)

⑩ 인쇄기

06

산업안전보건법령상 근로자가 노출된 충전부 또는 그 부근에서 작업함으로써 감전될 우려가 있는 경우에는 작업에 들어가기 전에 해당 전로를 차단하여야 한다. 전로차단 절차에 관한 다음 사항에서 (   )에 알맞은 내용을 쓰시오. (5점)

> 가. 전기기기등에 공급되는 모든 전원을 관련 도면, 배선도 등으로 확인할 것
>
> 나. 전원을 차단한 후 각 단로기 등을 개방하고 확인할 것
>
> 다. 차단장치나 단로기 등에 (①) 및 (②)를 부착할 것
>
> 라. 개로된 전로에서 유도전압 또는 전기에너지가 축적되어 근로자에게 전기위험을 끼칠 수 있는 전기기기 등은 접촉하기 전에 (③)를 완전히 방전시킬 것
>
> 마. (④)를 이용하여 작업 대상 기기가 충전되었는지를 확인할 것
>
> 바. 전기기기 등이 다른 노출 충전부와의 접촉, 유도 또는 예비동력원의 역송전 등으로 전압이 발생할 우려가 있는 경우에는 충분한 용량을 가진 (⑤)를 이용하여 접지할 것

① 잠금장치   ② 꼬리표   ③ 잔류전하   ④ 검전기   ⑤ 단락 접지기구

07

휴먼에러 분류 중 Swain의 독립행동에 관한 분류(심리적 분류)에 해당하는 종류를 4가지 쓰시오. (4점)

해답 독립 행동에 관한 분류

① 생략에러(omission error)   ② 착각수행(불확실한수행) 에러(commission error)
③ 순서에러(sequential error)   ④ 시간에러(time error)
⑤ 불필요한수행 에러(extraneous error)

08

유해하거나 위험한 기계·기구·설비 중에서 안전검사대상기계 등을 사용하는 사업주는 안전에 관한 성능이 고용노동부장관이 정하는 검사기준에 맞는지에 대하여 고용노동부장관이 실시하는 안전검사를 받아야 한다. 안전검사 주기에 관한 다음사항에서 (   )에 알맞은 내용을 쓰시오. (5점)

> 가. 크레인(이동식 크레인은 제외), 리프트(이삿짐운반용 리프트는 제외) 및 곤돌라: 사업장에 설치가 끝난 날부터 (①)년 이내에 최초 안전검사를 실시하되, 그 이후부터 (②)년마다(건설현장에서 사용하는 것은 최초로 설치한 날부터 (③)개월마다) 안전검사를 실시한다.
>
> 나. 프레스, 전단기, 압력용기, 국소 배기장치, 원심기, 롤러기, 사출성형기, 컨베이어 및 산업용 로봇: 사업장에 설치가 끝난 날부터 (④)년 이내에 최초 안전검사를 실시하되, 그 이후부터 2년마다(공정안전보고서를 제출하여 확인을 받은 압력용기는 (⑤)년마다) 안전검사를 실시한다.

해답

① 3   ② 2   ③ 6   ④ 3   ⑤ 4

09

산업안전보건법령상 항타기 또는 항발기를 조립하거나 해체하는 경우 점검해야 할 사항을 4가지 쓰시오. (4점)

해답

① 본체 연결부의 풀림 또는 손상의 유무   ② 권상용 와이어로프·드럼 및 도르래의 부착상태의 이상유무
③ 권상장치의 브레이크 및 쐐기장치 기능의 이상유무   ④ 권상기의 설치상태의 이상유무
⑤ 리더(leader)의 버팀 방법 및 고정상태의 이상 유무   ⑥ 본체·부속장치 및 부속품의 강도가 적합한지 여부
⑦ 본체·부속장치 및 부속품에 심한 손상·마모·변형 또는 부식이 있는지 여부

10

산업재해 예방을 위하여 종합적인 개선조치를 할 필요가 있다고 인정되는 사업장의 사업주에게 고용노동부장관은 안전보건개선계획을 수립하여 시행할 것을 명할 수 있다. 계획서 제출과 검토에 관한 다음사항에서 (   )에 알맞은 것을 쓰시오. (4점)

가. 안전보건개선계획서를 제출해야 하는 사업주는 안전보건개선계획서 수립·시행 명령을 받은 날부터 (①)일 이내에 관할 지방고용노동관서의 장에게 해당 계획서를 제출해야 한다.

나. 지방고용노동관서의 장이 안전보건개선계획서를 접수한 경우에는 접수일부터 (②)일 이내에 심사하여 사업주에게 그 결과를 알려야 한다.

해답

① 60   ② 15

11

다음에 해당하는 방폭구조의 기호를 쓰시오. (3점)

① 안전증방폭구조   ② 내압방폭구조   ③ 유입방폭구조

해답

① Ex e   ② Ex d   ③ Ex o

tip

방폭구조의 기호

내압 방폭구조	압력 방폭구조	유입 방폭구조	안전증 방폭구조	특수 방폭구조	본질안전 방폭구조	몰드 방폭구조	충전 방폭구조	비점화 방폭구조
d	p	o	e	s	i(ia,ib)	m	q	n

12

프레스의 방호장치 중 수인식 방호장치의 일반구조에 해당하는 내용을 4가지 쓰시오. (4점)

해답 **수인식 방호장치의 구비조건**

① 수인끈은 작업자와 작업공정에 따라 그 길이를 조정할 수 있어야 한다.
② 수인끈의 안내통은 끈의 마모와 손상을 방지할 수 있는 조치를 해야 한다.
③ 손목밴드는 착용감이 좋으며 쉽게 착용할 수 있는 구조이어야 한다.
④ 각종 레버는 경량이면서 충분한 강도를 가져야 한다.
⑤ 손목밴드(wrist band)의 재료는 유연한 내유성 피혁 또는 이와 동등한 재료를 사용해야 한다.
⑥ 수인끈의 재료는 합성섬유로 직경이 4mm 이상이어야 한다.
⑦ 수인량의시험은 수인량이 링크에 의해서 조정될 수 있도록 되어야 하며 금형으로부터 위험한계 밖으로 당길 수 있는 구조이어야 한다.

13

산업안전보건법령상 가설통로를 설치하는 경우 사업주가 준수해야 할 다음 사항에서 (   )에 알맞은 내용을 쓰시오. (4점)

가. 경사는 (①)도 이하로 할 것.
나. 다만, 계단을 설치하거나 높이 (②)미터 미만의 가설통로로서 튼튼한 손잡이를 설치한 경우에는 그러하지 아니하다.
다. 경사가 (③)도를 초과하는 경우에는 미끄러지지 아니하는 구조로 할 것
라. 추락할 위험이 있는 장소에는 (④)을 설치할 것.

해답

① 30   ② 2   ③ 15   ④ 안전난간

tip

가설통로의 구조(설치시 준수사항)
① 견고한 구조로 할 것
② 수직갱에 가설된 통로의 길이가 15미터 이상인 경우에는 10미터 이내마다 계단참을 설치할 것
③ 건설공사에 사용하는 높이 8미터 이상인 비계다리에는 7미터 이내마다 계단참을 설치할 것

01

정보전달에 있어 청각적 표시장치보다 시각적 표시장치를 사용하는 것이 더 좋은 경우를 3가지 쓰시오.(3점)

해답

① 정보가 복잡하다.　　　　　　　　　　② 정보가 길다.
③ 정보가 후에 재참조된다.　　　　　　　④ 정보의 내용이 공간적인 위치를 다룬다.
⑤ 정보가 즉각적인 행동을 요구하지 않는다.　⑥ 수신장소가 너무 시끄러울 때
⑦ 수신자의 청각 계통이 과부하상태일 때

02

FTA에 사용되는 논리기호 및 사상기호의 명칭을 쓰시오.(4점)

①	②	③	④
(◇)	(○)	(⌂)	출력 / 조건 / 입력

해답

① 생략사상　② 기본사상　③ 통상사상　④ 억제 게이트

03

폭발위험장소의 구분도(區分圖)를 작성하는 경우, 사업주가 가스폭발 위험장소 또는 분진폭발 위험장소로 설정하여 관리해야 하는 장소 2개소를 쓰시오.(4점)

해답

① 인화성 액체의 증기나 인화성 가스 등을 제조·취급 또는 사용하는 장소
② 인화성 고체를 제조·사용하는 장소

04

산업안전보건법령상 교류아크용접기를 사용하는 경우, 사업주가 교류아크용접기에 자동전격방지기를 설치하여야 하는 장소를 3가지 쓰시오.(3점)

해답

① 선박의 이중 선체 내부, 밸러스트 탱크(ballast tank, 평형수 탱크), 보일러 내부 등 도전체에 둘러싸인 장소

② 추락할 위험이 있는 높이 2미터 이상의 장소로 철골 등 도전성이 높은 물체에 근로자가 접촉할 우려가 있는 장소

③ 근로자가 물·땀 등으로 인하여 도전성이 높은 습윤 상태에서 작업하는 장소

05

산업안전보건법령상 비, 눈, 그 밖의 기상상태의 악화로 작업을 중지시킨 후 또는 비계를 조립, 해체하거나 변경한 후에 그 비계에서 작업을 하는 경우 해당 작업을 시작하기 전에 사업주가 점검하고 이상을 발견하면 즉시 보수하여야 하는 사항을 4가지 쓰시오.(4점)

해답

① 발판재료의 손상여부 및 부착 또는 걸림상태   ② 당해 비계의 연결부 또는 접속부의 풀림상태

③ 연결재료 및 연결철물의 손상 또는 부식상태   ④ 손잡이의 탈락여부

⑤ 기둥의 침하·변형·변위 또는 흔들림 상태   ⑥ 로프의 부착상태 및 매단장치의 흔들림 상태

06

사업주는 안지름이 150밀리미터를 초과하는 압력용기 등에는 과압에 따른 폭발 방지를 위하여 폭발방지 성능과 규격을 갖춘 안전밸브 또는 파열판을 설치해야 한다. 산업안전보건법령상 파열판을 설치해야 하는 경우를 3가지 쓰시오.(5점)

해답

① 반응 폭주 등 급격한 압력상승의 우려가 있는 경우

② 급성독성물질의 누출로 인하여 주위의 작업환경을 오염시킬 우려가 있는 경우

③ 운전 중 안전밸브에 이상 물질이 누적되어 안전밸브가 작동되지 아니할 우려가 있는 경우

07

다음과 같은 조건에 해당하는 사업장의 강도율과 도수율을 구하시오.(4점)

가. 근로자수 : 400명
나. 근로시간 : 1일 8시간 연간 300일
다. 잔업시간 : 1인당 연간 50시간
라. 재해건수 : 5건(사망 1명, 10급 4명)

해답

① 강도율 $= \dfrac{\text{총요양근로손실일수}}{\text{연근로시간수}} \times 1,000$

$= \dfrac{7500 + 600 \times 4}{(400 \times 8 \times 300) + (400 \times 50)} \times 1,000 = 10.10$

② 도수율 $= \dfrac{\text{재해건수}}{\text{연근로시간수}} \times 1,000,000$

$= \dfrac{5}{(400 \times 8 \times 300) + (400 \times 50)} \times 1,000,000 = 5.10$

08

다음은 적응의 기제에 관한 설명이다. 해당하는 적응의 기제를 쓰시오.

① 자신의 실패나 약점을 그럴듯한 이유를 들어 남에게 비난받지 않도록 자신의 행동을 정당화하는 행위.
② 받아들일 수 없는 충동이나 실패 등으로 인한 자기 속의 억압된 것을 타인의 탓으로 돌리는 행위
③ 욕구가 좌절되거나 억압되었을 때 보다 가치 있는 목적을 실현하기 위해 노력하는 행위
④ 자신의 결함이나 무능으로 인하여 생긴 열등감이나 긴장을 해소하기 위해 그 결함을 다른 것으로 대치하여 욕구를 충족하려는 행위

해답

① 합리화 ② 투사 ③ 승화 ④ 보상

09

산업안전보건법령상 근로자의 안전 및 보건에 위해를 미칠 수 있다고 인정되는 유해·위험기계등이 안전인증기준에 적합한지를 확인하기 위하여 안전인증기관이 하는 안전인증심사의 종류 3가지와 각각의 심사기간을 쓰시오.(단, 외국에서 제조한 경우 및 제품 심사에 관한 내용은 제외)(6점)

해답

① 예비심사: 7일 이내
② 서면심사: 15일 이내
③ 기술능력 및 생산체계 심사: 30일 이내

tip

심사 종류별 심사기간(심사 종류별 아래의 기간 내에 심사해야 한다)

① 예비심사: 7일

② 서면심사: 15일(외국에서 제조한 경우는 30일)

③ 기술능력 및 생산체계 심사: 30일(외국에서 제조한 경우는 45일)

④ 제품심사

  ㉠ 개별 제품심사: 15일

  ㉡ 형식별 제품심사: 30일(방폭구조 전기기계·기구 및 부품의 방호장치와 안전화등 일부 보호구는 60일)

10

산업안전보건법령상 항타기 또는 항발기의 권상용 와이어로프에 관한 다음 사항에서 (   )에 알맞은 내용을 쓰시오.(4점)

가. 사업주는 항타기 또는 항발기의 권상용 와이어로프의 안전계수가 (①) 이상이 아니면 이를 사용해서는 아니 된다.

나. 권상용 와이어로프는 추 또는 해머가 최저의 위치에 있을 때 또는 널말뚝을 빼내기 시작할 때를 기준으로 권상장치의 드럼에 적어도
    (②)회 감기고 남을 수 있는 충분한 길이일 것

해답

① 5   ② 2

11

산업안전보건법령상 계단에 관한 다음 사항에서 ( )에 알맞은 내용을 쓰시오.(3점)

> 가. 사업주는 계단 및 계단참을 설치하는 경우 매제곱미터당 (①)킬로그램 이상의 하중에 견딜 수 있는 강도를 가진 구조로 설치하
> 여야 하며, 안전율은 (②) 이상으로 하여야 한다.
> 나. 사업주는 계단을 설치하는 경우 그 폭을 1미터 이상으로 하여야 한다.
> 다. 사업주는 높이가 3미터를 초과하는 계단에 높이 3미터 이내마다 진행방향으로 길이 (③)미터 이상의 계단참을 설치해야 한다.
> 라. 사업주는 높이 1미터 이상인 계단의 개방된 측면에 안전난간을 설치하여야 한다.

해답

① 500   ② 4   ③ 1.2

12

안전인증 방독마스크에 안전인증의 표시에 따른 표시 외에 추가로 표시해야 할 내용을 3가지 쓰시오. (4점)

해답

① 파과곡선도   ② 사용시간 기록카드   ③ 정화통의 외부측면의 표시 색   ④ 사용상의 주의사항

13

유해하거나 위험한 작업 또는 장소에서 사용하거나 건강장해를 방지하기 위하여 사용하는 기계·기구 및 설비를
설치·이전하거나 그 주요 구조부분을 변경하려는 경우 산업안전보건법에 따른 유해위험방지계획서를 작성하여
고용노동부장관에게 제출하고 심사를 받아야 하는 대상 기계·기구 및 설비의 종류를 5가지 쓰시오.(5점)

해답

① 금속이나 그 밖의 광물의 용해로   ② 화학설비
③ 건조설비   ④ 가스집합 용접장치
⑤ 근로자의 건강에 상당한 장해를 일으킬 우려가 있는 물질로서 고용노동부령으로 정하는 물질의 밀폐·환기·배기를 위한 설비

01

산업안전보건법령상 안전인증대상기계등에 해당하는 항목 중 보호구의 종류를 5가지 쓰시오(5점)

해답 안전인증대상 보호구

① 추락 및 감전 위험방지용 안전모 　② 안전화 　③ 안전장갑
④ 방진마스크 　⑤ 방독마스크 　⑥ 송기마스크
⑦ 전동식 호흡보호구 　⑧ 보호복 　⑨ 안전대
⑩ 차광 및 비산물 위험방지용 보안경 　⑪ 용접용 보안면 　⑫ 방음용 귀마개 또는 귀덮개

02

가스폭발 위험장소 또는 분진폭발 위험장소에 설치되는 건축물 등에 대해서는 산업안전보건법에서 정하고 있는 해당하는 부분을 내화구조로 하여야 하며, 그 성능이 항상 유지될 수 있도록 점검·보수 등 적절한 조치를 하여야 한다. 여기에 해당하는 부분을 3가지 쓰시오.(3점)

해답

① 건축물의 기둥 및 보: 지상 1층(지상 1층의 높이가 6미터를 초과하는 경우에는 6미터)까지
② 위험물 저장·취급용기의 지지대(높이가 30센티미터 이하인 것은 제외한다): 지상으로부터 지지대의 끝부분까지
③ 배관·전선관 등의 지지대: 지상으로부터 1단(1단의 높이가 6미터를 초과하는 경우에는 6미터)까지

03

방호장치 안전인증 고시 기준에서 프레스의 양수조작식 방호장치 일반구조에 관한 다음 사항에서 (   )에 알맞은
내용을 쓰시오.(3점)

가. 정상동작표시등은 (①), 위험표시등은 (②)으로 하며, 쉽게 근로자가 볼 수 있는 곳에 설치해야 한다.

나. 누름버튼을 양손으로 동시에 조작하지 않으면 작동시킬 수 없는 구조이어야 하며, 양쪽버튼의 작동시간 차이는 최대 (③)초
  이내일 때 프레스가 동작되도록 해야 한다.

해답

① 녹색   ② 붉은색   ③ 0.5

tip

양수조작식 방호장치 일반구조

가. 정상동작표시등은 녹색, 위험표시등은 붉은색으로 하며, 쉽게 근로자가 볼 수 있는 곳에 설치해야 한다.

나. 슬라이드 하강 중 정전 또는 방호장치의 이상 시에 정지할 수 있는 구조이어야 한다.

다. 방호장치는 릴레이, 리미트스위치 등의 전기부품의 고장, 전원전압의 변동 및 정전에 의해 슬라이드가 불시에 동작하지 않아야 하며,
  사용전원전압의 ±(100분의 20)의 변동에 대하여 정상으로 작동되어야 한다.

라. 1행정 1정지 기구에 사용할 수 있어야 한다.

마. 누름버튼을 양손으로 동시에 조작하지 않으면 작동시킬 수 없는 구조이어야 하며, 양쪽버튼의 작동시간 차이는 최대 0.5초 이내일 때
  프레스가 동작되도록 해야 한다.

바. 1행정마다 누름버튼에서 양손을 떼지 않으면 다음 작업의 동작을 할 수 없는 구조이어야 한다.

사. 램의 하행정중 버튼(레버)에서 손을 뗄 시 정지하는 구조이어야 한다.

아. 누름버튼의 상호간 내측거리는 300㎜ 이상이어야 한다.

04

다음의 그림에서 지게차의 중량(G)이 1톤이고, 앞바퀴에서 화물 중심까지의 거리(a)가 0.5m, 앞바퀴로부터 차의 무게중심까지의 거리(b)가 1m일 경우 지게차의 안정을 유지하기 위한 최대 화물중량(W)은 얼마 이하로 해야 하는가?(5점)

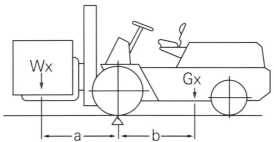

해답

지게차의 안정을 유지하기 위한 식
$W \times a \leq G \times b$
$W \times 0.5 \leq 1 \times 1$
$W \leq 2$
화물중량(W) = 2톤이하

05

매슬로우(Abraham Maslow)의 욕구 5단계를 순서대로 쓰시오.(5점)

해답

① 제1단계 : 생리적(생존) 욕구   ② 제2단계 : 안전의 욕구   ③ 제3단계 : 사회적 욕구
④ 제4단계 : 인정(존경)받으려는 욕구   ⑤ 제5단계 : 자아실현의 욕구

06

산업안전보건법령상 안전보건표지의 색도기준 및 용도에 관한 다음 사항에서 ( )에 알맞은 내용을 쓰시오.(4점)

(①)	금지	정지신호, 소화설비 및 그 장소, 유해 행위의 금지
(②)	경고	화학물질 취급장소에서의 유해위험 경고
노란색	경고	화학물질 취급장소에서의 유해위험 경고 그 밖의 위험경고, 주의표지 또는 기계 방호물
(③)	지시	특정 행위의 지시 및 사실의 고지
(④)	안내	비상구 및 피난소, 사람 또는 차량의 통행표지

해답

① 빨간색   ② 빨간색   ③ 파란색   ④ 녹색

tip

안전표지의 색채 및 색도기준

색채	색도기준	용도	사용례	형태별 색채기준
빨간색	7.5R 4/14	금지	정지신호, 소화설비 및 그 장소, 유해행위의 금지	바탕은 흰색, 기본모형은 빨간색, 관련부호 및 그림은 검은색
		경고	화학물질 취급장소에서의 유해위험 경고	바탕은 노란색, 기본모형·관련부호 및 그림은 검은색 (주1)
노란색	5Y 8.5/12	경고	화학물질 취급장소에서의 유해위험 경고 그 밖의 위험경고, 주의표지 또는 기계 방호물	
파란색	2.5PB 4/10	지시	특정행위의 지시 및 사실의 고지	바탕은 파란색, 관련 그림은 흰색
녹색	2.5G 4/10	안내	비상구 및 피난소, 사람 또는 차량의 통행표지	바탕은 흰색, 기본모형 및 관련부호는 녹색, 바탕은 녹색, 관련부호 및 그림은 흰색
흰색	N9.5		파란색 또는 녹색에 대한 보조색	
검은색	N0.5		문자 및 빨간색 또는 노란색에 대한 보조색	

(주1) 다만, 인화성물질경고·산화성물질경고·폭발성물질경고·급성독성물질경고·부식성물질경고 및 발암성·변이원성·생식독성·전신독성·호흡기과민성물질경고의 경우 바탕은 무색, 기본모형은 빨간색(검은색도 가능)

07

곤돌라형 달비계에 사용해서는 안 되는 와이어로프의 기준을 5가지 쓰시오.(5점)

해답 와이어로프의 사용금지 기준

① 이음매가 있는 것
② 와이어로프의 한 꼬임[스트랜드(strand)]에서 끊어진 소선의 수가 10% 이상인 것
③ 지름의 감소가 공칭지름의 7%를 초과하는 것
④ 꼬인 것
⑤ 심하게 변형되거나 부식된 것
⑥ 열과 전기충격에 의해 손상된 것

08

산업안전보건법령상 다음 내용의 ( )에 알맞은 숫자를 쓰시오.(3점)

누전차단기에 의한 감전방지 규정 및 절연용 보호구 등의 사용규정은 대지전압 ( )볼트 이하인 전기기계·기구·배선 또는 이동전선에 대해서는 적용하지 아니한다.

해답

30

09

안전보건관리담당자에 관한 다음 사항에서 (   )에 알맞은 숫자를 쓰시오.(3점)

제조업, 임업 등 산업안전보건법령에서 정하는 사업의 사업주는 상시근로자 (①)명 이상 50명 미만인 사업장에 안전보건관리담당자를 (②)명 이상 선임해야 한다.

해답

① 20   ② 1

tip

안전보건관리담당자의 선임 대상사업
① 제조업
② 임업
③ 하수, 폐수 및 분뇨 처리업
④ 폐기물 수집, 운반, 처리 및 원료 재생업
⑤ 환경 정화 및 복원업

10

산업안전보건법령상 암석이 떨어질 우려가 있는 위험한 장소에서 견고한 낙하물 보호구조를 갖춰야할 차량계 건설기계의 종류를 4가지 쓰시오.(4점)

해답

① 불도저
③ 굴착기
⑤ 스크레이퍼(scraper : 흙을 절삭·운반하거나 펴 고르는 등의 작업을 하는 토공기계)
⑦ 모터그레이더(motor grader : 땅 고르는 기계)
⑨ 천공기

② 트랙터
④ 로더(loader : 흙 따위를 퍼올리는 데 쓰는 기계)
⑥ 덤프트럭
⑧ 롤러(roller : 지반 다짐용 건설기계)
⑩ 항타기 및 항발기

11

사업장의 조건이 다음과 같을 경우 도수율을 구하시오.(4점)

·근로자수 : 800명   ·재해건수 : 5건
·하루근로시간 : 8시간   ·연간근로일수 : 300일

해답

$$도수율 = \frac{재해건수}{연근로시간수} \times 1,000,000 = \frac{5}{800 \times 8 \times 300} \times 1,000,000 = 2.60$$

12

산업안전보건법령상 사업주가 근로자에게 실시해야 하는 안전보건교육의 교육시간 중, 관리감독자 안전보건교육에 해당하는 교육과정별 시간을 쓰시오.(4점)

교육과정	교육시간
가. 정기교육	연간 (①)시간 이상
나. 채용 시 교육	(②)시간 이상
다. 작업내용 변경 시 교육	(③)시간 이상
라. 특별교육	16시간 이상
	단기간 작업 또는 간헐적 작업인 경우 (④)시간 이상

해답

① 16   ② 8   ③ 2   ④ 2

13

산업안전보건법령상 사업주가 근로자에게 실시해야 하는 특별교육 대상 작업 중 아세틸렌 용접장치 또는 가스집합용접장치를 사용하는 금속의 용접·용단 또는 가열작업(발생기·도관 등에 의하여 구성되는 용접장치만 해당한다.)에 해당하는 교육내용을 5가지 쓰시오.(5점)

해답

① 용접 흄, 분진 및 유해광선 등의 유해성에 관한 사항

② 가스용접기, 압력조정기, 호스 및 취관두(불꽃이 나오는 용접기의 앞부분) 등의 기기점검에 관한 사항

③ 작업방법·순서 및 응급처치에 관한 사항

④ 안전기 및 보호구 취급에 관한 사항

⑤ 화재예방 및 초기대응에 관한사항

⑥ 그 밖에 안전·보건관리에 필요한 사항

01

보호구안전인증고시상, 방진마스크의 성능기준에 해당하는 여과재분진 등 포집효율에 관한 다음 사항의 ( )에 알맞은 내용을 쓰시오.(4점)

형태 및 등급		염화나트륨(NaCl) 및 파라핀 오일(Paraffin oil) 시험(%)
분리식	특급	(①) 이상
	1급	94.0 이상
	2급	(②) 이상
안면부 여과식	특급	(③) 이상
	1급	94.0 이상
	2급	(④) 이상

해답

① 99.95 ② 80.0 ③ 99.0 ④ 80.0

02

안전보건교육 기법중 O.J.T의 특징을 Off.J.T와 비교하여 5가지 쓰시오.(5점)

해답

Off.J.T의 특징	O.J.T의 특징
① 계층별 또는 직능별로 공통의 목표에 대해 이루어지는 집합교육	① 작업현장에서 실습을 통해 개인별로 진행되는 개별교육
② 다수의 대상자를 일괄적, 조직적으로 교육할 수 있다.	② 개인의 능력과 적성에 알맞은 개인별 맞춤교육이 가능하다.
③ 교육의 효과를 신속하게 확인할수 없다.	③ 교육의 효과가 업무에 신속하게 반영된다.
④ 업무와 분리되어 업무손실이 발생한다	④ 교육으로 인해 업무가 중단되는 업무손실이 적다.
⑤ 교육에 대한 이해도 확인이 어렵다	⑤ 교육에 대한 이해도 확인이 빠르고 동기부여가 쉽다.

03

산업안전보건법령상, 사업주는 근로자가 상시 작업하는 장소의 작업면 조도를 기준에 맞도록 하여야 한다. 다음에 해당하는 작업의 조도기준을 쓰시오. (3점)

① 초정밀 작업   ② 정밀작업   ③ 보통작업

해답

① 750럭스 (lux) 이상   ② 300럭스 (lux) 이상   ③ 150럭스 (lux) 이상

04

[보기]를 참고하여 다음 이론에 해당하는 번호를 순서대로 쓰시오. (단, 보기는 중복사용 가능함)(6점)

[보기]

① 사회적 환경 및 유전적 요소(유전과 환경)   ② 기본적 원인   ③ 불안전한 행동 및 불안전한 상태(직접원인)
④ 작전적 에러   ⑤ 사고   ⑥ 재해(상해,손실,손해)
⑦ 관리(통제)의 부족   ⑧ 개인적 결함   ⑨ 관리구조
⑩ 전술적 에러

가) 하인리히의 도미노 이론
나) 버드의 최신의 도미노 이론
다) 아담스의 사고연쇄성 이론

해답

가) 하인리히의 도미노 이론 : ① ⑧ ③ ⑤ ⑥
나) 버드의 최신의 도미노 이론 : ⑦ ② ③ ⑤ ⑥
다) 아담스의 사고연쇄성 이론 : ⑨ ④ ⑩ ⑤ ⑥

05

위험기계·기구 안전인증 고시상, 크레인 제작 및 안전기준에 관련한 다음 사항에서 (   )에 알맞은 내용을 쓰시오.(5점)

가) 조작전압은 대지전압 교류 (①)볼트 이하 또는 직류 (②)볼트 이하여야 한다.
나) 펜던트 스위치에는 크레인의 비상정지용 누름버튼과 손을 떼면 자동적으로 (③)로 복귀되는 각각의 작동종류에 대한 누름버튼 또는 스위치 등이 비치되어 있고 정상적으로 작동해야 한다.

해답

① 150   ② 300   ③ 정지위치(off)

06

교류아크 용접기의 방호장치에 관한 다음 용어의 정의를 쓰시오.(5점)

① 시동시간   ② 지동시간

해답

① 시동시간 : 용접봉을 피용접물에 접촉시켜서 전격방지기의 주접점이 폐로될 때까지의 시간
② 지동시간 : 용접봉 홀더에 용접기 출력측의 무부하전압이 발생한 후 주접점이 개방될 때까지의 시간

07

산업안전보건법령상, 사업주가 근로자에게 실시해야 하는 안전보건교육 교육대상별 교육내용 중 근로자 안전보건교육에 해당하는 정기교육의 내용을 4가지 쓰시오.(4점)

해답

① 산업안전 및 사고 예방에 관한 사항
② 산업보건 및 직업병 예방에 관한 사항
③ 위험성 평가에 관한 사항
④ 건강증진 및 질병 예방에 관한 사항
⑤ 유해·위험 작업환경 관리에 관한 사항
⑥ 산업안전보건법령 및 산업재해보상보험 제도에 관한 사항
⑦ 직무스트레스 예방 및 관리에 관한 사항
⑧ 직장 내 괴롭힘, 고객의 폭언 등으로 인한 건강장해 예방 및 관리에 관한 사항

08

산업안전보건법령상, 산업재해 예방을 위하여 종합적인 개선조치를 할 필요가 있다고 인정되는 사업장의 사업주에게 고용노동부령으로 정하는 바에 따라 그 사업장, 시설, 그 밖의 사항에 관한 안전 및 보건에 관한 개선계획(안전보건개선계획)을 수립하여 시행할 것을 노동부장관이 명할 수 있는 대상 사업장을 3가지 쓰시오.(단, 유해인자의 노출기준을 초과한 사업장은 제외) (3점)

해답

① 산업재해율이 같은 업종의 규모별 평균 산업재해율보다 높은 사업장
② 사업주가 필요한 안전조치 또는 보건조치를 이행하지 아니하여 중대재해가 발생한 사업장
③ 직업성 질병자가 연간 2명 이상 발생한 사업장

09

유해·위험기계등 중 근로자의 안전 및 보건에 위해를 미칠 수 있다고 인정되어 고용노동부장관이 실시하는 안전인증을 받아야 하는 안전인증대상기계등 중에서 기계 또는 설비에 해당하는 종류를 4가지 쓰시오.(4점)

해답

① 프레스　②전단기 및 절곡기　③크레인　④리프트　⑤압력용기
⑥ 롤러기　⑦사출성형기　⑧고소 작업대　⑨곤돌라

10

다음 보기와 같은 사업장의 휴업재해율을 계산하시오.(5점)

─────────────── [보기] ───────────────

- 사업장내 생산설비에 의한 휴업재해자수 : 50명
- 통상 출퇴근 재해에 의한 휴업재해자수 : 10명
- 총 휴업재해일수 : 300일
- 임금근로자수 : 1,000명
- 총요양근로손실일수 : 500일

해답

$$휴업재해율 = \frac{휴업재해자수}{임금근로자수} \times 100$$

$$= \frac{50}{1000} \times 100 = 5(\%)$$

tip

휴업재해자수에서 통상의 출퇴근으로 발생한 재해는 제외함.

11

산업안전보건법령상, 다음에 설명하는 양중기에 해당하는 기계의 명칭을 쓰시오.(5점)

① 동력을 사용하여 사람이나 화물을 운반하는 것을 목적으로 하는 기계설비
② 달기발판 또는 운반구, 승강장치, 그 밖의 장치 및 이들에 부속된 기계부품에 의하여 구성되고, 와이어로프 또는 달기강선에 의하여 달기발판 또는 운반구가 전용 승강장치에 의하여 오르내리는 설비

해답

① 리프트
② 곤돌라

12

산업안전보건법령상, 사다리식 통로 등을 설치하는 경우 사업주가 준수해야할 다음 사항에서 (   )에 알맞은 내용을 쓰시오.(3점)

가) 견고한 구조로 할 것

나) 심한 손상·부식 등이 없는 재료를 사용할 것

다) 발판의 간격은 일정하게 할 것

라) 발판과 벽과의 사이는 (①)센티미터 이상의 간격을 유지할 것

마) 폭은 30센티미터 이상으로 할 것

바) 사다리가 넘어지거나 미끄러지는 것을 방지하기 위한 조치를 할 것

사) 사다리의 상단은 걸쳐놓은 지점으로부터 (②)센티미터 이상 올라가도록 할 것

아) 사다리식 통로의 길이가 10미터 이상인 경우에는 (③)미터 이내마다 계단참을 설치할 것

해답

① 15   ② 60   ③ 5

13

산업안전보건법령상, 사업주가 근로자에게 실시해야 하는 근로자 안전보건교육에서 특별교육 대상 작업별 교육에 해당하는 '화학설비의 탱크 내 작업'의 특별교육 내용을 3가지 쓰시오.(단, 그 밖에 안전·보건관리에 필요한 사항은 제외) (3점)

해답

① 차단장치·정지장치 및 밸브 개폐장치의 점검에 관한 사항

② 탱크 내의 산소농도 측정 및 작업환경에 관한 사항

③ 안전보호구 및 이상 발생 시 응급조치에 관한 사항

④ 작업절차·방법 및 유해·위험에 관한 사항

01

산업재해 조사표에서 건설업에만 작성하는 사업장 정보를 [보기]에서 4가지 고르시오.(4점)

[보기]

① 상해종류   ② 고용형태   ③ 발주자   ④ 공정률
⑤ 원수급 사업장명   ⑥ 공사현장 명   ⑦ 전화번호   ⑧ 재해발생형태

해답

③ 발주자   ④ 공정률   ⑤ 원수급 사업장명   ⑥ 공사현장 명

02

산업안전보건법령상, 산업재해 중 사망 등 재해 정도가 심하거나 다수의 재해자가 발생한 중대재해의 범위에 해당하는 다음 사항에서 (   )에 알맞은 내용을 쓰시오.(5점)

가) 사망자가 (①)명 이상 발생한 재해
나) 3개월 이상의 요양이 필요한 부상자가 동시에 (②)명 이상 발생한 재해
다) 부상자 또는 (③)가 동시에 10명 이상 발생한 재해

해답

① 1   ② 2   ③ 직업성 질병자

03

산업안전보건법령상, 승강설비에 관한 다음 사항에서 (   )에 알맞은 내용을 쓰시오.(3점)

사업주는 (①)으로부터 짐 윗면까지의 높이가 (②)미터 이상인 화물자동차에 짐을 싣는 작업 또는 내리는 작업을 하는 경우에는 근로자의 추가 위험을 방지하기 위하여 해당 작업에 종사하는 근로자가 바닥과 적재함의 짐 윗면 간을 안전하게 오르내리기 위한 설비를 설치하여야 한다.

해답

① 바닥   ② 2

04

추락에 의한 재해를 예방하기 위한 안전대에 관한 정의에 해당하는 용어를 보기에서 골라 쓰시오.(5점)

--- [보기] ---

버클,   죔줄,   훅(카라비나),   안전블록,   안전그네

---

① 신체지지의 목적으로 전신에 착용하는 띠모양의 부품
② 벨트 또는 안전그네를 신체에 착용하기 위해 그 끝에 부착한 금속장치
③ 죔줄과 걸이설비 또는 D링과 연결하기 위한 금속장치
④ 안전그네와 연결하여 추락발생시 추락을 억제할 수있는 자동잠김장치가 갖추어져 있고 죔줄이 자동적으로 수축되는 금속장치
⑤ 벨트 또는 안전그네를 구명줄 또는 구조물 등 기타 걸이설비와 연결하기 위한 줄모양의 부품

해답

① 안전그네   ② 버클   ③ 훅(카라비나)   ④ 안전블록   ⑤ 죔줄

05

하인리히의 도미노이론 5단계 중 3단계에 해당하는 내용을 두가지 쓰시오.(4점)

해답

① 불안전한 행동(인적요인)   ② 불안전한상태(물적요인)

06

산업안전보건법령상, 동력을 사용하는 항타기 또는 항발기에 대하여 무너짐을 방지하기 위하여 사업주가 준수해야 할 사항에서 (   )에 알맞은 내용을 쓰시오.(3점)

1) 연약한 지반에 설치하는 경우에는 아웃트리거·받침 등 지지구조물의 침하를 방지하기 위하여 (①) 등을 사용할 것
2) 궤도 또는 차로 이동하는 항타기 또는 항발기에 대해서는 불시에 이동하는 것을 방지하기 위하여 (②) 등으로 고정시킬 것
3) 상단 부분은 (③)로 고정하여 안정시키고, 그 하단 부분은 견고한 버팀·말뚝 또는 철골 등으로 고정시킬 것

해답

① 깔판·받침목   ② 레일 클램프(rail clamp) 및 쐐기   ③ 버팀대·버팀줄

07

다음과 같은 조건에 해당하는 사업장의 도수율을 구하시오.(5점)

가) 재해건수 : 15건   나) 연근로시간 : 4,800,000   다) 휴업일수 : 180일

해답

① 도수율 $= \dfrac{\text{재해건수}}{\text{연근로시간수}} \times 1,000,000$

② 도수율 $= \dfrac{15}{4,800,000} \times 1,000,000 = 3.125 = 3.13$

08

산업안전보건법령상, 건물등의 해체작업을 하는 경우 근로자의 위험을 방지하기 위하여 사업주가 작성해야할 작업계획서에 포함해야할 사항을 3가지 쓰시오.(단, 그 밖에 안전·보건에 관련된 사항은 제외) (4점)

해답

① 해체의 방법 및 해체 순서도면
② 가설설비·방호설비·환기설비 및 살수·방화설비 등의 방법
③ 사업장 내 연락방법
④ 해체물의 처분계획
⑤ 해체작업용 기계·기구 등의 작업계획서
⑥ 해체작업용 화약류 등의 사용계획서

09

산업안전보건법령상, 다음 설명에 해당하는 안전보건표지의 명칭을 쓰시오.(4점)

① 정지중인 차량, 수리중인 엘리베이터, 작업장내 지게차 등 사람이 탑승해서는 안되는 운전장비등에 설치하는 표지
② 정리·정돈상태의 물체나 움직여서는 안될 물체를 보존하기 위해 필요한 장소에 부착하는 표지

해답

① 탑승금지   ② 물체이동금지

10

산업안전보건법령상, 유해·위험기계등 중 근로자의 안전 및 보건에 위해를 미칠 수 있다고 인정된 안전인증대상 기계등 중에서 방호장치에 해당하는 종류를 5가지 쓰시오.(단, 추락·낙하 및 붕괴 등의 위험 방지 및 보호에 필요한 가설기자재 및 충돌·협착 등의 위험 방지에 필요한 산업용 로봇 방호장치로서 고용노동부장관이 정하여 고시하는 것은 제외) (5점)

해답

① 프레스 및 전단기 방호장치   ② 양중기용 과부하 방지장치
③ 보일러 압력방출용 안전밸브   ④ 압력용기 압력방출용 안전밸브
⑤ 압력용기 압력방출용 파열판   ⑥ 절연용 방호구 및 활선작업용 기구
⑦ 방폭구조 전기기계·기구 및 부품

11

수소 28[vol%], 메탄 45[vol%], 에탄 27[vol%]의 조성을 가진 혼합 가스의 폭발 상한계 값[vol%]과 메탄의 위험도를 계산하시오.(4점)

물질명	폭발 하한계	폭발 상한계
수소	4.0[vol%]	75[vol%]
메탄	5.0[vol%]	15[vol%]
에탄	3.0[vol%]	12.4[vol%]

해답

① 폭발 상한계

$$\frac{100}{U} = \frac{V_1}{U_1} + \frac{V_2}{U_2} + \frac{V_3}{U_3} = \frac{28}{75} + \frac{45}{15} + \frac{27}{12.4} = 5.55$$

그러므로 폭발 상한계$(U) = \frac{100}{5.55} = 18.02[\text{vol}\%]$

② 위험도$(H) = \frac{UFL - LFL}{LFL} = \frac{15 - 5}{5} = 2$

12

가스 방폭구조의 종류를 5가지 쓰시오.(단, 영어가 아닌 한글로 쓸 것)(5점)

해답

① 내압 방폭구조　② 압력 방폭구조　③ 안전증 방폭구조　④ 유입 방폭구조　⑤ 본질안전 방폭구조
⑥ 비점화 방폭구조　⑦ 몰드 방폭구조　⑧ 충전 방폭구조　⑨ 특수 방폭구조

13

산업현장에서 사용되는 출입금지 표지판의 배경반사율이 80[%]이고, 관련 그림의 반사율이 20[%]일 경우 표지판의 대비(%)를 구하시오.(4점)

해답

① 대비(%) $= \dfrac{\text{배경의 반사율}(L_b) - \text{표적의 반사율}(L_t)}{\text{배경의 반사율}(L_b)} \times 100$

② $\dfrac{80-20}{80} \times 100 = 75[\%]$

2024년 기출

2025 산업안전산업기사 실기 필답형

초판인쇄	2025년 2월 20일
초판발행	2025년 2월 27일

저 자 와 의
협 의 하 에
인지 생략

발 행 인	박용
출판총괄	김세라
개발책임	이성준
책임편집	윤혜진
마 케 팅	김치환, 최지희, 이혜진, 손정민, 정재윤, 최선희, 오유진
일러스트	㈜ 유미지

발 행 처	㈜ 박문각출판
출판등록	등록번호 제2019-000137호
주 소	06654 서울시 서초구 효령로 283 서경B/D 5층
전 화	(02) 6466-7202
팩 스	(02) 584-2927
홈페이지	www.pmgbooks.co.kr

ISBN	979-11-7262-626-6
	979-11-7262-624-2(세트)
정가	43,000원